Taschenbücherei

Texte & Materialien

Herausgegeben von
Klaus-Ulrich Pech und Rainer Siegle

Kurt Held

Die rote Zora
und ihre Bande

mit Materialien
zusammengestellt von
Klaus-Ulrich Pech

Ernst Klett Schulbuchverlag Leipzig
Leipzig Stuttgart Düsseldorf

Im Internet unter **www.klett.de/online** finden Sie zu dem Titel *Die rote Zora und ihre Bande* einen Lektürekommentar, der methodisch-didaktische Hilfen und Anregungen enthält: Stundenplanungen, Lernzielvorschläge, Projektanregungen. Geben Sie dort in das Feld »**Online-Link**« folgende Nummer ein: **262451-0000**

1. Auflage   A 1 7 6 5 4 3 | 2012 2011 2010 2009 2008

Alle Drucke dieser Auflage können im Unterricht nebeneinander benutzt werden, sie sind untereinander unverändert. Die letzte Zahl bezeichnet das Jahr dieses Druckes.

Lizenzausgabe mit freundlicher Genehmigung des Patmos Verlags, © 2004 Patmos Verlag GmbH & Co. KG/Sauerländer Verlag, Düsseldorf, Sauerländer Verlag 1941.

© für die Materialien: Ernst Klett Schulbuchverlag Leipzig GmbH, Leipzig 2004.
Internetadresse: http://www.klett.de

Redaktion: Veronika Roller
Umschlaggestaltung und Layout: Sandra Schneider
Satz: Annett Semmler
Umschlagillustration: Edith Schindler
Druck: Offizien Andersen Nexö GmbH

Printed in Germany

ISBN 978-3-12-262451-4

Inhalt

Der Knabe auf der Klippe am Meer

»Branko! Branko!«
Eine heisere Frauenstimme rief den Namen immer wieder durch
die enge Gasse, die in Senj, einer kleinen kroatischen Stadt, vom
Markt hinunter zum Hafen führte.
»Branko! Branko!«
Die Frau, die so laut rief, war die alte Stojana, eine hoch gewach-
sene, zaundürre Person mit einem faltigen, ausgedörrten, aber
gutmütigen Gesicht. Weiße Haare lohten wie ein wilder Kranz
um den schmalen Kopf.
»Branko! Branko!« Sie rief den Namen schon wieder. Branko,
dem der Ruf galt, war ein großer, zwölfjähriger Knabe. Er spielte
im Hinterhof eines zerfallenen Palazzo mit einigen Kameraden
ein Murmelspiel.
Er hörte das Rufen, war es aber schon so gewohnt, dass er ruhig
weiterspielte.
»Branko! Branko!« Die Stimme kam näher und auf einmal stand
die alte Stojana vor ihm.
»Branko«, sagte sie wieder und dann mit einem weichen, beinahe
wehmütigen Klang: »Es ist so weit.«
Das hatte die alte Stojana während der letzten Tage auch mehrere
Male gesagt. Branko stand trotzdem auf und ging der Alten, die
sich, nachdem sie ihn gesehen, schroff umdrehte, nach.
Branko war ein schöner Knabe. Er hatte schwarzes, struppiges
Haar und das längliche, kühne Gesicht seines Vaters, in dem besonders die spitze, vorspringende Nase auffiel. Seine Augen waren
auch schwarz, aber sie hatten einen hellen Schimmer, der seinem
Gesicht etwas Fröhliches gab. Der Knabe war für seine zwölf Jahre
übermäßig groß, aber sein schlanker Körper war eher gelenkig als
kräftig. Alles war braun an ihm: die Hände, die Füße, der Hals,
das Gesicht und auch der Rücken, der hie und da aus den Hemd-
löchern hervorsah. Branko musste zu den ärmsten Kindern der
Stadt gehören, denn außer einem bläulichen, zerrissenen und ge-
flickten Hemd hatte er nur noch eine zerschlissene Hose an.

Sein Vater war Geiger. Er hieß Milan und galt sogar als einer der besten Geiger an der Küste. Alle in Senj liebten ihn wegen seines Violinspieles. Meistens war er aber unterwegs und fiedelte in den großen Seebädern und den kleinen Küstenstädten. Er verdiente einen guten Batzen Geld dabei, es kam aber nie etwas davon nach Senj; er schickte auch nie eine Nachricht und niemand wusste, wann er wiederkam.

Die alte Stojana schob ihre langen Beine schneller vorwärts und Branko musste sich gleichfalls beeilen. Sie ging durch den Hof in die schmale, knapp zwei Meter breite Gasse zurück, bog in einen der noch lichtlosen Schlupfe ein, die alle zwei, drei Häuser nach rechts oder links führten, und blieb vor einer kleinen Tür, die halb angelehnt war, stehen.

Hier wartete sie, bis der Knabe herankam, und schob ihn mit einem leichten Stoß in die Öffnung hinein.

Die Tür mündete unmittelbar in eine Kammer, die durch ein Loch spärliches Licht bekam. Im Halbdunkel sah man zwei Bettlager, einen Tisch, einen Stuhl, eine alte Kiste, auf der ein Spirituskocher stand, und einen Kleiderrechen.

Auf dem rechten Lager, unmittelbar bei der Tür, ruhte eine Frau. Sie hatte ein weißes, spitzes Gesicht, große, offene Augen und starrte in die Höhe.

»Es ist so weit«, klagte die alte Stojana, die hinter Branko in die Kammer getreten war, zum zweiten Male.

Branko wollte es noch immer nicht glauben. Die alte Stojana hatte ihm schon unzählige Male, wenn die Mutter einen ihrer schweren Hustenanfälle bekam und wie tot auf ihr Lager sank, das Gleiche gesagt und stets, wenn er atemlos ankeuchte, schlug die Kranke die Augen auf, sagte »Branko« und lächelte ihn an.

Der Bub blickte in ihr Gesicht. Auch diesmal würde sie es wohl wieder sagen. Die Mutter blieb aber seltsam still. Ihre Augen starrten an die Decke und sie rührte sich auch nicht, als eine große Fliege über ihr eingefallenes Gesicht kroch. »Mutter«, sagte er leise und scheuchte die Fliege fort, aber die Frau regte sich noch immer nicht.

Brankos Augen wurden groß und er fasste nach einer der weißen, durchsichtigen Hände, die auf der bunten Decke lagen.

Die Hand war nicht mehr heiß und feucht wie sonst, sondern kalt und steif.

»Diesmal ist es wirklich so weit.« Die Alte trat von der anderen Seite zur Toten und drückte ihr die Augen zu.

Branko spürte, wie seine Knie einsanken, sein Körper vornüberstürzte, und im gleichen Augenblick lag er neben dem Lager und weinte.

»Armer Junge, armer Junge«, murmelte die Alte, »nun hast du nur noch deinen Vater.«

Der Knabe hob sein Gesicht wieder. Die Augen der Mutter waren geschlossen. Die alte Stojana hatte ihr die dünnen Hände über der Brust gekreuzt. Um die schwarzen Haare lag ein buntes Tuch. Das Gesicht war noch weißer als vorher, aber es sah friedlicher aus, so friedlich und ruhig, als wäre es schon längst nicht mehr von dieser Welt. Branko schluchzte lauter.

Die alte Stojana hatte sich unterdessen auf der anderen Seite des Lagers auf die Knie gelassen, betete, schlug das Kreuz, dann fasste sie Branko fest bei der Hand.

»Hör auf zu weinen«, sagte sie. »Deine Mutter war tapfer bis zuletzt und du sollst es auch sein.«

Branko stand gehorsam auf und fuhr sich mit beiden Händen über das Gesicht. Die alte Stojana hatte Recht, die Mutter war tapfer gewesen und er wollte es auch sein. Er sah zu der alten Frau auf.

»Was machen wir nun?«

»Wir gehen zum alten Jossip, dem Mesner der Kirche des heiligen Franziskus«, antwortete die Alte. »Er soll die Glocken läuten, damit auch die anderen wissen, dass deine Mutter gestorben ist, und dann müssen wir mit ihm über das Begräbnis sprechen.«

Die hohe, alte Kirche war kaum zweihundert Meter entfernt. Sie schritten durch das große Hauptportal. Der alte Jossip hantierte am Altar. Sie gingen auf ihn zu.

»Jossip«, sagte die alte Stojana, »Brankos Mutter ist gestorben.«

Der Alte, den die Jahre schon recht gebeugt hatten, sah Branko aus seinen guten, freundlichen Augen an und strich sich dabei über seinen weißen Bart. »Die schöne Anka. Ach«, krächzte er, »dass Gott immer die Jungen holt. Uns sollte er holen, Stojana, uns.« Er kicherte, dann schlurfte er hinüber zur Sakristei. »Kommt, wir wollen es dem Herrn Pfarrer sagen.«

Hochwürden Paulus Lasinovic stand vor einem Pult und las. Als er die Schritte hörte, hob er sein rundes, von Hängebacken und einem Paar freundlicher Augen verziertes Gesicht und sah auf. Hochwürden Paulus Lasinovic war trotz seines jugendlichen Aussehens uralt. Ja, es gab wohl kaum einen Menschen in der Stadt, den er nicht getauft oder verheiratet hatte und von dessen Leid, Glück, Kummer und Freuden er nicht unterrichtet war.

Branko hatte auf einmal ein schlechtes Gewissen, als die Augen des Pfarrers auf ihm ruhten. Wie lange war es her, dass er nicht in der Kirche gewesen war? Vielleicht ein Jahr, vielleicht auch zwei oder noch länger. Der Pfarrer fasste ihn aber nur unter das Kinn. »Armer Junge, du hast deine Mutter verloren. Nun weine nicht. Ich habe die meine auch mit elf Jahren verloren. Gott wird sich deiner annehmen, wie er sich meiner angenommen hat.«

Dann nahm er den alten Jossip auf die Seite und sie gingen zusammen in dem schmalen Raum, der von bunten Glasfenstern in allen Farben erhellt wurde, auf und ab und sprachen miteinander.

Nach einer Weile führte Jossip sie wieder aus der Sakristei hinaus.

»Wir wollen sie übermorgen begraben, Mutter Stojana. Passt das? Um zwei.«

»Für mich schon. Für den Buben auch«, antwortete die Alte, »und sonst ist ja niemand da.«

»Wo ist der Milan?«

»Ich weiß nicht. Irgendwo in der Welt.«

»Also übermorgen. Ich gehe jetzt die Glocken läuten. Habt ihr übrigens schon mit jemandem wegen des Sarges gesprochen?«

Die Alte schüttelte den Kopf, dass die weißen Haare nach allen Seiten flogen. »Ich wüsste auch nicht, mit wem. Es ist kein Dinar im Haus. Wisst ihr vielleicht jemanden, der einen Sarg umsonst macht?«

Der alte Jossip nahm eine Prise und blinzelte sie mit kleinen, geröteten Augen an. »Ich, nein. In Senj wird es niemanden geben, der einer armen Tabakarbeiterin einen Sarg schenkt.«

Die alte Stojana nahm Branko wieder an der Hand. »Dann werden wir sie eben in ihrem Betttuch auf den Friedhof tragen.«

Als sie auf der Straße standen, hörten sie bereits die Totenglocke. »Bim, bam, bim, bam.« Jossip zog mit allen seinen Kräften an dem schweren Strang.

Es hatte sich schon herumgesprochen, dass die schöne Anka gestorben war. Vor der Türe standen einige alte Frauen; der dicke Pletnic lief, breit und aufgedunsen, aufgeregt hin und her; die große Elena war da, eine Freundin Ankas, die mit ihr die kleine Kammer bewohnte, und noch ein Dutzend andere Tabakarbeiterinnen hatten sich eingefunden.

Branko stürzte gleich auf die große Elena zu. Elena bog ihr breites Pferdegesicht zu ihm, nahm seinen Kopf in ihre derben Hände, strich ihm über das Haar und sagte auch: »Armer Junge«, aber gleich darauf wandte sie sich an die alte Stojana: »Wart Ihr schon beim Pfarrer?«

Die alte Stojana nickte. »Wir kommen gerade von ihm. Hört Ihr es nicht? Jossip läutet schon die Glocke.«

»Und wann ist das Begräbnis?«

»Übermorgen um zwei.«

Auch die andern Tabakarbeiterinnen umringten die alte Stojana. »Das passt gut. Da können wir alle mitkommen.«

Die Alte betrachtete die bunten, geputzten Mädchen eine Weile, dann sagte sie: »Wir können sie aber nicht so auf den Friedhof tragen.«

Die Mädchen sahen die Alte erstaunt an. »Wie meint Ihr das, Mutter?«

»Es ist kein Geld für den Sarg da.«

Elena strich sich über das mächtige Kinn. »Wisst Ihr's genau?«

»Nicht ein Dinar.«

»Was machen wir da?«

Die Alte sah sich um. »Wir wollen einmal Pletnic fragen.« Der dicke Pletnic, der dem Gespräch interessiert zugehört hatte, zog seine Hände erschrocken aus den Taschen seines großen Rockes. »Mich, mich!«, rief er. »Bin ich etwa schuld, dass sie gestorben ist? Zwei Monate Miete ist sie mir auch noch schuldig.« Die alte Stojana betrachtete den unförmigen Mann, der in seinen Kleidern wie in einem Sack steckte, eine Weile. »Du hast doch immer gesagt: ›Für Anka tue ich alles.‹«

»Ja«, bestätigte Pletnic und rieb sich verlegen das Gesicht. »Solange sie mir nicht auf der Tasche lag.«

Die große Elena fuhr Pletnic über den Mund. »So, so, dann hört deine Freundschaft auf. Nun, wir werden das Geld auch ohne dich zusammenbringen.«

»Da hast du fünf Dinar«, sagte eine andere. »Lass den Geizhals auf seinem Gold sitzen.«

»Wer hat gesagt, dass ich gar nichts geben will? Etwas gebe ich gern.« Pletnic nestelte an seinem Geldbeutel.

Als sie alles Geld zusammenschütteten, hatten sie siebenundneunzig Dinar.

»Ob das für einen Sarg langt?«, fragte Elena kläglich.

»Geh zu Pacic«, meinte die alte Stojana.

»Warum gerade zu dem Hungerleider?«, wollte Pletnic wissen.

»Der ist genauso arm, wie Anka war, und arme Leute haben eher ein Herz als reiche.«

Branko war inzwischen wieder in die Kammer gegangen. Der kleine Raum war voll von Menschen. Ein paar ältere Frauen, die Branko gar nicht kannte, saßen an dem winzigen Tisch und auf Elenas Bett und beteten. Auf dem Spirituskocher dampfte Wasser. Mutter Stojana schüttete Kaffee hinein und reichte ihn herum. Nach einer halben Stunde schob sich Doktor Skalec durch die Tür. Er war ein schwerer Mann mit einem breiten Gesicht, dicken Backen und großen Froschaugen. Er trug wie immer seine weiße Weste, an der ihn alle erkannten, und kaute Kandis.

»Was höre ich«, sagte er. »Anka ist tot?«

Die alte Stojana nickte und die Frauen beteten leiser.

Der Doktor trat an das Bett, fasste nach Ankas Hand und sah ihr ins Gesicht.

»Ja, ja«, murmelte er. »Tabakstaub und eine kaputte Lunge, das verträgt niemand lange.«

Da stolperte auch schon der dürre Pacic mit seinen schweren Holzschuhen ins Zimmer. »Ich soll hier Maß nehmen«, stotterte er und brachte einen Zollstock aus der Tasche.

»Viel wird da nicht mehr zu nehmen sein«, meinte der Doktor. »Ich glaube, sie wiegt nur achtzig Pfund.«

Etwas später kamen wie ein Vogelschwarm neue Mädchen aus der Tabakfabrik.

Branko kannte die meisten. Sie brachten Blumen mit. Kleine, ärmliche Sträuße. Aber es waren alles Blumen, die Anka gern gehabt hatte, Rosen, Lilien, Jasminblüten, Zinnien und Mohn. Der Knabe saß in der äußersten Ecke der Kammer und sah alles wie in einem Nebel. Er konnte noch immer nicht glauben, dass die Mutter tot war. Aber da lag sie, wenige Meter von ihm entfernt, und ihr schmales Gesicht verschwand beinahe unter den Blumen. Am Abend gingen die Mädchen und nur die alten Frauen blieben da. Auch Elena hängte ihr Tuch um und ging. »Ich kann heute doch nicht hier schlafen«, sagte sie und wickelte sich noch fester in das Tuch.

Sie war schon eine Weile fort, da kam sie noch einmal zurück. »Hat niemand Branko gesehen?«, fragte sie.

Die alten Frauen drehten sich um. Da saß er. »Komm!«, rief sie. »Du musst auch irgendwo schlafen.«

Sie gingen in Pletnics Café.

Pletnic stand breit und massig hinter seinem Schanktisch. Außer ihm waren noch der alte Jossip und ein junger Fischer da.

Branko kannte den stämmigen jungen Mann, auf dessen Brust lustige bunte Figuren tätowiert waren. Er hieß Rista und die große Elena war seine Braut.

Elena schob Branko vor den Schanktisch. »Der Junge kann heute nicht bei der Toten schlafen. Steckt ihn in eine Eurer Kammern.«

Pletnic kratzte sich erst und verzog seinen Mund. »Ich«, knurrte er, »immer nur ich.«

Rista lachte. »Knurrt nicht. Ihr habt doch sicher eine frei und Eure Wanzen freuen sich, wenn sie wieder etwas zu fressen haben.«

»Ich, Wanzen!« Pletnic wurde böse, aber dann packte er Branko an der Schulter. »Na, meinetwegen, bleib.«

Er brachte ihn auf den Speicher, wo Pletnic sonst seine Kellner schlafen ließ.

Der dicke Mann schloss eine Kammer auf und schob Branko hinein. Er zeigte auf eine Matratze, die in einer Ecke lag. »Da kannst du dich hinlegen.«

Branko legte sich auch gleich nieder und schlief ein und es war ziemlich spät am andern Morgen, als er durch ein Schütteln wieder wach wurde.

Es war die alte Pletnic, die ihn an der Schulter gepackt hatte.

»Komm«, sagte sie, »wenn du deine Mutter noch einmal sehen willst. Gleich legen sie sie in den Sarg.«

Branko wusste einen Augenblick nicht, was geschehen war.

»Wen?«, fragte er.

»Dummer Junge«, krächzte die dürre Frau, »deine Mutter.«

Branko stöhnte auf. Ach ja, das hatte er in der Nacht wieder vergessen, seine Mutter war gestorben und sollte begraben werden.

Die Mutter lag schon zwischen den schwarzen Brettern. Ihr Gesicht schien nicht mehr so durchsichtig wie all die Tage vorher. Ein helles Rot lag auf ihren Wangen und sie sah dadurch voller, ja beinahe lebendig aus.

Pacic hatte seinen Gesellen mitgebracht, der genauso mager wie der Tischler schien. Sie hoben gerade den Deckel über Ankas Gesicht.

»Aber sie lebt ja wieder!«, schrie Branko und stieß die Männer zur Seite.

Die alte Stojana packte ihn fest an den Händen, schüttelte den Kopf und sagte: »Das Rot haben ihr die Mädchen auf die Backen gemalt. Sie wollten, dass sie so schön in den Himmel kommt, wie sie auf der Erde war.«

Da lag der Deckel auch bereits über der Mutter. Pacic und sein Geselle schlugen die Nägel hinein und brachten den Sarg in die Kirche.

Die alte Stojana räumte nun auf, spülte die Tassen, kehrte den Boden, brachte die Lagerstatt wieder in Ordnung und Branko half ihr.

Am Mittag kam Elena mit allerlei Tüten und kochte eine Suppe, auch am Abend kochte sie eine, dann brachte sie Branko ins Bett. Heute durfte er wieder in der Kammer schlafen.

»Fürchtest du dich?«, fragte sie ihn, als sie die Decke über ihn legte. Branko schüttelte den Kopf. Er fürchtete sich nicht. Am nächsten Morgen sorgte die alte Stojana für ihn. Sie wusch sein Gesicht, auch Arme und Beine. »Komm«, sagte sie, als es Mittag schlug, »du musst mit.«

Elena und ihre Freundinnen hatten sich schon eingefunden. Sie warteten vor dem Haus.

Elena sah Branko an. Sie zeigte auf sein zerschlissenes Hemd und seine geflickte Hose. »So können wir dich nicht mitnehmen.«

Die alte Stojana hob die Hände. »Ich habe alles durchgesehen. Er hat nichts anderes.«

Da sie sich nicht zu helfen wussten, gingen sie wieder zum alten Pletnic. Elena stellte den Buben vor ihn hin. »So kann der Junge nicht mit in die Kirche.«

Pletnic nahm eine Prise, drehte Branko zweimal um sich selber, schob seine Lippen vor und meinte: »Das kann er tatsächlich nicht.« Und nach einer Pause, in der er mehrere Male nieste: »Dann muss er eben zu Hause bleiben.«

»Du Bestie«, sagte Elena und zeigte ihr Pferdegebiss. »Du kommst sicher einmal in die Hölle.«

»Ja«, riefen die anderen, »und ins Fegefeuer!«

Pletnic lachte schmerzlich auf. »Ich bin ja schon drin. Ich bin ja schon drin. Und die Teufel sitzen auf mir und zwicken mich. Aber was wollt ihr eigentlich von mir?«

»Der Bub muss wenigstens eine anständige Hose haben.«

Pletnic sah Branko wieder an. »Ein Hemd wäre nötiger.«

Seine Frau, die neben dem dicken Mann noch dürrer als sonst aussah und ein Gesicht wie eine vertrocknete Birne hatte, meinte: »Auch eine Jacke.«

»Habt Ihr gar nichts?«, fragte Elena dringender.

Pletnic nahm wieder eine Prise. »Wir können ja einmal nachsehen.«

Das Hemd, das Branko bekam, hatte ein Gast an Stelle der Bezahlung dagelassen.

Jacke und Hose waren von Pletnic selber.

Es war sein Firmungsanzug. Er hatte ihn aufgehoben.

»Dass du mir die Sachen gleich nach dem Begräbnis wiederbringst!«, sagte er noch und drohte mit dem Finger.

Sie mussten sich beeilen. Als sie an die Kirche kamen, schwenkte der Zug mit der Mutter schon aus dem hohen Portal heraus. Elena drängte Branko mit der alten Stojana zwischen den Sarg und den Pfarrer, sie selber ging nach hinten zu den Tabakarbeiterinnen.

Die alte Stojana fasste nach Brankos Hand. Branko machte sich aber wieder los. Nein, er war stark genug. Er brauchte keine Hand.

Er konnte allein hinter dem Sarg seiner Mutter gehen.

»Bim, bam, bim, bam«, schwangen im Augenblick die Glocken über die weißlichen Häuser und Dächer der Stadt.

»Bim, bam, bim, bam.«

Die eine Glocke schwang einen Ton tiefer als die andere. Er kam wie aus einem Loch und der andere jagte, als müsse er ihn einholen, dem Ersten nach.

Es war leer in den Straßen; die Sonne lag wie ein glühendes Feuer über der Stadt und hatte alle Menschen vertrieben. Auf dem großen Markt standen nur einige Maultiere und ein Hund irrte über den Platz.

»Bim, bam, bim, bam.«

Das Läuten der Glocken trieb doch ein paar Menschen aus den Häusern.

Der dicke Curcin, die weißen Ärmel hochgestreift, um die Beine eine schlampige, graue Hose, über dem runden, gutmütigen Gesicht eine kleine Kappe, trat aus seiner Bäckerei.

Er legte die Hand vor die Augen und sah zum Turm der Kirche des heiligen Franziskus hinauf, wo die Glocken wie kleine Birnen hin und her sprangen.

Der winzige Brozovic, die Daumen in den Westenausschnitten, steckte sein spitzes Gesicht aus seinem Gemischtwarenladen und starrte auch nach oben.

»Wer ist wohl gestorben?« Curcin rückte sein Käppchen nach hinten.

Brozovic machte ein unwissendes Gesicht. Im gleichen Augenblick stieß er sein Gesicht wieder vor, dass es so spitz wie eine Hechtschnauze wurde. Man hörte Schritte. Curcin hatte sie auch gehört. Einige Sekunden später kam der Gendarm Begovic aus einer der kleinen Gassen, die schmal und hoch, wie ein Gewirr von Kanälen die Stadt Senj durchzogen.

Curcin und Brozovic sahen zuerst seine mächtigen Beine, die er immer vor sich herschob, als wären sie zu schwer für ihn. Dann kam der breite Gürtel, an dem der Revolver hing, zwischendurch baumelten seine Hände hin und her. In der Rechten hielt er den dicken Gummiknüppel, der prall und schwarz wie eine überräucherte Wurst war. Danach kam die speckige Jacke, auf der jeder sehen konnte, was Begovic gegessen hatte. Oben war sie offen und man blickte auf seine braune, behaarte Brust wie in einen Urwald.

Erst wenn man das alles gesehen hatte, kam Begovics Gesicht. Es war rund und so rot wie eine Tomate. Die Nase war platt gedrückt, als hätte sie jemand eingeschlagen. Darunter hing nach beiden Seiten ein schwarzer Schnauz. Sonst war wenig in dem breiten Gesicht zu sehen. Die Augen lagen ganz versteckt hinter buschigen Brauen, um die Ohren schossen die Borsten in die Höhe wie bei einem Uhu, außerdem wischte sich Begovic gerade mit seinen Wurstfingern den Schweiß ab, der in kleinen, grauen Bächen unter der braunen, steifen Mütze über die Stirn lief.

Curcin trat vor. »Wer ist gestorben, Begovic?«

Begovic blieb stehen und sah sich den Mann an, der es wagte, ihn anzusprechen. Der Bäcker war es. Nun, dem konnte man antworten. Er ließ den Gummiknüppel nach unten baumeln. »Die schöne Anka. Die Frau vom Babitsch. Eine Tabakarbeiterin«, knurrte er.

»Von Milan Babitsch?«

Begovic nickte. »Von dem. Gleich kommen sie.«

Man hörte sie schon. Den leisen Singsang von einigen hohen Stimmen und dazwischen eine tiefe Stimme, wohl die Stimme des Pfarrers. Darüber schwangen noch immer die Töne der beiden Glocken. Die kleinere hatte die größere beinahe eingeholt. Die Schläge folgten immer dichter aufeinander.

»Eine Tabakarbeiterin.« Brozovic, der die Antwort auch hörte, trat wieder in seinen Laden. Wegen einer Tabakarbeiterin wollte er sich nicht länger in die glühende Sonne stellen.

Da bog der Zug aus der Gasse, aus der Begovic gekommen war, heraus. Es war wohl der ärmlichste Leichenzug, den das alte Senj je gesehen hatte.

An der Spitze ging ein Knabe, einen weißen Kittel über der schwarzen Hose, mit dem Totenbanner, auf dem der heilige Georg einen Drachen tötete. Hinter ihm kamen die vier Männer, die den Sarg trugen.

Der Bäcker kannte sie alle, wie man hier jeden kannte. Der Erste war der alte Gorian, ein Fischer, der ein kleines Haus in einer Bucht etwas abseits von Senj hatte. Sein von einem Kranz grauer Haare umrahmtes Gesicht war streng, aber nicht unsympathisch. Neben ihm ging der junge Rista in seinem Fischeranzug, einer blauen Hose, einer ebenso gefärbten Jacke, und seine Füße staken in hohen Stiefeln. Der Dritte und Vierte waren der dürre Pacic und sein Geselle. Sie glichen einander wie Brüder. Pacics Hose war so kurz, dass man seine nackten Beine sah, die auch heute ohne Strümpfe in schweren Holzschuhen staken. Der Geselle schien noch magerer als sein Meister. Er zog das rechte Bein nach. Es war länger als das linke.

Über den vieren, direkt auf ihren Schultern, schwebte der Sarg. Er sah aus wie ein geschwärzter Balken und es lag nicht einmal eine Decke oder ein Kranz auf den schweren Brettern.

Gleich nach dem Sarg kam Hochwürden Lasinovic. Das schwere, bestickte Gewand, das er heute trug, stand wie eine große, goldene Glocke unter seinem rundlichen Gesicht. Er ging langsam und gemessen und sang die Litanei so laut und wohl tönend, dass alle sie verstehen konnten.

Nach ihm kamen Branko, die alte Stojana und der alte Jossip. Die beiden Alten hatten den Knaben in ihre Mitte genommen.

Stojana trug einen langen, faltigen Rock und eine dunkle Bluse und ihr einziger Schmuck war das lange, weiße Haar, das bis auf ihre Schultern fiel. Jossip trug seinen Mesnerrock. Er ging recht langsam und sein langer Bart zitterte, so strengte ihn das Gehen in der heißen Sonne an.

Curcin kannte Branko auch. Das war doch einer der Buben, die immer durch die Gassen tobten und vor dem man gleich wie vor vielen anderen seine Brote schützen musste. Der Bub trug sonst ein zerschlissenes Hemd und eine zerschlissene Hose; heute sah er so komisch aus, dass Curcin ein Lachen unterdrücken musste. Brankos schmales, jungenhaftes Gesicht war von dem übergroßen, gelben Hemdkragen umrahmt, darunter hing Pletnics schwarze Jacke, deren Schöße bis zu seinen Knien und deren Ärmel sogar über die Fingerspitzen gingen. Unter ihr sah, genauso groß, Pletnics Hose hervor, die Pletnics Frau mit zwei Sicherheitsnadeln hochgesteckt hatte.

Die beiden Gymnasiasten, die hinter Brozovic standen, den die Neugier doch wieder aus seinem Laden getrieben hatte, lachten auch, als sie Branko sahen, aber der große Junge, der ihnen sonst mit einem wütenden Blick oder mit seinen Fäusten gedroht hätte, hörte ihr Lachen gar nicht, sondern sah wie versteinert vor sich hin.

Begovic hatte sich ein paar Meter weiter oben aufgestellt, wo die kleine Gasse auf den Fischmarkt mündete. Er stand da, als stünden Hunderte hinter ihm, die er zurückhalten müsste. Er hatte dazu sein Begräbnisgesicht aufgesteckt. Die Augen waren groß, geradeaus gerichtet, der Schnurrbart glatt gestrichen und stach in zwei Nadelspitzen nach links und rechts. Die Mütze hatte er nach hinten geschoben und der Arm mit dem Gummiknüppel hing steif nach unten.

Branko und Begovic wechselten keinen Blick, obwohl die beiden sonst immer einander ansahen. Branko mit einer gewissen listigen, spitzbübischen Überlegenheit. Begovic mit leichtem Zorn im Gesicht, wobei er seinen Knüppel schwang.

Branko sah und hörte nicht einmal die Mädchen, die in breiten Reihen hinter ihm gingen. Es waren alles Tabakarbeiterinnen und Freundinnen seiner Mutter. Sie hatten noch ihre hellen, meistens mit Blumen bedruckten Kleider an und nur zum Zeichen der Trauer einen schwarzen Schleier darüber gebunden, der bis zu den Füßen hinunterreichte. Es waren hübsche Mädchen mit braunen oder roten und meist rundlichen Gesichtern. Einige weinten, die anderen stießen sich an oder flüsterten miteinander. Nein, Branko sah und hörte nichts. Sein Gesicht war verhangen und seine Augen, groß und weit geöffnet, blickten starr auf den schwarzen Sarg und manchmal auf die breiten Rücken der Männer, die ihn trugen. Dabei dachte er immer nur darüber nach, wie es kam, dass er jetzt hinter einem Sarg ging, in dem seine Mutter liegen sollte.

Der Zug überquerte den großen Hafenplatz. Rechts stand die Bude Radics, des Fischhändlers, der am Morgen und am Abend hier Fische verkaufte, aber jetzt, gegen Mittag, war der Stand leer.

Branko spürte eine Schwäche in den Knien, die gleiche, die vorgestern über ihn gekommen war, als er am Lager seiner Mutter niedersank, und er hätte sich am liebsten auf das Pflaster geworfen. Wie damals liefen ihm wieder die Tränen über das Gesicht.

Die alte Stojana, die groß und gespenstig neben ihm ging, griff diesmal fester nach seiner Hand, packte sie derb über dem Gelenk und drückte sie.

So hatte sie ihn auch vorgestern angefasst. Hatte er dabei nicht gelobt, so tapfer wie seine Mutter zu sein? Branko unterdrückte sein Schluchzen. Im selben Augenblick wurden seine Knie wieder fester.

Der Zug bog vom Wasser ab. Der Weg stieg leicht zum Friedhof hinauf. Branko hörte, wie der alte Gorian stöhnte, auch Pacic schnaufte und wischte sich den Schweiß von Stirn und Nacken. Vor dem Friedhof war ein kleiner Platz. Es war heiß hier oben wie in einem Backofen. Die Luft war dick und staubig. Man konnte sie beinahe greifen und sie legte sich wie eine Last auf Schultern und Rücken.

Hochwürden Lasinovic machte eine Pause in der Litanei, die Mädchen schwiegen und fuhren mit ihren Tüchern über die geschminkten Gesichter, nur der alten Stojana war keine Müdigkeit anzumerken.

Das Tor war offen und sie traten ein.

»Da hinten«, sagte ein Mann, der einen Spaten in der Hand trug. »Wir haben sie in die Nähe der Mauer gelegt.«

Die Hitze war auf dem Friedhof noch drückender und die Männer beeilten sich. Sie stellten den Sarg auf einen schmalen Steintisch. Der Pfarrer segnete ihn ein. Dann wurde der Sarg wieder in die Höhe gestemmt und die Träger brachten ihn dorthin, wo der Mann mit dem Spaten die Grube ausgehoben hatte.

Es war der äußerste Winkel des kleinen Friedhofes. Thymian blühte überall. Eidechsen huschten fort, zwei schöne Schmetterlinge spielten miteinander, aber Branko sah auch das kaum.

Der alte Gorian und Pacic, Rista und der Geselle des Tischlers nahmen den Sarg vorsichtig wieder herunter. Der Mann mit dem Spaten legte zwei Stricke darum, den einen um das Kopfende, den anderen um das Fußende des Sarges, und langsam sank die schöne Anka in die Grube.

Als der Sarg unten aufstieß – Branko spürte es wie einen Schlag –, traten die Mädchen an die Grube und warfen Blumen und Erde hinab. Auch der Pfarrer grüßte noch einmal hinunter, dann ging er mit Jossip und dem alten Gorian wieder fort.

Alle verließen den Friedhof. Die Mädchen banden sich vor dem Tor die Schleier ab, wischten sich die Tränen vom Gesicht und steckten die Nasen in ihre Puderdosen. Auch Elena, Rista, Pacic und sein Geselle gingen. Nur die alte Stojana war noch da und Branko.

Branko, der während der ganzen Zeit seine Tränen tapfer unterdrückt hatte, sah und hörte noch immer nichts und wollte auch nichts hören. Erst als die schweren Schollen auf den Sarg polterten, kam er etwas zu sich. Jetzt lag seine Mutter also da unten in der Grube. Er fühlte, wie das Weinen erneut aus seinem Herzen in die Augen stieg, und schon schluchzte er wieder.

Die alte Stojana fasste nach seiner Hand. »Komm«, sagte sie, »wir sind die Letzten.«

Am Tor bog die Alte in die Straße zur Stadt ein. Branko blieb aber stehen. Er wollte jetzt nicht in die Stadt. »Ich gehe ans Meer«, sagte er.

Mutter Stojana legte ihre Hand vor die Augen und sah ihm nach.

»Komm aber dann zum alten Pletnic«, schrie sie hinter ihm her. »Er will seinen Anzug wiederhaben.«

Der Knabe nickte. Einen Augenblick später war er hinter der Friedhofsmauer verschwunden.

Branko lief über einen winzigen, steinigen, eingezäunten Acker, auf dem Weizen und duftender Lavendel standen, kletterte durch eine Dornhecke und gelangte auf die breite, tief ausgefahrene, staubige Straße, die von Senj in vielen Windungen die Küste entlang bis nach Fiume führt.

Er überquerte die Straße, deren Staub sich wie Mehl um seine Füße legte, sprang noch hundert Meter weiter und stand auf einer Klippe am Meer.

Es war ein hoher, von Ginster und Wacholderbüschen bewachsener Felsen, der zwischen großen Feigenbäumen aufragte. Von dem ausgewaschenen Stein ging es unmittelbar ins Wasser. Man konnte bis auf den Grund sehen, so klar und hell war das Meer hier. Branko setzte sich auf den Stein, schlug die Beine übereinander, stützte den Kopf in die Hände und blickte über das Wasser.

Rechts lag die Insel Krk. Von dieser Seite war die Insel ein felsiger, lang ausgestreckter, unbewachsener Steinhaufen, der von Senj bis hinauf nach Fiume reichte. Vom Meer her ein liebli-

ches Eiland mit vielen kleinen Dörfern, Oliven-, Pfirsich- und
Aprikosenbäumen, Fischerhütten, Villen und einem herrlichen
Strand.
Links lag die Insel Rab, grauer, kleiner und unscheinbarer als
die Insel Krk, und dazwischen war das Meer. Ein leichter Wind
erhob sich. Er kam von den Inseln und kräuselte die blaue Flä-
che, dass sie auf einmal Hunderte von kleinen, weißen Schaumkronen bekam. Ein Seeadler flog über das Meer. Er stieß auf das
Wasser herab und gleich danach schraubte er sich wieder in die
Höhe. Dann blieb er wie ein großer, aufgespannter Schmetterling in der Himmelsbläue stehen.
Branko blickte zu ihm hinauf. Wie allein der Vogel da oben
stand! Genauso allein wie er. Und auf einmal kamen dem Knaben wieder die Tränen.
Ja, Branko hatte zur Zeit nicht einmal einen Vater.
Es dauerte oft ein oder zwei Jahre, bis man den großen, schlanken Milan mit seinem lohenden, schwarzen Haarschopf und seinen blitzenden Augen wieder am Hafen auftauchen sah. Er kam
gewöhnlich mit dem Schiff, er war aber auch schon zu Fuß die
alte Straße von Fiume oder die Allee, die sich in Serpentinen von
den Bergen schlängelte, gekommen. Aber selbst wenn er auftauchte, kam er nicht für lange.
Vom Meer wehte ein heftiger Wind und traf den weinenden
Knaben. Branko unterbrach sein Schluchzen, fuhr sich mit der
Hand über das verweinte Gesicht und überlegte.
Er hatte seinen Vater nur fünfmal gesehen. Das erste Mal, als er
zwei Jahre alt war, dann mit drei, mit sechs, mit neun Jahren und
das letzte Mal war er gerade zu seinem Geburtstag gekommen.
Milan Babitsch trat immer zuerst in das kleine Café des dicken
Pletnic, spielte ein Lied und ließ sich einen Roten geben.
»Der Milan ist wieder da! Der Milan ist wieder da! Er spielt beim
dicken Pletnic die Geige!«, lief es dann wie ein Feuer durch die
ganze Stadt.
Curcin ließ seinen Teig stehen und kam angelaufen, Brozovic
entschuldigte sich bei seinen Käufern, um Milan zu hören, der

Schuster warf den Stiefel, an dem er gerade hämmerte, in die Ecke und rannte zu Pletnic. Tomislav, der Schmied, kam mit seinen Gesellen, der alte Jossip blieb vor der Tür stehen, auch der Pfarrer oder Doktor Skalec, wenn sie gerade vorübergingen, und alle hörten Milan zu.

Die Kaufleute erzählten es ihren Kunden, die Marktfrauen den Mägden, und bevor es noch von allen Kirchen Mittag läutete, wusste man es auch in der Tabakfabrik, dass Milan wieder da war, und erzählte es der schönen Anka.

Die Mutter schob den fein geschnittenen Tabak, der in großen Bergen vor ihr lag, auf die Seite, warf ihren Arbeitskittel ab, riss ein paar Rosen von einem Zaun und suchte Milan. Nein – auf Brankos Gesicht kam trotz der Tränen ein Lächeln –, zuerst suchte sie ihn.

Branko entsann sich sehr genau, seine Mutter zog ihn aus dem Winkel, in dem er gerade spielte, rieb ihm das Gesicht, den Hals und die Hände sauber, dann bekam er ein Hemd übergezogen und nun suchten sie beide den Vater.

Milan war aber längst nicht mehr bei Pletnic. Er spielte sich durch die Straßen von Senj, fiedelte im Hotel »Adria« Marculin etwas vor, im Kaffeehaus »Nehaj« den Gästen, dem Bürgermeister, Doktor Ivekovic, im Hotel »Zagreb« der Witwe oder in einer der winzigen Weinstuben hinter der Kathedrale den Bauern und Holzarbeitern. Jedem musste er etwas vorspielen, jeder trank danach mit ihm ein Glas Wein oder einen Schnaps und hieß ihn wie einen verlorenen Sohn herzlich willkommen.

»Milan!«, rief die Mutter, wenn sie ihn endlich fand.

»Anka!«, antwortete der Vater und nahm sie in seine großen, starken Arme, in denen die kleine Anka beinahe verschwand.

Nun wurde Branko gezeigt und bewundert.

»So«, sagte der Vater, »du bist Branko. Ein ordentlicher Kerl wird er. Die Haare, die Hände, die Augen, ganz wie ich, ganz wie ich.«
Er riss ihn hoch und küsste ihn auf Mund und Backen.

Branko ängstigte dieser große, schwarzbärtige Mann immer erst, wenn er, von ihm hochgehoben, in der Luft schwebte. Das erste

Mal hatte er auch geweint, aber der Vater fuhr ihm mit dem stachligen Bart ins Gesicht, kitzelte ihn, lachte ihn an und Branko musste mitlachen.

Das letzte Mal hatte er ihn gefragt: »Kannst du schon eine Geige halten?«, und ihm die seine vorsichtig in die Hände gedrückt. Halten konnte er sie, auch an den dünnen Saiten zupfen oder mit dem Bogen darüber fahren, aber sonst konnte er noch nichts. »Das andere wirst du schon noch lernen«, tröstete ihn der Vater. »Komm jetzt.«

Sie gingen alle drei in ein Café und Branko bekam süßen, öligen Wein, klebriges Sirupgebäck, zuckrige Kugeln und hie und da wieder einen Kuss. Dann gingen sie zu Brozovic und der fuchsige, kleine Mann, der sonst Branko nicht sehen konnte ohne hinter ihm herzuschimpfen, dienerte vor Milan, und Branko durfte sein altes Hemd vom Leibe reißen und bekam ein neues und seine dreckige, zu eng gewordene Hose durfte er ausziehen und Brozovic suchte eine größere und schönere aus, das letzte Mal bekam er auch eine bunte Kappe, ein Messer und einen Gürtel.

Branko wusste für ein paar Stunden, wie schön es war einen Vater zu haben, noch dazu einen Vater, den alle bewunderten und der mit jedem ein Glas Wein trinken musste.

Länger als ein paar Stunden dauerte aber die Freude nicht und bald sah Branko auch seine Mutter nicht mehr. Sie war weder in der Tabakfabrik noch bei der Freundin. Nein, wo er auch suchte und nach ihr fragte, sie war verschwunden, als hätte sie der Wind verweht.

Für ein paar Wochen war sie mit dem Vater unterwegs und teilte sein unbekümmertes, freies Leben. Der Vater spielte in einem Café oder in einer Tanzdiele und dann wanderten sie weiter, schliefen in den Büschen, nährten sich von dem, was sie fanden oder was man ihnen schenkte, und badeten im Meer.

Branko suchte nie lange nach seiner Mutter. Er vergaß auch, dass er eine Mutter hatte, ging wieder zu seinen Freunden, prahlte mit seinen neuen Sachen und mit dem, was ihm sein Vater geschenkt hatte.

Anstatt der Mutter gab ihm Elena ein Stück Brot, getrockneten Fisch oder einen Teller Suppe, und wenn er noch hungerte, fand sich immer etwas in Senj, was sich essen ließ, eine Gurke, Tomaten, ein Apfel. Man musste sich nur nicht von Begovic erwischen lassen.

Das letzte Mal war die Mutter sehr müde zurückgekommen, sah blass aus und hustete.

Elena fragte:»Was hast du, Anka?«

Sie lachte.»Ach, nichts. Es war kalt unter den Bäumen. Das vergeht wieder.«

Es ging nicht vorbei. Der spaßige Doktor Skalec, der immer Kandis kaute, spitzte die Lippen und machte ein bedenkliches Gesicht. Die Mutter durfte nicht mehr in die Tabakfabrik gehen und musste im Bett bleiben.

Auch im Bett wurde es nicht besser. Die Mutter hustete immer mehr und eines Tages hustete sie Blut.

Nun war sie tot und lag auf dem kleinen Friedhof in dem schwarzen Sarg. Die Mädchen hatten Erde auf sie geworfen und der Vater wusste nichts davon.

Wo er wohl war?

Wahrscheinlich fiedelte er irgendwo in der Welt, lachte und war fröhlich und ahnte nicht einmal, dass Anka gestorben war und Branko allein auf dem Felsen am Meer saß.

Der Knabe schlug die Hände vor die Augen, warf sich auf den weisen Stein und weinte.

Da sah er auf einmal seinen Vater, er hörte auch seine Geige, hörte jeden Ton. War das nicht auch seine Mutter, die hinter ihm herschritt? Natürlich war sie es. Sie ging schnell und immer schneller. Sie holte den Vater ein, schlang die Hände um seinen Hals und nun gingen sie gemeinsam durch den Tag.

Sie wanderten durch ein breites Tal. Die Mandelbäume blühten und es roch nach Thymian und Lavendel. Branko blickte ihnen nach. Die Mutter streckte ihre Hände in die Höhe, wie sie es manchmal tat, wenn sie besonders glücklich war, und der Vater spielte Brankos Lieblingsmarsch.

Branko freute sich. Aller Schmerz und alle Traurigkeit fielen von ihm ab. Die Mutter sah auch nicht mehr krank aus, sie war ganz die schöne Anka, die er liebte, die alle liebten, und nicht die weiße, blasse, die ihn zum Weinen brachte.

Den Knaben fröstelte. Er fuhr sich über die Augen. Hatte er geschlafen? War das alles nur ein Traum gewesen? Er setzte sich auf und sah über das Wasser. Es war inzwischen dunkler geworden. Die Wellen hatten eine grünlich schwarze Farbe bekommen. Tief im Süden waren sie rot, denn der Schein der Sonne, die eben hinter den Bergen verschwand, lag noch wie eine leichte Feuersglut über den Schaumkronen. Branko hatte das noch nie gesehen. Das Wasser brannte. Ein Schiff kam näher. Es sah aus wie ein riesiger Fisch, der mit seinen großen, leuchtenden Augen aus der glühenden Tiefe gestiegen war und nun langsam und vorsichtig über das brennende Wasser schwamm.

Branko fröstelte stärker. Es war die Bora, ein kalter, harter, trockener und böser Wind, der oft wie ein Sturm über das Land brauste, alles ausdörrte, die Blumen und die Bäume knickte und vor dem sich alle fürchteten, die Bauern, die Holzarbeiter und die Fischer. Er sprang auf. Er hatte auch der alten Stojana versprochen noch einmal zu dem dicken Pletnic zu kommen. Ja, er musste Abschied nehmen von seiner Klippe, vom Meer, vom Gesicht seiner Mutter und von der Gestalt des Vaters.

Er ging wieder an dem kleinen Friedhof vorbei. Einige Kreuze ragten über die Mauer, auch eine Madonna, aber er ging nicht noch einmal hinein. Nein, er hatte da nichts mehr zu suchen. In der dunklen Grube zwischen den schwarzen Brettern lag seine Mutter nicht. Sie hatte es einfach in der kleinen Kammer nicht mehr ausgehalten, war ihrem Milan entgegengegangen und wanderte noch immer irgendwo mit ihm durch die Welt.

Diesmal kam er von den Feldern in die Stadt, tauchte an der alten Stadtmauer durch eine enge Pforte in die Gassen hinein, die hier noch schmaler waren als unten am Wasser, und einen Augenblick später war er an der Kirche des heiligen Franziskus. Ein paar Schritte weiter lag Pletnics Café.

In dem langen, schmalen und nicht sehr hohen Raum brannte eine helle Lampe. Branko trat ein.

Pletnic schlürfte einen Schnaps, auch seine Frau trank einen. Der alte Jossip und zwei andere alte Leute waren da und hinter ihnen an der kalkigen, feuchten Wand hockten die alte Stojana und Elena an einem Tisch.

»Guten Abend«, grüßte Branko.

»Da ist er ja, der Ausreißer. Ist die Jacke noch ganz?« Pletnic trat hinter seinem Schanktisch hervor, zog die Jacke Branko über die Schulter und hielt sie gegen das Licht.

»Ich habe nichts damit gemacht«, antwortete Branko.

»Das wollte ich dir auch nicht geraten haben. Ich habe sie fünfzig Jahre gehütet wie meinen Augapfel.«

»Wo bleibt nun der Bub?«, fragte der alte Jossip.

Pletnic sah auf. Er spürte wohl, dass die Frage an ihn gerichtet war.

»Weiß ich es?«, brummte er.

»He«, der Mesner strich sich über den Bart. »Er hatte doch bis heute ein Bett bei seiner Mutter.«

Pletnic machte einen Buckel wie ein Kater. »Bis heute, aber von heute an nicht mehr. Die Anka ist mir sowieso zwei Monate für sich und ihn die Miete schuldig geblieben.« »Das Bett ist aber doch sicher noch frei?«, fragte der Mesner hartnäckig weiter.

»Schon heute Nachmittag war es wieder besetzt«, maulte der Dicke. »Eine Freundin von Elena ist eingezogen.«

Elena bestätigte es: »Ich habe sie mit hineingenommen. Ich habe sonst Angst in der Kammer.«

»Der Junge muss aber doch irgendwo wohnen?« Der alte Jossip nippte an seinem Glas.

Es blieb eine Weile still in dem kleinen Café. Alle sahen auf Branko und Branko sah sie an. Er hatte noch gar nicht daran gedacht, wo er heute bleiben konnte. Ja, seit Mutters Fortgang besaß er kein Zuhause mehr. Sein Blick blieb auf dem dicken Pletnic haften.

Pletnic krümmte sich unter diesem Blick. »Sieh mich nicht so an«, knurrte er laut. »Ich habe nichts zu verschenken.«

Dann wandte er sich an die anderen. »Soll doch dieser Filou, der Milan, für seinen Buben sorgen.«

»So«, krächzte die alte Stojana aus ihrer Ecke. »Ein Filou ist Milan plötzlich und gestern war er noch dein bester Freund.«

»Gestern«, brummte Pletnic kurz, »hat mir auch sein Sohn noch nicht auf der Tasche gelegen.«

»Ist denn die Kammer nicht mehr frei, in der er vorgestern geschlafen hat?«, fragte Elena.

Pletnic schüttelte den Kopf. »Heute Morgen ist dort ein Holzarbeiter eingezogen.«

»Er hat doch noch eine Großmutter«, meinte da die alte Frau Pletnic und schob ihren Kopf über den Schanktisch.

Pletnic knallte sich auf die schweren Schenkel. »Die alte Kata! Die alte Kata!« Er war richtig glücklich, dass seiner Frau dies eingefallen war.

»Dort wird der Bub auch nicht gerade ins Paradies kommen«, wandte Jossip ein.

»Ein Dach über dem Kopf ist besser als gar nichts.« Pletnic beugte sich über Branko. »Weißt du, wo deine Großmutter wohnt?«

Branko schüttelte den Kopf.

Pletnic erklärte es ihm. »Du musst über den Markt gehen und die Allee hinauf. Wo der zweite Weg nach links abbiegt, noch dreihundert bis vierhundert Meter, da stößt du auf ihre Hütte. Aber geh gleich, bevor es ganz dunkel wird.«

Pletnic kam nach seiner langen Rede hinter dem Schanktisch hervor, nahm Branko an der Hand und ehe sich Branko versah, ja noch bevor er sich von Elena oder einem der anderen Gäste verabschieden konnte, hatte ihn der Dicke wieder auf die Straße gebracht. Pletnic gab ihm noch einen leichten Stoß. »Nun lauf«, sagte er, »damit du nicht zu spät kommst und die Alte dich noch hineinlässt.«

Die alte Kata und ihre Hütte

Branko spürte noch einen Augenblick das wärmende Licht der Lampen, dann schlug die Tür mit einem Knall zu. Es war schon dunkel. Von links fiel der Schein einer Laterne. Über ihm standen ein paar Sterne. Branko trottete vorwärts. Zu der alten Kata soll er gehen? Er hörte es Pletnic wieder sagen.

Er hatte die Alte einmal flüchtig gesehen. Groß und gespenstig war sie unten am Hafen aufgetaucht, als er mit seiner Mutter zum Fischmarkt ging.

Anka war stehen geblieben. »Siehst du dort die große alte Frau?« Branko nickte.

»Das ist deine Großmutter.«

Seine Augen waren wie Kreise geworden. »Die sieht ja so schwarz und bös aus.«

Anka hatte ihn an sich gedrückt. »Das ist sie auch. Die Leute sagen, sie sei eine Hexe.«

Er blickte zu ihr hinauf. »Was ist das?«

»Eine, die allen anderen Schlechtes wünscht.«

»Uns auch?«

Anka hatte gelacht, es klang aber nicht so hell wie sonst. »Uns besonders.«

Zu dieser Hexe sollte er gehen. Er schlich langsam zum Quai hinunter. Hier war es heller. Alle Lampen brannten und ein buntes Gewimmel herrschte am Wasser.

Ganz Senj drängte sich zusammen. Ein paar Holzarbeiter sprachen miteinander. Vor den kleinen Kneipen lungerten Matrosen. Bauern aus den Dörfern standen herum. Einige Fischer schoben sich durch die Menge. Gymnasiasten flanierten auf und ab. Einige Mädchen kicherten laut. Tabakarbeiterinnen zogen Arm in Arm vorüber. Bürger kamen aus den Häusern, ein paar Soldaten stellten sich auf.

Ein Pfiff ertönte. Der Postdampfer von Fiume kam. Das Fallreep wurde heruntergelassen und einige Reisende und Arbeiter bahnten sich einen Weg durch die Menge.

An der Spitze ging ein Engländer mit einer karierten Mütze. Dahinter kamen zwei Italiener, man erkannte sie an ihrem lauten Sprechen. Die nächsten mussten Deutsche sein. Die Arbeiter waren recht zerlumpt angezogen. Über ihren zerschlissenen Hemden hingen die Jacken. Die Bauern trugen kleine, rote Kappen, von denen schwarze, schweifartige Bommeln nach unten fielen.

Die Portiers der kleinen Hotels stürzten den Reisenden entgegen, schwenkten ihre Mützen und riefen: »Hotel ›Adria‹!« – »Hotel ›Zagreb‹!« – »Hotel ›Nehaj‹!«

Branko blieb stehen. Den Portier vom Hotel »Zagreb« in seiner weißen Matrosenhose und seiner blauen Jacke kannte er. Er war ein Wiener, hieß Ringelnatz und sah aus wie ein Nussknacker.

Die Italiener gingen ins Hotel »Adria«, die Deutschen ins Hotel »Nehaj«.

Ringelnatz nahm dem Engländer die Koffer ab und stiefelte vor ihm her.

Hinter den Reisenden schloss sich die Menge wieder. Branko sah noch einmal nach dem Schiff. Das Fallreep wurde wieder eingezogen und der kleine Dampfer schraubte sich hinüber nach der Insel Rab.

Branko drehte sich nach links und ging Ringelnatz nach.

Am Fischplatz räumten zwei Frauen die Stände zusammen. Radic, der Fischer, schleppte alles auf einen Wagen. Vor der Apotheke stand der alte Homolic, zeigte seinen Bauch und nickte allen zu, die er kannte.

Im Hotel »Adria« spielte eine Zigeunerkapelle. Sie spielte laut und lärmend und der erste Geiger warf seine Locken hin und her, als spiele er nicht mit dem Bogen, sondern mit ihnen.

Die Menschen stauten sich hier noch dichter als am Wasser. Branko sah zwei Tabakarbeiterinnen, die mit auf dem Friedhof gewesen waren. Am Mittag hatten sie noch geweint, jetzt sahen sie rot und wie Puppen aus. Ja, im weißen Licht der elektrischen Lampen glänzten ihre bemalten Gesichter, als wären sie mit Wachs überstrichen.

Vier Matrosen schlenderten hinter ihnen her, riefen ihnen Scherzworte zu und die Mädchen lachten laut und übermütig, wie seine Mutter einmal gelacht hatte.

Pacic, der Tischler, war auch da. Er saß, dünn wie ein Bleistift, in seiner zerschlissenen Jacke neben seinem Gesellen. Sie hatten sich hinter die Musiker gesetzt und tranken einen Roten.

Gleich neben der Kapelle stand Begovic. Sein Gesicht ragte wieder wie eine Tomate aus dem steifen Uniformkragen; er schielte nach allen Seiten und suchte eine Beute.

Wenn er einen Jungen sah, der nicht hierher gehörte, schoss er auf ihn zu und schwenkte seinen Knüppel. Er traf jeden, den er treffen wollte, auch wenn er so betrunken war wie heute.

Auch alle, die stehen blieben, drängte er weiter. »Sitzen oder weitergehen«, kommandierte er und schlug dem jungen Rista über den Rücken.

»Man wird doch wohl noch stehen bleiben dürfen«, sagte der große Fischer. »Das ist Gottes Erde.«

»Nicht wenn Musik ist.« Begovic schnob dem jungen Fischer seinen Schnapsdunst in das braun gebrannte Gesicht. »Wenn die Musik spielt, gehört die ganze Straße dem Wirt und den Musikanten.«

»Sagst du das vielleicht, weil dir der Wirt einen Schnaps gegeben hat?«, lachte Rista auf.

»Einen«, krähte der bucklige Schuster, der hinter Pacic saß, »seit ich hier sitze, hat ihm Marculin schon ein halbes Dutzend gegeben.«

Branko war auch stehen geblieben. Da hatte ihn Begovic erspäht. Er ließ den Fischer stehen und schoss auf den Buben los.

»Was machst du da?«, sagte er und Branko spürte den Knüppel auf dem Rücken.

»Ich gehe zu meiner Großmutter«, antwortete Branko und wollte weiter.

Begovic, der ihn an der Schulter gepackt hatte, hielt ihn fest. »Habe ich dich heute nicht schon einmal gesehen?«, schnaubte er und seine Augen schossen Blitze. Er dachte nach. »Ach, sie haben ja deine Mutter begraben.« Begovics kleine Augen krochen wieder in ihre Höhlen zurück. »Na, geh. Dafür prügle ich dich morgen nicht.« Er gab dem Buben einen Stoß und schob ihn in die nächste Straße hinein.

Hier waren sie heute Mittag mit dem Sarg gegangen. Brozovic äugte wieder wie ein Fuchs aus seinem Kramladen. Curcin hatte sich eine Bank vor die Tür gestellt, die Kappe lag neben ihm, und sein schlohweißes, aufgedunsenes Bäckergesicht sah in der Dunkelheit noch weißer als am Tage aus.

Auch der Gemüsehändler hockte vor seinem Haus; ein paar Nachbarn standen neben ihm. Sie sprachen miteinander oder riefen den Tabakarbeiterinnen, den Soldaten und den Matrosen Scherzworte zu.

Die Angerufenen lachten und blieben die Antwort nicht schuldig. Im Augenblick, da die Musik nicht mehr zu hören war, sangen die Mädchen. Auch einige Burschen fielen ein. Ja, alle waren fröhlich, nur Branko schlich wie ein herrenloser Hund an ihnen vorbei.

Von der Kirche herunter kam Hochwürden Lasinovic. Er hatte sein Prunkgewand abgelegt, einen schwarzen Rock an und einen breiten randigen, schwarzen Strohhut auf.

Neben ihm ging Doktor Skalec und kaute Kandis. Branko hätte ihn beinahe nicht erkannt, denn der Doktor hielt eine Mappe gegen die Brust, sodass man seine weiße Weste nicht sehen konnte. Ein paar Freunde Brankos schlichen hinter ihm her, und obwohl der Pfarrer neben ihm ging, sangen sie:

»Unser Doktor ist der Beste,
er hat eine weiße Weste,
er hat einen runden Hut
und kuriert die Kranken gut.
Lahme lässt er wieder springen,
Stumme können wieder singen,
nur Gesunde sind sein Graus,
die bringt er zum Friedhof raus.«

Branko musste lachen. Vor vier Tagen war er noch mit dabei gewesen, als sie das Lied sangen, das sie der bucklige Schuster gelehrt hatte, als Rache dafür, dass ihm seine Frau, obwohl er den Doktor Skalec geholt hatte, gestorben war.

Er wollte zu den Kameraden hinüber, aber die verstummten, als sie ihn sahen, und starrten ihn scheu von der Seite an. Ach ja, dachte Branko, sie wissen, dass meine Mutter gestorben ist, das macht sie ängstlich. Nun, ich muss ja auch zur Großmutter, und er bog wieder nach rechts ab.

Im Hotel »Zagreb« hatte man ein Klavier auf die Straße gestellt. Ein junger Mann spielte Geige und ein Mädchen begleitete ihn. Die Gäste saßen an kleinen Tischen um die Musikanten herum. Es waren aber keine kleinen Leute wie im Hotel »Adria«, sondern die besseren Leute von Senj.

Am ersten Tisch saß, hoch aufgeschossen, eine große Brille in dem langen, bleichen Gesicht, das von einem Spitzbart noch verlängert wurde, Doktor Ivekovic, der Bürgermeister von Senj. Ihm gegenüber hockte, dick, glatzköpfig und so unförmig wie ein aufgeblasener Frosch, Doktor Kukulic, der Direktor der Senjer Fischereibetriebe.

Am nächsten Tisch saßen der reiche Karaman, Danicic, der dicke Müller und der herrische Smoljan, der Bezirksförster, den die einen wegen seiner Strenge den bösen, die anderen wegen seines schmalen, festen Gesichtes den schönen Smoljan nannten.

Die übrigen Tische waren von Offizieren, Angestellten der Tabakfabrik und einigen Sommergästen besetzt. Die Tische waren alle gedeckt. Es roch nach gebratenen Hammelkoteletts. Branko zog den würzigen Duft in die Nase, er hatte Hunger, aber ihm würde ja doch niemand etwas geben.

Die Menschen ballten sich auch hier zu einer dicken Mauer zusammen. Es waren Handwerker mit ihren Frauen und Mädchen, die über die hohen Jasminbüsche sahen, die in schwarzen Kübeln um die Tische standen.

Hinter ihnen jagten die Gymnasiasten über den Platz. Sie neckten die Mädchen und schrien dabei.

Die Wirtin rief: »Ruhe!« Da torkelte Begovic auch schon hinter den Burschen her, weil aber der Sohn des Bürgermeisters unter den Gymnasiasten war, hob er nur drohend seinen Knüppel. Branko bog nun auf den breiten, mit großen Steinquadern belegten Marktplatz, den alle die »Clinia« nannten. Er war ein mächtiges Viereck, in das die verschiedenen Straßen und Gassen wie Flussläufe mündeten. Links hämmerte der alte Tomislav, der Schmied, noch an einem Hufeisen. Vor ihm stand der große Bischofspalast. Gegenüber war das Gymnasium. Alles sah in dem hellen Licht der Lampen so weiß und sauber wie gewaschen aus. Branko kam an dem alten Brunnen vorbei. Er tauchte die Hände in das kühle Wasser, wie er es immer tat, wenn er hier vorbeiging, dann schlenkerte er sie durch die Luft, damit sie trockneten. Auf dieser Seite des Marktes war kein Mensch mehr. Ein Esel war hinter dem Brunnen angebunden. Ein Hund versuchte sich ihm immer wieder zu nähern, aber der Esel schlug aus und der Hund sprang schnell zurück. Der Knabe sah den beiden eine Weile zu, dann ging er weiter.

Neben dem Bischofspalast bog er durch das alte Tor und befand sich nun in der großen Allee, die die alte Hafenstadt mit dem Hinterland von Kroatien verband.

Hinter dem Tor war Senj zu Ende. Branko sah nur die breite Straße, die auf beiden Seiten von hohen Platanen flankiert war. Das Laub der Bäume bildete eine so dichte Decke, dass nicht einmal das Mondlicht durch die Blätter drang. Gleich neben den Bäumen waren hohe Mauern; dahinter zogen sich Gärten bis zu den Bergen hinauf, die die Stadt umsäumten; in den Gärten standen auch Häuser, aber sie waren leer oder wurden nur ein paar Sommermonate bewohnt.

Branko schlüpfte in die Dunkelheit wie in ein Loch. Er war nicht ängstlich; obwohl er in der langen, finsteren Allee ganz allein war. Er sah nach links. Pletnic hatte gesagt, den zweiten Weg nach links solle er abbiegen. Er musste aber dicht an der Mauer entlanggehen, um die Stelle zu finden, an der der Weg abbog, so undurchdringlich war die Schwärze unter den Bäumen.

Der schmale Pfad stieg zuerst zwischen den Gärten steil nach oben, dann verlief er sich in Windungen in einer tiefen Schlucht. Es war wieder heller geworden. Branko sah ein paar Steine, die quer über den Weg lagen, einige Wacholderbüsche, eine hohe Ginsterstaude, zwei Oliven- und ein paar große Feigenbäume. Er blickte zurück. Er war mindestens schon fünfhundert Meter gegangen, aber die Hütte wollte noch immer nicht kommen. Da machte die Schlucht eine Biegung und gerade dort, wo sie zu Ende schien, saßen schwarz und drohend einige Büsche und unter den Büschen schimmerte ein Licht.

Branko trottete näher. Er hatte auch jetzt keine Angst, obwohl ihm das Herz stürmischer klopfte. Eine Hexe sollte seine Großmutter sein und seine Mutter hatte sich vor ihr gefürchtet. Nun, warum nicht. Sie konnte ihn höchstens wieder hinauswerfen, wenn er eintrat, und dann musste er den Weg in die Stadt zurückwandern und sich unten am Wasser oder in einem leeren Haus einen Platz zum Schlafen suchen.

Die Hütte klebte unmittelbar am Felsen. Die Mauern waren aus schweren Steinen, auch das Dach bestand aus großen Steinplatten, die auf festen Balken lagen. Neben der Hütte war noch ein Anbau, und hinter dem Anbau lag Holz.

Das Licht, das Branko gesehen hatte, kam aus einem schmalen Fensterschlitz, eine Tür, um anzupochen und einzutreten, sah er nicht. Er musste erst um das Haus herumgehen. Die Tür war direkt an der hohen Felsmauer und hatte einen schweren Eisenklopfer. Branko hob ihn und ließ ihn wieder fallen.

»Hallo! Hallo!« Der Bub hörte eine helle, überlaute Stimme.

»Wer ist denn da?«, fragte zu gleicher Zeit eine andere, die dünner, spitzer und giftiger war.

»Ha, ha!«, krähte die helle Stimme wieder. »Vielleicht der gute Onkel Jacova.«

»Hol dich der Teufel«, sagte die andere diesmal etwas lauter, aber die helle brach in ein noch heftigeres Gelächter aus.

Branko, der das alles mit Erstaunen vernommen hatte, wurde jetzt doch unruhig.

Aber da schlurfte schon jemand durch die Hütte, ein Riegel wurde zurückgeschoben und die Tür ging auf. »Ein Junge«, sagte gleich darauf die spitze Stimme: »Komm herein.« – »Nein, es ist der gute Onkel Jacova«, widersprach die andere Stimme und gleich darauf fing das Gelächter erneut an. »Na, nun komm, wenn du wirklich herein willst, und mach vor allem die Tür hinter dir zu«, sagte die erste Stimme und Branko tat es.

Die Tür führte in einen großen Raum, der von einem Kaminfeuer notdürftig erhellt wurde.

Branko sah jetzt, wer zu ihm gesprochen hatte; es war die alte Kata, seine Großmutter.

Im Schein des Feuers erblickte er erst nur eine übergroße, hagere Gestalt; nun trat sie neben das Feuer und er sah auch ihr Gesicht. Die alte Kata glich wirklich einer Hexe. Ihr Gesicht war schmal wie ein Strich, die Hautlappen hingen ihr rechts und links bis unter das Kinn, die Nase war spitz, sie saß wie ein Pfeil zwischen den großen, rötlich schimmernden Augen.

Branko hatte noch nie eine so fürchterlich große Nase gesehen. Das ganze Gesicht war in einen schwarzen Lappen gehüllt, unter dem, gelb und weiß, lange Haarsträhnen hervorquollen. Auch um ihren langen, hageren Körper hingen schwarze Lumpen, aus denen magere, knochige Arme herunterhingen mit genauso mageren, knochigen Fingern, die wie Krallen einen festen, dicken Stock umschlossen, auf den sich die Alte stützte.

Bevor sich Branko aber von diesem Schreck erholen konnte, fing die andere Stimme wieder zu sprechen an. »Sicher ist es der gute Onkel Jacova, sicher«, und im gleichen Augenblick lachte auch wieder jemand.

Im Raum klang diese Stimme noch heller und lauter als vor der Tür und Branko wäre am liebsten wieder hinausgestürzt, so ging ihm das Lachen durch Mark und Bein.

»Bist du endlich still, du verdammte Bestie«, schrie die Alte, fasste ihren Stock fester und schlug mit ihm nach oben.

Branko, der die Richtung des Stockes verfolgte, entdeckte nun, dass die Stimme gar nicht von einem Menschen, sondern von einem Papagei kam, der groß und aufgeplustert auf einer Stange über dem Kamin saß. Er hüpfte vor dem Stecken der Alten zurück, dabei lachte er noch lauter.

Branko starrte erstaunt zu dem Tier hinauf, da berührte ihn der Stecken der Alten unsanft an der Schulter und die große Frau knurrte: »Willst du mir endlich sagen, warum du gekommen bist?«

Der Knabe nahm all seinen Mut zusammen und stammelte: »Ich bin Branko.«

»Hast du schon so etwas gehört, Koko?« Die alte Kata wandte sich an den Papagei. »Er kommt hier herein und sagt, er heißt Branko. Es gibt hundert Brankos in Senj.«

Branko trat einen Schritt näher. »Ich bin der Branko von Anka.«

»Anka, Anka.« Die Alte drehte ihren Stock zwischen den Fingern. »Ankas kenne ich auch ein Dutzend.«

»Mein Vater ist Milan«, fuhr Branko tapfer fort. »Ihr seid meine Großmutter.«

»He, he.« Die Alte, die sich neben dem Feuer in einen großen Stuhl gesetzt hatte, stand wieder auf. »Der Sohn von Milan.« Sie sah zum Papagei hinauf. »Da hast du Biest doch Recht gehabt. Wie er das Blut der Sippschaft riecht. He, he.«

Sie lachte wieder.

Der Papagei hatte anscheinend die Worte der Alten verstanden. Er kreischte laut: »Sicher, sicher; es ist der gute Onkel Jacova.«

Die Alte sagte: »Jacova ist es nicht. Aber es ist sein Enkel«, und wieder zu Branko gewandt, fuhr sie fort: »Was willst du hier?«

»Meine Mutter ist gestorben.«

»Ich habe den Milan gewarnt. Ich habe ihm gesagt, er soll sich eine Tanne und keinen Pfirsichbaum nehmen. Deiner Mutter sah man doch an, dass sie der erste Wind umbläst.«

»Sie sagen, sie sei an der Schwindsucht gestorben«, wandte Branko ein.

»Das ist ganz gleich, woran. So schwache Leute sterben an jeder Krankheit.« Sie hockte sich wieder hin, nahm ihren Stock in die Hand und kratzte damit Kreise in den erdigen Boden.

Branko hatte sich inzwischen weiter umgesehen. Der Papagei, ein großer, schöner Vogel, war wieder in die Nähe des Feuers gerückt. Am Kopf war er gelb und grün, auf dem Rücken schwarz und blau, der Leib schimmerte weiß und gelblich, während die Flügel und die Schwanzspitzen blau und rötlich waren.

Hinter Koko hüpfte etwas anderes. Der Bub dachte zuerst, es sei der Schatten des Papageis, aber es war ein zweiter Vogel. Er rückte immer hinter dem Papagei her und sah schwarz, recht klug und verschmitzt aus. Branko erkannte ihn jetzt auch, es war ein Rabe. Da sagte die Großmutter wieder: »Ich weiß aber noch immer nicht, warum du zu mir gekommen bist.«

Branko wagte sich noch einen Schritt vor. »Ich habe kein Bett mehr und die Leute haben gesagt, ich soll zu Euch gehen.«

»He, he!« Die Alte lachte greller und konnte sich gar nicht wieder beruhigen. Auch der Papagei fiel mit ein und der Rabe wippte dazu mit den Flügeln. Endlich hatte die Alte ihre Stimme wieder gefunden.

»Die Leute haben dich zu mir geschickt. Die Leute. He, he. Sonst bin ich für sie eine Hexe und sie verstecken ihre Kinder, wenn ich komme, und heute schicken sie mir sogar einen Balg ins Haus. He, he. Sie haben wohl keine Lust ein armes Waisenkind zu füttern, was?«, und sie stieß Branko mit ihren knochigen Fingern in die Seite.

»Ich weiß nicht«, meinte Branko ausweichend.

Die Alte konnte sich noch immer nicht beruhigen. »Die Leute. Die Leute«, wiederholte sie, »und du bist dann einfach zu mir heraufgekommen, obwohl sie alle nur Schlechtes von mir erzählen?« Branko sah die Alte tapfer an. »Ich habe keine Angst vor dir.« »Das wollte ich dir, einem Enkel von Jacova und einem Sohn von Milan, auch geraten haben.«

»Vom guten, alten Onkel Jacova«, krächzte der Papagei wieder dazwischen.

»Bist du still, du Bestie.« Kata erhob erneut ihren Stecken. Sie stand dabei auf, ging aber nicht dem Vogel nach, wie Branko erwartet hatte, sondern auf einen uralten, wackligen Spind zu, der neben dem Kamin stand, und nahm eine Schale heraus. Sie kam wieder zurück und drückte sie Branko in die Hand. »Ich habe noch einen Rest Suppe im Topf, den sollst du haben. Du kannst diese Nacht auch bei mir schlafen, aber wenn die Leute da unten«, sie hob ihre dürre Faust und drohte nach der Stadt, »meinen, sie können mir ihre Waisen heraufschicken, täuschen sie sich. Die alte Kata kann kaum für sich sorgen. Morgen früh scherst du dich wieder zu ihnen hinunter.«

Branko antwortete nichts darauf. Er war viel zu sehr von dem Duft der Suppe eingenommen, die die Alte ihm mit einem großen Löffel aus einem Kessel, der über dem Feuer hing, in seinen Napf schöpfte.

Er spürte jetzt auch, wie hungrig er war. Immerhin hatte er die letzten Tage kaum etwas gegessen und heute überhaupt noch nichts. Die Suppe kochte fast noch, er konnte den Napf kaum halten und versuchte zu blasen, dann setzte er die Schale an die Lippen und schlürfte sie in kurzen Abständen und unter immer neuem Blasen.

Die Alte hatte sich inzwischen wieder neben das Feuer gesetzt, starrte hinein, schüttelte ihren Kopf und sagte nur immer wieder: »Die Leute. He, he. Die Leute.« Selbst der Papagei war ruhiger geworden und auch der Rabe hinter ihm saß still.

Auf einmal rief der große Vogel wieder: »Pass auf, Jacova. Pass auf, mein guter Onkel Jacova.«

Branko starrte erschrocken in die Höhe. Im gleichen Augenblick sprang ihm ein Kater mit einem maunzenden Laut auf die Schulter und versetzte seinem Napf einen Schlag. Dieser fiel auf den Boden und der Kater sprang hinter ihm her.

Das pechschwarze, gewaltige Tier rollte den Napf so, dass er wieder stand, und leckte eifrig den Rest auf, der noch darin war.

Branko war ganz verstört, sein Mund stand offen und er sah zu dem großen Tier hinunter. Auch die Alte war aufmerksam geworden. »Hat dir Morro die Suppe gestohlen? Du schwarzer Teufel.« Sie warf einen ihrer schweren Holzschuhe nach dem Kater, der schreiend fortsprang, holte mit ihrem Stock den Napf näher und füllte ihn ein zweites Mal. »Nun pass besser auf«, sagte sie.

Branko dankte ihr und schlürfte auch den zweiten leer. Er schielte dabei immer nach dem schwarzen Tier, das sich an den Kamin gehockt hatte und mit seinen Augen, in denen das Feuer wie zwei Kerzen tanzte, aufmerksam zu ihm herübersah. Der Papagei schimpfte »Spitzbube! Spitzbube!« zu ihm herab, aber das machte dem Kater nichts, er kam sogar nach einer Weile wieder auf den Buben zu.

Diesmal schnurrte er, blinzelte zu Branko hinauf und machte einen Buckel.

Branko hatte noch immer allen Respekt vor dem großen Tier, aber als er nun seine weichen, seidigen Haare an den Knien spürte, beugte er sich sogar zu ihm hinunter und streichelte es. Das schwarze Fell knisterte und leuchtete, als wäre es mit Pulver geladen. Der Kater schnurrte noch stärker. Branko rührte das so, dass er, obwohl er noch Hunger hatte, dem Kater den Napf hinstellte. Das Tier hatte sich aber kaum darüber gebeugt, als es Gesellschaft bekam. Zwei schwarze Hühner, von denen Branko noch gar nicht wusste, wo sie so plötzlich herkamen, versuchten ebenfalls etwas von der Suppe zu bekommen.

Der Kater fauchte sie an, aber die Hühner wichen nicht zurück. Von dem Fauchen war auch die Alte wieder aufmerksam geworden. »Ech!«, kreischte sie. »Ist denn schon Morgen, dass ihr bereits munter seid, ihr Viecher? Schnell in eure Ecke oder ich prügle euch hinein«, und sie stieß erst das eine, dann das andere Huhn mit ihren Füßen zur Seite.

Die Hühner flatterten auf eine Stange, die über einem Holzklotz war, gackerten noch einige Male aufgeregt, darin steckten sie ihre Köpfe unter die Flügel und schliefen weiter. Branko sah auf die Alte. »Habt Ihr noch mehr Tiere, Großmutter?«, fragte er.

Die alte Kata blickte unwillig zurück. »Nein, das sind alle. Koko, der Papagei, der Rabe, Morro und die beiden Hühner. Nenn mich aber nicht wieder Großmutter, das habe ich nicht gern.«

»Aber Ihr seid doch meine Großmutter.«

»Ich bin die alte Kata und die will ich bleiben, und wenn du durchaus eine Großmutter brauchst, suche dir in Senj eine.«

»He, he!«, krächzte der Papagei wieder. »Und was sagt der gute, alte Onkel Jacova dazu?«

»Du sollst still sein, du Biest.« Die Alte wurde wild, reckte ihre Faust zu dem Papagei hinauf und drohte ihm.

»War das Euer Mann?«, fragte Branko neugierig.

Die Alte lachte auf. »Ja, ja, mein Mann. Er war genauso ein armseliger Geiger wie dein Vater. Er war nie zu Hause, und das Einzige, was ich von ihm geerbt habe, ist dieser Papagei und Milan.«

»Mein Vater ist kein armseliger Geiger«, sagte Branko stolz. »Er ist der beste Geiger von Senj.«

Die Alte kam auf ihn zu. »Was ist er denn sonst? Ha, ha, ha! Hast du etwa eine ganze Hose an, eine Mütze auf dem Kopf oder einen vollen Bauch, wie es die Kinder von allen ehrlichen Arbeitern in Senj haben? Nichts hast du. Ein Hungerleider bist du, nicht einmal jemanden, der dir eine warme Suppe geben kann, hast du und die Leute schicken dich zur alten Kata, damit sie dich durchfüttert. Ha, ha, ha, und der Tagedieb sagt noch, sein Vater sei nicht so ein armseliger Geiger wie sein Großvater. Noch armseliger ist er. Der alte Jacova hat seinen Milan nie so herumlaufen lassen wie Milan dich.«

Branko trat ein paar Schritte zurück. Er wagte aber doch zu fragen: »Lebt er noch, mein Großvater?«

»Das weiß ich genauso wenig, wie ich weiß, ob dein Vater noch lebt. Aber schweig jetzt. Wir haben schon zu viel geschwatzt. Komm lieber«, sie steckte einen Kienspan ins Feuer, der sofort hell aufbrannte, »du musst schlafen gehen.«

Die alte Kata durchschritt den Raum, der von dem Span etwas mehr erleuchtet wurde. Außer den Hühnern, dem Papagei und dem Raben war aber wenig zu sehen. Links von dem Kamin standen noch ein Holztisch und zwei Stühle, dahinter war ein Bett, darüber hingen einige Töpfe und Pfannen. Die wenigen Möbel waren mit dem Kamin, dem wackeligen Schrank und dem Holzklotz alles, was sich in der Hütte befand.

Die Alte stieß eine Tür auf, die in einen Schuppen führte. »Hier kannst du schlafen. Und ich sage es dir nochmals, morgen früh gehst du wieder in die Stadt.« Sie riegelte einen Laden auf. »Du kannst gleich hier hinausgehen. Schieb ihn dann wieder zu und stiehl nichts, bevor du gehst, sonst schicke ich dir alle Teufel nach.«

»Ich habe noch nie gestohlen«, antwortete Branko und hockte sich auf das Stroh, das überall herumlag.

»Du wirst es schon noch lernen«, sagte die Alte laut. »Die Hungrigen stehlen alle.«

Dann schlurfte sie wieder zurück. Einen Augenblick später hörte Branko, wie ein Schlüssel umgedreht wurde und die Alte sich wieder in ihren Stuhl fallen ließ.

Der Knabe, der rechtschaffen müde war, rollte sich auf dem Stroh zusammen und versuchte zu schlafen. Es dauerte aber ziemlich lange, bis er schlafen konnte. Immer neue Bilder zogen an ihm vorbei. Der Papagei, der Rabe. Wie lustig der Kater gewesen war, und die Hühner und seine Großmutter. Hexen waren doch wirklich nicht so schlimm, wie die Leute behaupteten. Auch das Begräbnis und seine Mutter tauchten für einen Augenblick auf, aber bald waren sie wieder hinter dem Papagei und dem maunzenden Morro verschwunden.

Es musste noch recht früh sein, da wachte er auf, weil ihm etwas über das Gesicht strich.

Er schlug die Augen auf, es war der schwarze Kater. Er schnurrte leicht, machte wieder einen Buckel, dann gähnte er und zeigte seine Zähne.

»Hast du auch hier geschlafen?«, fragte Branko.

Der Kater schnurrte lauter und rieb sich an seinen Beinen. »Du hast wohl Hunger? Ich auch.«

Er wollte schon aufstehen und in die Stube der Großmutter hinübergehen; da entsann er sich, dass sie gesagt hatte, er solle sich sofort, wenn er aufgewacht sei, zum Teufel scheren.

Branko kratzte sich verlegen. Sein Hunger war nicht so groß, dass er unbedingt seinetwegen bei der Großmutter anklopfen müsste. Aber er hätte gar zu gern den Papagei auch einmal bei Tage gesehen, ob er noch größer war als der Papagei unten im Hotel »Adria«, ob er außer den blauen und roten auch grüne Schwanzfedern hatte. Er hätte auch gern gewusst, ob der Rabe sprechen konnte, und natürlich wollte er auch seine Großmutter noch einmal sehen.

Da hörte er sie gehen. Sie schlurfte auf und ab, auch der Papagei schien schon munter zu sein, aber er sprach nicht, er krächzte nur.

Branko wagte es. Er ging an die Tür, klopfte an und sagte: »Großmutter!«

Das Schlurfen kam näher. »Bist du noch nicht fort, du Teufelsbraten«, schrie die Alte. »Liegst du noch immer in meinem Stroh! Soll ich erst meinen Knüppel nehmen und dich hinausprügeln!«

Branko bettelte. »Ich möchte nur noch einmal den Papagei sehen.«

Die Alte schimpfte lauter: »Nichts sollst du sehen. Niemanden. Fort sollst du gehen, verstanden, oder …« Sie drehte am Schloss.

Branko stolperte eilig zurück. »Ich gehe schon«, stammelte er.

»Aber schnell! Aber sofort!«

Branko schielte zu dem Laden hinauf. Er machte einen Sprung und saß rittlings auf dem Sims; im gleichen Moment wurde der Schlüssel umgedreht und die Tür ging auf.

»Ich bin schon draußen«, schrie Branko noch und ließ sich auf der anderen Seite auf die Erde fallen.

»Das ist dein Glück«, krächzte ihm die Alte nach.

Branko erhob sich wieder.

»Armer Onkel Jacova«, hörte er den Papagei noch sagen, »armer Onkel Jacova«, dann rannte er davon.

Branko hat Hunger und kommt
deshalb ins Gefängnis

Branko kugelte beinahe die Schlucht hinunter, so sprang er zuerst. Er rannte aber nicht, weil er sich vor der Alten fürchtete, sondern weil es ihm Freude machte, so kopfüber dahinzuschießen. Branko lachte sogar. Gott, wie die Großmutter geschrien und der Papagei gesagt hatte: »Ach, der arme Onkel Jacova.« Die Schlucht sah am Tag viel freundlicher aus als in der Nacht. Die Wacholderbüsche hatten grüne Spitzen und Blütenansätze. Rechts und links standen Pechnelken. Oben auf der Höhe stemmten sich Pfirsichbäume in den Himmel. Die großen Steine glitzerten in der Sonne, das Gras hatte bunte Tauperlen und auch die alten Oliven- und Feigenbäume waren mit den schönen Perlen übersät.
Er kam in die Allee. Sie machte am Tag einen noch düstereren Eindruck als in der Nacht. Die dicken Platanen, die den Mond nicht hindurchgelassen hatten, ließen auch die Sonne nicht durch. Auch die Kühle der Nacht war nicht durchgedrungen und so lag jetzt eine dumpfe, klebrige Wärme darunter.
Das Postauto, das zu den Plitvicer Seen fuhr, kam aus der Stadt gepoltert. Eine Kuhherde trottete dem Wagen entgegen. Der Chauffeur hupte, aber der Wagen musste stehen bleiben, weil die Kühe nicht auf die Seite gingen.
Die Straße war um diese Zeit überhaupt sehr belebt. Ein Bauernjunge, der Branko übermütig anblitzte, trieb vier Esel vor sich her, die hoch mit Körben, Kisten und Säcken beladen waren. Zwei Frauen, die auf Maultieren saßen, trabten nach der Stadt. Auch große, von Ochsen gezogene Bauernwagen bogen in die Allee ein und dazwischen buckelten Mädchen und Frauen schwere Körbe, zog ein Bäuerlein einen Handwagen und zwei Radfahrer fuhren klingelnd hinter der Kuhherde her.
Aus der Stadt kamen gleichfalls Leute. Holzarbeiter, die zu ihrer Arbeit gingen, eine Gruppe Steinbrucharbeiter, die Jungen pfiffen ein Lied, Bürger von Senj, die in ihre Gärten wollten, und ein Milchwagen, der über Land fuhr.

Branko trat durch das Tor auf den Markt. Die Sonne war höher gestiegen und lag schon auf den schönen viereckigen Platten, die den ganzen Platz bedeckten. Er sah aus wie ein großer Spiegel in der heißen Sonne und die Menschen schienen darauf wie schmutzige, graue Flecken.

Der Bub ging auf den Brunnen zu, tauchte das Gesicht hinein, rieb es mit den Händen ab und dann schüttelte er sich wie ein Hund, dass die Tropfen nach allen Seiten spritzten.

An diesem Brunnen wusch er sich jeden Morgen. Auch alle anderen armen Kinder von Senj wuschen sich hier, wenn sie es nicht vorzogen, sich überhaupt nicht zu waschen oder schnell einmal ins Meer zu springen.

Auf dem großen Platz war noch wenig zu sehen. Ringelnatz, seine weiße Mütze über dem Nussknackergesicht, kehrte vor dem Hotel »Zagreb« den Dreck zusammen. Rechts, neben dem Bischofspalast, hatten die Bauern ihre Kühe angebunden, auch die neuen kamen dazu und der Bauer band sie an die eisernen Stangen, die in einem Geviert zwischen großen Steinsäulen angebracht waren. Vor der Schmiede ließ der alte Dragan einen Maulesel beschlagen. Branko sah einen Augenblick zu. Dragan hielt den Fuß des Tieres hoch und Tomislav, ruhig und ernst wie immer, brachte das Eisen. Inzwischen klemmte sein Geselle dem Maultier ein Holz über die Nase. Das Tier versuchte zu schreien, zu beißen, auch auszuschlagen, aber es war schon zu spät.

Immer wenn das Tier zusammenzuckte, drehte der Geselle an der Holzklemme, sodass der Schmerz an der Nase größer als der hinten am Fuß war und das Tier vor Schmerz im Gesicht kaum spürte, dass ihm hinten der alte Tomislav ein Eisen auf den Fuß schlug. Erst als der Geselle die Klammer wegnahm und der arme Maulesel wieder um sich keilte, denn Dragan hatte den Fuß fallen lassen, spürte er, dass auch mit seinem Fuß etwas geschehen war. Er knallte ihn wütend auf das Pflaster, aber das Eisen saß fest. Dragan fuhr seinem Esel einige Male über den Kopf und der Grauschimmel beruhigte sich wieder. Einen Augenblick später trippelte er, einen Sack auf dem Rücken, hinunter zum Quai.

Der Knabe folgte den beiden. In den Straßen war es noch still. Der dicke Curcin öffnete gerade den Holzladen, der vor seiner Auslage war. Brozovic hatte die Tür aufgestoßen und schleppte Fässer mit Korken heraus, um sie vor den Laden zu stellen. Der bucklige Schuster hatte noch geschlossen, auch das Hotel »Nehaj« war noch zu.

Auf dem großen Platz am Quai hatten sich schon die ersten Bauern mit ihrem Obst, Frühkartoffeln und ihrem Gemüse aufgestellt. Branko trottete an ihnen vorbei, hinunter ans Wasser. Zwei Fischerboote legten an. Branko sah nach dem alten Gorian, der ein guter Freund seines Vaters war und sonst auch immer um diese Zeit am Quai stand, aber es waren nur der hagere Radic und einige Fischer aus Rab, die ihre Fische ausluden.

Branko schlenderte immer zwischen den Booten und dem Markt hin und her. Neue Bauern kamen. Sie brachten Tomaten und häuften sie zu kleinen Bergen. Auch der Junge, der die vier Esel vor sich hergetrieben hatte, lud ihre Lasten ab und baute seine Waren vor sich auf. Es waren Erdbeeren, Frühgemüse und Pfirsiche. Er verkaufte seine Waren aber nicht einzeln, sondern korbweise.

Radic schichtete einen Eimer Makrelen auf. Die zarten, schmalen Tiere mit ihren olivenfarbigen, dunklen Rücken leuchteten wundervoll in der Frühsonne. Der Leib war opalfarbig und bei denen, die ihre Rachen geöffnet hatten, sah man in die scharfen, spitzen Zähne. Die Fischer von der Insel Rab verkauften Seebarsche. Die großen Tiere waren einen halben Meter lang. Über die silberfarbigen, gefährlich aussehenden Leiber zog sich eine schwarze Linie. Sie lagen schwer, als ruhten sie nur aus, auf den hellen Brettern der Stände und Branko machte jedes Mal einen Bogen, wenn er an ihnen vorbeiging.

Ein Stück weiter baute die bärtige Marija ihren Stand auf. Sie handelte mit Zuckersachen, Schokolade und allerlei kleinem Gebäck. Sie watschelte mit ihrem dicken Leib zwischen einem Handwagen und ihrer kleinen Bude hin und her, schimpfte vor sich hin, wollte sich aber von niemandem helfen lassen, weil sie alle Menschen, vor allem die Kinder, für Diebe und Gauner hielt.

Die ersten Käufer kamen. Curcins Frau mit einer hellen Bluse, die Magd des Pfarrers mit einer gewaltigen Tasche vor dem Leib. Pletnic schob seinen dicken Bauch von Stand zu Stand. Er sah einen Augenblick auf Branko, aber dann blickte er auf die andere Seite. Branko bekam durch das Herumschlendern Hunger. Aber was sollte er essen? Wenn ihn sonst der Hunger plagte, und dies kam oft vor, wenn er morgens vor seiner Mutter aus dem Haus stürmte und nicht warten konnte, bis der Kaffee kochte, oder wenn sie mittags länger arbeiten musste und erst gegen vier eine Suppe aufsetzen konnte, ging er einfach hier vorbei, hob eine Tomate auf oder ließ sich von Curcin ein Stück Brot geben. Er nahm auch hie und da einen Apfel oder eine Aprikose weg, wenn es niemand sah, und wenn es jemand sah, vor allem die dicke Marija, dann drohte sie nur mit der Faust und schrie:»Ich werde es deiner Mutter sagen«, oder:»Ich werde es deiner Mutter schon aufschreiben.«

Jetzt konnte er das nicht mehr. Seine Mutter war ja tot. Er wagte es auch gar nicht. Die dicke Marija sah ihn schon den ganzen Morgen so unfreundlich an, und als er wieder auf ihre Zuckergläser blickte, kreischte sie:»He, du willst wohl stehlen. Pass auf, ich sage es dem Begovic.«

Sein Hunger wurde aber immer größer, je länger er auf dem Markt herumschlich. Er setzte sich ans Meer. Dass ausgerechnet heute der alte Gorian nicht gekommen war! Der hätte ihm sicher ein Stück von seinem Brot angeboten, wie er es immer tat, wenn Branko sich neben ihn setzte. Er sprang wieder hoch, der Hunger ließ ihm keine Ruhe und er war schon wieder zwischen den Ständen unterwegs.

Da lag eine Möhre. Er hob sie auf und biss hinein, aber sie machte seinen Hunger noch größer. Wenn die Pfirsiche und die Aprikosen nur nicht so gelockt hätten, auch die Fische, die sich in immer größeren Bergen auf den Tischen der Fischer häuften. Auch zwei Bäcker hatten ihre Stände aufgebaut und das frische Brot duftete ihm in die Nase, als hätte er es vor sich und könnte hineinbeißen. Er wollte schon zugreifen, da fiel ihm ein, was

er gestern seiner Großmutter gesagt hatte: »Ich habe noch nie
gestohlen.« Und was hatte sie geantwortet: »Dann wirst du es
schon noch lernen. Die Hungrigen stehlen alle.«
Nein, er wollte auch heute nicht stehlen. Er biss die Zähne zusammen, ballte die Fäuste und machte einen Bogen um die
Verkaufsstände. Er ging hinauf zum Park und hockte sich auf
eine Bank. Es war schon recht warm geworden, die Fliegen um-
schwärmten ihn, in den Bäumen summten die Bienen und hoch
über ihm kreischten ein paar Möwen.
Der Knabe hielt es aber nicht lange aus. Es zog ihn wie mit Seilen
wieder hinunter an den Quai. Er müsste ja nicht stehlen. Vielleicht fand er noch eine Möhre, vielleicht fand er einen Fisch, den
er sich braten konnte, oder einige Aprikosen, die jemand wegge-
worfen hatte, weil sie fleckig waren und nicht verkauft werden
konnten. Der Markt war inzwischen voller geworden. Viele Frau-
en wanderten von Stand zu Stand. Die Fischer ließen sich wieder
neue Fische aus den Booten bringen. Der große Knabe mit seinen Eseln hatte seine Waren auch schon verkauft. Er sprach jetzt
mit einem hoch aufgeschossenen Mädchen, das mager und kno-
chig neben ihm stand.
Branko beobachtete sie bereits den ganzen Morgen. In dem festen, derben Gesicht saßen kecke, helle Augen. Sommersprossen
liefen über die Nase, brandrotes Haar lohte wie Feuer über ihr.
Sie war barfuß und barhäuptig wie Branko und sie streifte genauso wie er zwischen den Ständen hin und her. Sie musste den
großen Buben kennen, denn sie sprachen noch immer miteinander. Jetzt schenkte er ihr ein paar Tomaten. Sie schob sie unter
den grünen Sweater, der mit einem braunen, alten Rock das Einzige war, was sie anhatte.
Branko schlich wieder bei Radic vorbei. Der verkaufte gerade der
Magd des Bürgermeisters eine ganze Schüssel seiner Makrelen.
»Sie sind doch frisch?«, fragte das Mädchen.
»So frisch wie Sie selber«, spaßte Radic und schüttete ihr die Fische in die Markttasche. Dabei fiel ein Fisch in die Gosse. Das
Mädchen, das über die Worte Radics lachte, merkte es gar nicht.

Auch Radic hatte es nicht gesehen, nur Branko sah den Fisch zwischen den Beinen des Mädchens in der Gosse liegen.

Er blickte sich um. Sah noch jemand den Fisch? Nein, nur das Mädchen mit dem roten Schopf, das eben bei dem Eseltreiber gestanden hatte. Sie blickte im gleichen Augenblick auf ihn, blinzelte ihm zu, als wollte sie sagen: »Wenn du ihn nicht nimmst, nehme ich ihn.«

Branko bückte sich und wollte ihn unter sein Hemd stecken, da spürte er hinten im Genick eine feste Faust.

»Du Spitzbube«, schrie zur gleichen Zeit eine harte, böse, gewaltsame Stimme. Branko schnellte herum.

Es war der reiche Karaman, der ihn mit seinen groben Fäusten, die schwer und fest wie Schmiedehämmer waren, gepackt hatte und ihn noch immer festhielt.

»Was ist denn?« Radic kam hinter seinem Stand hervor.

Auch die Magd machte runde Augen und sah erst auf Branko und dann auf Karaman.

»Er hat gestohlen, der Kerl!« Karamans aufgedunsenes Gesicht, in dem die kleinen Augen wie schwarze Knöpfe saßen, wurde rot.

»Euch hat er bestohlen!«, schrie er weiter, zeigte auf den Fischschwanz, der aus Brankos Hemdschlitz hervorsah, und zog den Fisch heraus.

»Er lag auf dem Boden«, stammelte Branko. »Ich habe ihn nur aufgehoben.«

Radic, der kein allzu böser Mann war, wollte schon sagen: »Lasst ihm doch den Fisch, er wird Hunger haben, und wenn er einmal im Dreck lag, will ihn doch keiner mehr«, aber Karaman schrie schon so laut nach Begovic und immer mehr Leute strömten zusammen, dass Radic wieder hinter seinen Stand trat und erst sehen wollte, was die Leute dazu sagten.

Begovic, seinen Knüppel in der Hand, die Mütze nach hinten geschoben, den Rock aufgeknöpft, denn er hatte gerade in der Kneipe, dem Markt gegenüber, einen Schnaps getrunken, kam angerannt.

Er teilte die Menge mit seinen fleischigen Gurkenfingern. »Ein Spitzbube! Ein Spitzbube! Wo ist er?«

»Hier!« Karaman schob den Buben, den er noch immer fest am Hals hatte, sodass man seine Finger bereits in Brankos Fleisch sah, Begovic zu. »Hier!«, er hielt den Fisch hoch. »Und das hat er gestohlen.«

Begovic hielt in seinem Eifer inne. Der Bub und der kleine Fisch, verdammt, wenn der Markt zu Ende war, lagen doch ein Dutzend davon auf der Erde. Warum machte der reiche Karaman so ein Geschrei deswegen.

Da mischten sich auch schon die anderen Leute ein.

Susic war da, der kleine Lumpenhändler, ein alter Mann mit einem roten Käppchen und einem weißen Bart, der weit über seinen Kaftan hing. Ein paar alte Frauen. Ein Matrose, zwei Holzarbeiter und außer der Magd des Bürgermeisters noch drei andere Mägde.

»Seht ihr nicht, dass es der Kleine nur aus Hunger getan hat?«, schimpfte eine der alten Frauen.

Susic nahm sein Käppchen ab. »Wegen eines Fisches so ein Geschrei zu machen. Im Wasser gibt es Tausende.«

Der Matrose knurrte. »Na, und seht nur, wie dieser Bauer den Buben gewürgt hat, als wenn er ihm ein Halseisen umgelegt hätte.«

»Lass ihn laufen, Begovic!«, schrien zur gleichen Zeit die Holzarbeiter.

Begovic hatte große Lust dazu, aber da wandte sich Karaman wieder an ihn. »Nichts da« sagte er. »Ich habe es gesehen. Der Bub hat vorsätzlich gestohlen und muss bestraft werden. Wisst Ihr übrigens, wer ich bin?« Er drehte sich jetzt mit seiner ganzen Breite zu Begovic. »Ich bin Karaman, Bauer und Stadtverordneter, und wenn Ihr den Spitzbuben nicht gleich festnehmt, werde ich mit dem Bürgermeister sprechen.«

Die Leute murrten noch mehr. »Der reiche Karaman!« – »Der Geizhals!« – »Der Leuteschinder!« – »Den sollte man einsperren!«

Karaman wandte sich noch einmal an Begovic. »Nehmt Ihr ihn jetzt fest oder soll ich ihn selber auf die Wache bringen?«

Begovic packte Branko schon an der Schulter. »Ihr habt es also gesehen, dass der Bub gestohlen hat, Herr Karaman?«, fragte er.

»Mit meinen beiden Augen und hier ist ja auch die Beute!« Er hob den Fisch nochmal hoch.

»Hat es sonst noch jemand gesehen?« Begovic drehte sich um und sah auf die anderen.

»Ich!«, rief eine helle Stimme. Das Mädchen mit dem roten Haar stand neben Begovic und sah mit zornig blitzenden Augen auf Karaman und Begovic. »Ich habe es gesehen«, wiederholte sie. »Der Fisch lag bereits eine ganze Weile auf der Erde. Ein Hund hat schon daran gerochen, eine Frau ist darauf getreten. Da kam der Junge«, sie zeigte auf Branko und blitzte ihn dabei an, »und hob ihn auf.«

»So, so«, meinte Begovic und sah Karaman wieder an, um zu erfahren, ob der Bauer nach diesem Zeugnis von seiner Klage Abstand nahm.

Aber Karaman – seine große, massige Gestalt wurde noch größer – starrte nur auf das Mädchen. »Habe ich dich nicht schon einmal gesehen?«, fragte er.

»Mich?« Sie schüttelte ihren Kopf, dass die Haare nach allen Seiten flatterten. »Sicher nicht.«

»Natürlich.« Seine Stimme wurde laut und dröhnte wie eine Trompete über den Platz. »Dein Haar vergisst man doch nicht wieder, wenn man es einmal gesehen hat. Vorgestern warst du in meinen Aprikosen, vor einer Woche in meinen Erdbeeren, vor …«

Da war das Mädchen plötzlich verschwunden. Als wäre sie untergetaucht, war sie durch die Menge davongeschlüpft.

»Halt sie doch, alter Saufsack!«, schrie Karaman erbost und stieß Begovic in die Seite. »Nehmt sie fest! Springt ihr nach!«

Aber Begovic blieb wie angewurzelt stehen. Es ärgerte ihn, dass ihn der Bauer einen Saufsack nannte. »Ich kann nur einen festhalten!«, knurrte er. »Und nicht die ganze Stadt, und bis jetzt habt Ihr nur gewollt, dass ich den da«, er schüttelte Branko, »verhafte.«

Der reiche Karaman schob nun selber seine mächtige, breite Gestalt durch die Menge, um dem Mädchen nachzulaufen, aber als er sich nach dem roten Schopf umsah, war die Kleine längst davon. Begovic stand immer noch mit Branko da. »Hat es noch jemand gesehen?«, fragte er mechanisch wieder.

Die Leute schüttelten den Kopf.

Der Gendarm trat zu dem Fischer: »Fehlt Euch der Fisch?«

Radic lächelte verlegen. »Ich weiß nicht. Ich habe Hunderte und ich verkaufe sie nach Gewicht.«

»Wo ist der Fisch überhaupt?« Die Magd des Bürgermeisters sah sich um.

Der Matrose warf seinen Kopf nach hinten und lachte. »Ich glaube, Karaman hat ihn mitgenommen.«

Auch die anderen lachten auf.

»Ich habe es ja gleich gesagt«, meinte einer der Holzarbeiter, »Karaman soll man einsperren.«

»Macht Ihr eine Anzeige wegen des Diebstahls?« Begovic zog ein Buch aus der Tasche hervor.

Der Fischer wusste nicht, ob er Ja oder Nein sagen sollte. Den Leuten zuliebe, die um ihn herumstanden, hätte er gern Nein gesagt, aber der reiche Karaman, den sie alle fürchteten und der im Hochsommer, wenn er ein Dutzend Knechte hatte, die Fische zentnerweise kaufte, konnte wieder zurückkommen und es erfahren.

»Ihr könnt es Euch ja noch überlegen«, brummte Begovic. »Ich bringe den Buben vorläufig auf die Wache. Wenn bis zum Abend keine Anzeige kommt, lass ich ihn wieder laufen.« Radic nickte.

»Platz da!« Begovic hatte seinen alten Schneid wieder gefunden, trieb die Leute mit seinem Knüppel auseinander, drängte Branko hindurch und ging mit ihm weiter.

Er sah sich den Sünder nun genauer an. »Oho!«, schrie er auf. »Du bist es.« Er gab Branko einen leichten Stoß. »Da habe ich dich gestern also nicht umsonst verprügelt.«

Sie kamen an der alten Marija vorbei.

»He, he!« Sie steckte ihr bärtiges Gesicht aus ihrer Bude. »Hat er gestohlen, der Branko? Ich habe es mir doch gedacht.«

»Ich habe nicht gestohlen«, heulte Branko jetzt auf. »Ich hatte bloß Hunger.«

51

Die Alte lachte noch schriller. »Gerade das nennt man ja Diebstahl, du Dummkopf.«

Vor dem Hotel »Adria« stand der dicke Marculin.

»Einen Schnaps, Begovic?«, fragte er.

»Ich habe einen Gefangenen.«

Begovic zeigte auf Branko.

»Kommt nur. Einer ist keiner.« Er schenkte Begovic ein. »Was hat denn der Bub verbrochen?«

»Was weggenommen.« Begovic trank und wischte sich umständlich den Bart ab.

»Was denn?«

»Einen Fisch.«

Der Wirt lachte. »Mein Gott, es gibt doch genug davon in Senj.«

»Der alte Susic hat das auch gesagt«, bestätigte Begovic, »aber der reiche Karaman hat verlangt, dass der Bub verhaftet wird.«

»Der«, Marculin schnaufte auf, »der sollte lieber auf sich aufpassen als auf andere Leute.«

Begovic trank das zweite Glas. »Ich habe nichts gehört, Herr Marculin.« Er salutierte.

»Das könnt Ihr ruhig weitererzählen.« Er schenkte Begovic das dritte Glas ein.

Einige Kinder hatten das Gespräch belauscht.

Als Begovic und Branko weitergingen, sprangen sie vor den beiden her und riefen allen Leuten zu: »Branko hat gestohlen! Branko hat gestohlen!«

Branko war wütend und hätte sich am liebsten auf die Kinder gestürzt. Er war auch traurig, denn unter den Kindern waren zwei seiner Freunde. Vor ein paar Tagen hatten sie noch miteinander gespielt. Gestern war er für sie noch etwas Besonderes und sie waren ihm scheu aus dem Weg gegangen. Heute nannten sie ihn einen Dieb und beschimpften ihn.

Brozovic stand vor seinem Laden. Er nahm erst eine Prise, dann zupfte er sich an der Nase. Als er Begovic und Branko sah, schüttelte er seinen spitzen Kopf. »Nein, nein«, sagte er. »Der Bub ist also schon so ein Vagabund wie sein Vater.«

Sein Sohn, der, genauso klein, eine Gymnasiastenmütze auf dem spitzen Kopf, neben ihm stand, sagte laut:»Dieb! Dieb!«

Branko wurde noch wütender, und da ihn Begovic, seitdem er seine drei Gläschen getrunken hatte, nur noch an der Schulter hielt, riss er sich los und rannte auf Brozovic und seinen Buben zu.»Mein Vater ist kein Dieb!«, schrie er.

Er hob schon seine Faust; ehe er aber zuschlagen konnte, hatte ihn Begovic wieder am Hemd gepackt und gab ihm ein paar mit dem Knüppel.

»Mach mir nicht noch Geschichten«, sagte der Schwankende und versuchte Branko, der sich trotz der Prügel noch einmal los- reißen wollte, fester zu fassen. Es glückte ihm auch und er stieß ihn weiter. Sie gingen eine kleine Gasse hinauf und begegneten nur noch einer alten Frau, die sich nicht einmal nach ihnen um- drehte. An der nächsten Straßenkreuzung war die Wache.

Dordevic, der andere Gendarm, stand vor der Tür. »Bringst du ihn endlich?«

»Was weißt du denn schon von ihm?«, fragte Begovic erstaunt.

»Ich weiß schon alles.« Dordevic verzog sein sauber rasiertes Ge- sicht zu einem Grinsen, und als ihn Begovic dumm anglotzte, fuhr er sachlicher fort:»Der Bürgermeister hat angerufen, Kara- man hätte dir einen Dieb übergeben. Ob ihr angekommen wäret. Ich soll ihm gleich Bescheid sagen, wenn ihr da seid.«

Begovic machte noch ein dümmeres Gesicht. »Gott«, knurrte er, »wegen eines stinkenden Fisches eine solche Geschichte zu ma- chen.«

Dordevic schlug ihm beruhigend auf die Schulter. »Bring ihn nur herein, deinen Fischdieb. Wir müssen ihn ja nicht gleich hängen.«

Branko war Begovic bis jetzt ohne Schwierigkeiten gefolgt, aber plötzlich stemmte er sich gegen die Schwelle, die zu der Wache hinaufführte. Es war das Haus, die schweren Eisengitter vor den Fenstern, wohl auch das Schild, auf dem drohend »Gendarme- rieposten Senj« stand, vor dem er sich ängstigte. Er stemmte sich immer fester.

»He«, Begovic stieß ihn in die Seite. »Soll ich wieder den Knüppel nehmen?« Er nahm ihn aber nicht, sondern hob Branko hoch und trug ihn über die Schwelle.

Branko beugte seinen Kopf nach hinten, um bis zum letzten Augenblick das Licht über sich zu sehen. Da erblickte er den hellgrünen Sweater und den roten Schopf des Mädchens, das ihn auf dem Markt so tapfer verteidigt hatte. Es schien ihm so, als habe er den Sweater schon einige Male in den Gassen aufblitzen sehen, aber jetzt sah er ihn deutlicher und gleich darauf das Gesicht des Mädchens.

Sie winkte ihm. Für Branko war das wie eine Beruhigung und er wehrte sich nicht mehr.

Begovic trug ihn in eine Stube, in der außer einem Pult und einer Bank nur noch ein paar hohe Aktenschränke und eine große Standuhr waren.

»Nun sag einmal deinen Namen, Kleiner«, sagte Dordevic, der hinter das Pult getreten war.

»Branko.« Der Bub knurrte es dumpf heraus.

»Weiter, weiter, auch den andern will ich wissen.«

»Babitsch.«

»Du wohnst?«

»Nirgends«, antwortete Branko trotzig.

»Hast du keine Mutter?«

Begovic beeilte sich ein Zeichen zu machen, dann sagte er: »Sie ist vorgestern gestorben.«

»Also tot.« Dordevic machte ein Kreuz auf sein Papier. »Der Vater?«

Branko antwortete wieder nicht.

»Der Milan ist sein Vater«, sagte Begovic für ihn.

Dordevic legte seinen Federhalter hin. »Der Milan. So einen guten Geiger habe ich mein ganzes Leben noch nie gehört.«

Branko stieß heraus: »Der Brozovic hat ihn einen Dieb genannt.«

Dordevic lachte. »Der Brozovic. So, so. Wenn er so etwas noch einmal von deinem Vater sagt, dann antworte ihm, er soll aufpassen, dass wir nicht wieder feststellen, dass seine Gewichte nicht

stimmen.« Er wandte sich an Begovic.»Wo stecken wir ihn hin?«
Begovic, der sich auf einen Stuhl gesetzt und die Augen geschlossen hatte, sprang auf. »Was hast du gefragt?«
»Wo wir ihn hinstecken sollen?«
Begovic dachte nach.»Am besten in die hinterste Zelle.«
Dordovic nickte.»Das habe ich auch gedacht. Das ist die größte
und hellste, da wird er am wenigsten Angst bekommen.«
»Ich bekomme keine Angst«, sagte Branko laut.
Dordevic sah ihn an.»Sag das nicht zu früh. Wenn man einen
ganzen Tag allein ist, kommt die Angst von selber.«
Begovic nahm einen Schlüsselbund von der Wand und führte
Branko durch das Haus in einen Hof. An das Haus schloss sich
ein Seitengebäude an. Die kleinen Fenster waren alle vergittert,
nur das letzte, das etwas größer war, hatte ein einfaches Eisenkreuz. Sie gingen in das Seitengebäude hinein. Ein langer, halb-
dunkler Gang lag vor ihnen. Alle drei oder vier Meter war eine
schwere Tür, die durch einen Riegel und ein Schloss gesichert
wurde.
Begovic schlurfte den Gang entlang. An der letzten Tür blieb er
stehen, fingerte an dem Schlüsselbund herum, dann schloss er
die Tür auf und schob Branko hinein.
»So«, sagte er,»hier bleibst du, bis ich dich wieder heraushole.
Und Punkt zwölf bringe ich dir etwas zu essen.«
Branko, der nicht antwortete, hörte noch, wie Begovic die Tür
hinter ihm zuschlug, dann sah er sich um.
Der Raum war vier Meter breit und vier Meter lang. Er war weiß,
die Wände, die Decke, sogar der Fußboden, auf dem körniger
Sand lag, schimmerten weißlich. Im ganzen Raum war nichts
weiter als ein Kübel mit einem Deckel, sonst war er leer. An der
hinteren Wand war das Fenster, das Branko schon von draußen
gesehen hatte, es lag ungefähr zwei Meter hoch und maß einen
halben Meter im Quadrat. Das Eisenkreuz, das es in vier Teile
teilte, war ungewöhnlich stark und fest in die Steine eingemau-
ert. Branko hörte noch, wie Begovic die Tür wieder zuriegelte
und den Schlüssel zweimal im Schloss umdrehte. Er hörte auch,

wie sich Begovic noch einmal schnäuzte und langsam zurück-
schlurfte.

Da kam die Angst schon. Ja, ihm war auf einmal unsagbar ängstlich zumute. Er stürzte auf die Tür zu und wollte sie eindrücken,
aber sie war fest. Er sprang zu dem Fenster hinauf und wollte sich
emporziehen, aber er kam auch nicht hinauf, als er den Kübel
zu Hilfe nahm. Er schrie, erst kläglich, später lauter, aber als es
niemand hörte, ließ er es wieder und hockte verzweifelt in einer
Ecke. Die Tränen schossen ihm aus den Augen. Er weinte, weil er
in diesem Loch saß, weil er nun doch gestohlen hatte, was er gar
nicht wollte; weil die Leute seinen Vater und ihn beschimpft hatten, er weinte über alles und weinte immer schmerzlicher, bis der
Druck, der über seinem Herzen lag, leichter wurde.

Er wusste nicht, wie lange er so geweint hatte, als er ein Kratzen
unter seinem Fenster hörte. Kam da jemand? Er sah hinauf. Er
sah nichts, aber das Kratzen wurde deutlicher. Er wollte schon
aufstehen und etwas sagen, da sah er eine Hand, die sich oben
um das Fensterkreuz krallte, einen Augenblick später tauchte etwas Grünes auf und, bevor er noch sein Erstaunen meistern
konnte, das rote Haar und der Kopf des Mädchens, das er vor einigen Minuten gesehen hatte.

Sie zog sich ganz hoch und starrte zu ihm hinein. Sie konnte
aber wohl nichts sehen, weil sie vom Licht in die Dunkelheit
blickte.

»Bist du da?«, flüsterte sie leise.

»Ja«, sagte Branko aufgeregt.

Sie hielt einen Finger über den Mund.

»Pst«, machte sie.»Nicht so laut, damit uns niemand hört.«

Branko schwieg.

Das Mädchen setzte sich breit auf das Fenstersims und jetzt
konnte sie ihn auch sehen.

»Ist es hoch zu mir herauf?«, fragte sie.

»Zwei Meter. Es können auch mehr sein.«

»Kannst du heraufkommen?«

Branko schüttelte den Kopf.»Es geht nicht.«

»Hier draußen ging es. Es sind lauter Risse in der Mauer.«

»Hier ist alles glatt«, antwortete Branko traurig.

»Ist da nicht der Kübel?«, fragte das Mädchen weiter, das noch immer in den Raum starrte.

»Damit geht es auch nicht. Ich habe es schon probiert.«

»Bring ihn doch einmal her. Ich reiche dir meine Hand oder nein, warte, vielleicht noch besser meinen Fuß.« Das Mädchen streckte ihre Beine durch die Gitterstäbe.

Branko brachte den Kübel und stieg hinauf. Er konnte die Beine, die braun, etwas dreckig und fest waren, gerade mit seinen Fingern erreichen. Er konnte sie aber weder umschließen noch sich daran in die Höhe ziehen.

»Es geht nicht«, sagte er noch einmal und stieg wieder von dem Kübel hinunter.

»Hm«, machte das Mädchen, streckte ihren Kopf, den sie weit nach außen gebogen hatte, damit ihre Beine recht tief nach unten reichten, erneut in die Zelle. »Hm«, und nach einer Pause fuhr sie fort:

»Warte eine Weile. Ich werde mir etwas Besseres ausdenken.«

Branko sah, wie sie langsam verschwand, erst ihre Beine, dann ihr Kopf und später die Hände.

Er war ganz aufgeregt. Wer war das Mädchen? Und wie kam sie dazu, sich seiner anzunehmen, nachdem ihn alle, auch seine Freunde, verlassen hatten? Er hatte sie früher kaum gesehen. Höchstens einmal unten am Wasser, und was hatte der reiche Karaman gesagt? Sie hätte bei ihm Aprikosen gestohlen. Das war ja gleich, wenn sie ihm nur hier heraushalf. Er ging eilig hin und her. Sechs Schritte bis zur Tür und sechs Schritte zurück. Hoffentlich kam sie wieder. Hoffentlich hatte sie auch niemand gesehen und hoffentlich kamen Begovic oder Dordevic nicht zurück, bevor er aus der Zelle heraus war.

Es musste schon eine halbe Stunde verstrichen sein, seit sie fortgegangen war. Branko hörte es halb zwölf schlagen und eine Weile später drei viertel. Jetzt musste sie wirklich bald kommen, sonst kam Begovic früher als sie.

Da hörte er das Kratzen am Fenster wieder. Aber es war nicht das Mädchen, das auftauchte, sondern eine Stange. Jemand schob sie durch das Kreuz herein, bis sie zwischen Kreuz und Decke festsaß. Eine Minute später saß auch das Mädchen auf dem Fenstersims. »Da bin ich wieder«, sagte sie, zeigte ihre Zähne und lachte. »Ich habe eine Stange mitgebracht. Pass auf. Ich schiebe sie zu dir hinein.« Sie hob sie etwas und die Stange senkte sich nach unten. »Geh auf die Seite«, zischte sie noch. Branko sprang eilig an die Wand, da stieß sie bereits unten auf.

»Nun musst du sie an das Fenster stellen«, unterwies ihn das Mädchen weiter. »Ich halte sie, und dann kletterst du an ihr herauf.« Branko packte das dicke Holz fest zwischen Arme und Beine und zog sich daran in die Höhe. »Pass auf!« Sie reichte ihm eine Hand. Ihre Finger schlossen sich um die seinen. Noch einen Ruck, und er war oben.

Sie saßen nun dicht nebeneinander. Branko sah, dass das Mädchen einen schmalen Mund, kleine Ohren und helle, gelbe Augen hatte. Wie Bernstein glänzten sie und die Sommersprossen saßen tatsächlich überall, sogar auf der spitzen, kühnen Nase.

»Wer bist du eigentlich?«, fragte er.

»Das erzähle ich dir später«, antwortete das Mädchen. »Jetzt musst du noch durch das Gitter kommen.«

Das hatte er ganz vergessen. Das Gitter war ja noch zwischen ihnen. Er packte es an. Es war kalt und saß fest. Er versuchte daran zu rütteln. »Ich glaube, das bringen wir nicht heraus.«

Sie lachte. »Schafskopf«, tadelte sie ihn. »Das glaube ich auch. Du musst durchkriechen.«

»Meinst du, dass ich durchkomme?« Er steckte seinen Kopf in das oberste Viereck.

»Du musst es wenigstens versuchen, und wenn es nicht geht, musst du eben so lange darin bleiben, bis dich Begovic wieder hinauslässt.«

Branko schob den Kopf weiter vor, aber er blieb mit den Schultern stecken. »Ich bin zu dick«, seufzte er und wollte sich schon wieder nach unten fallen lassen.

»Nimm den Kopf wieder hinein«, kommandierte sie, »und versuch es zuerst mit der linken Hand. So«, sie half ihm. »Nun den Kopf. Dann die Schulter.« Sie versuchte ihn herauszuziehen.

»Ich bin wirklich zu dick.«

»Du bist ja schon halb draußen. Komm, probier es noch einmal.« Er schob und stieß sich weiter und wollte schon wieder sagen, es gehe nicht, da hörte er, wie es von allen Kirchen zwölf schlug, und gleichzeitig auch, dass jemand den Gang entlangkam.

»Oh«, jammerte er, »ich glaube, Begovic kommt«, und stemmte und presste sich noch fester durch das Gitter.

»Lass ihn nur kommen«, tröstete ihn das Mädchen. »Jetzt musst du nur noch etwas den Bauch einziehen, und bis er die Tür aufgesperrt hat, bist du draußen.«

Er hing tatsächlich schon halb aus dem Fenster, aber er hatte keinen Halt mehr.

»Lass dich einfach fallen«, sagte sie. »Ich halte dich.«

Branko rutschte weiter.

Im Gang versuchte Begovic – ja, es war Begovic, der Branko das Essen bringen wollte – vergeblich die Tür aufzuschließen. Er war noch einmal in der Stadt gewesen und hatte überall, nachdem er ein oder zwei Schnäpse bekommen hatte, die Geschichte von dem gefangenen Knaben und dem gestohlenen Fisch erzählen müssen. Nun war er noch unsicherer auf den Beinen und auch in den Händen als vorher.

Branko, der sich an das Mädchen geklammert hatte, konnte nun auch seine Beine herausziehen. Er sah nach unten. Das Fenster lag gar nicht so hoch wie von der Zelle aus.

»Spring jetzt«, sagte das Mädchen, »sonst erwischen sie dich doch noch.«

Branko sprang. In dem Augenblick hatte Begovic die Tür geöffnet und trat in die Zelle.

»Hier«, sagte er und wollte Branko das Essen reichen. Da sah er den Pfahl und den leeren Raum.

»Verdammt«, jammerte er, »der Kerl ist ausgerissen und gleich kommt der Bürgermeister, um sich ihn anzusehen.«

Da blickte er nach oben.

Branko war verschwunden, aber Zora saß noch auf dem Fenster.

Sie streckte ihm die Zunge heraus.

»Auf Wiedersehen, Begovic!«, rief sie.

Begovic ließ entsetzt die Schüssel mit dem Essen fallen, riss die Augen auf und starrte zu dem Mädchen hinauf.

»Bin ich betrunken«, stotterte er. »Ich habe doch einen Jungen eingesperrt und jetzt reißt ein Mädchen aus.«

Das Mädchen schüttelte die Haare. »Ich bin auch ein Mädchen«, lachte sie, und damit du weißt, wer ich bin: Ich bin die rote Zora.« Im gleichen Augenblick ließ sie die Stäbe los und war gleichfalls verschwunden.

Die rote Zora und ihre Bande

Branko hockte noch auf der Erde, als das Mädchen neben ihm niedersprang.

»Du bist die rote Zora«, sagte er bewundernd. Er hatte schon viel von dem Mädchen gehört. Sie führte eine Bande, die in Senj sehr gefürchtet war.

»Komm jetzt! Schnell!«, unterbrach sie ihn. »Begovic kann jeden Augenblick hier sein.«

Das Mädchen schwang sich bereits auf den nächsten Zaun und setzte darüber. Branko folgte ihr.

Die Häuser standen in dem Viertel sehr dicht nebeneinander, aber hinter jedem Haus war noch ein winziger Hof und eine Mauer. Zora schien hier genau Bescheid zu wissen und wie Brankos Befreiung hatte sie auch ihre Flucht gut vorbereitet. Am nächsten Zaun standen zwei Kisten.

Zora war bereits oben. »Wenn du auf dem Zaun bist«, rief sie ihm zu, »wirf die Kisten mit den Beinen um.«

Branko tat es.

Das nächste Hindernis war eine hohe Mauer. Zora hatte einen Pfahl daran gelehnt. Diesmal wartete sie, bis Branko oben war, dann zogen sie den Pfahl gemeinsam nach. Jetzt hörten sie Begovic schon. »Dordevic!«, schrie er. »Dordevic! Der Kerl ist ausgerissen!«

»Bist du verrückt!«, rief Dordevic zurück. »Der Bürgermeister hängt dich auf. Wo ist er?«

»Dort! Dort!« Begovic zeigte auf die beiden, die sich gerade auf eine dritte Mauer schwangen.

»Renn ihnen doch nach!« Begovic rannte schon.

Zora und Branko traten auf der anderen Seite des Häuserviertels auf die Straße. »Jetzt da hinauf«, flüsterte Zora und zog ihn eine kleine Treppe hoch.

Die Kinder balancierten wieder eine Mauer entlang, ließen sich in eine Scheune hinab, verschnauften dort und horchten, ob noch etwas von den Gendarmen zu hören sei, aber sie hörten nichts.

»Komm jetzt!« Zora schob einen Riegel zur Seite und stieß eine kleine Klappe auf. »Da hinaus.«

Branko streckte erst vorsichtig seinen Kopf durch die Öffnung, bevor er ihr folgte. Wo waren sie?

Der Bub machte erstaunte Augen. Die Klappe war in der alten Mauer, die den oberen Teil von Senj umgab, und führte unmittelbar auf die Straße, die um die Stadt herum ans Meer und von dort nach Fiume ging.

Die Helle, die ihn plötzlich umgab, blendete ihn einen Augenblick, dann sprang er dem Mädchen nach.

Zora sah sich vorsichtig um. »Wir müssen nur noch über die Straße und in die Gärten«, rief sie, »dann sind wir gerettet.«

Sie rannten hinüber. Zora saß schon auf einem Zaun, da hörten sie Dordevics Stimme: »Begovic! Begovic! Da sind sie!«

Dordevic war um den Häuserblock herumgelaufen, um sie oben abzufangen, er war aber eine Minute zu spät gekommen.

»Herauf!«, rief das Mädchen. Branko saß schon neben ihr. »Nun lauf wie der Teufel und immer hinter mir her.«

Die beiden Kinder waren in einem Kohlbeet gelandet. Nun krochen sie durch eine Himbeerhecke, sprangen über ein Mistbeet, schlichen sich an einer Laube vorbei und liefen immer schneller. Zora kannte hier jeden Winkel. Sie teilte Gebüsche, umging jeden Stacheldraht, jeden Zaun, der zu hoch war, kannte jede Pforte, die offen stand, und bei denen, die verschlossen waren, wusste sie einen Durchschlupf oder kletterte einfach darüber.

Sie waren schon durch sieben oder acht Gärten gerannt und Branko konnte kaum noch.

»Hat es überhaupt noch einen Zweck, dass wir vor ihnen davonlaufen?«, stöhnte er.

»Ich glaube, sie erwischen uns doch.«

Zora sah ihn halb böse, halb belustigt an. »Solange einen die Beine noch tragen, soll man ausreißen, und solange sie uns noch nicht am Kragen haben, können wir ihnen auch noch entkommen.« Da kam wieder eine Mauer. Als Branko hinuntersprang, war er auf der breiten Allee, die er am Morgen entlanggewandert war.

»Spring schnell hinüber und schwing dich drüben über die Mauer. Ich glaube, sie sind uns noch immer auf den Fersen.«
Branko überquerte die Straße und kam mit Mühe auch noch über die jenseitige Mauer. Als er sich dahinter ins Gras duckte, hörte er sowohl Begovic wie Dordevic herankeuchen. Diesmal war Begovic um die Gärten gelaufen, während Dordevic ihnen gefolgt war. Sie sahen Zora.

»Da ist das Teufelsmädchen«, japste Begovic ganz außer Atem, »und da wird auch der Junge nicht weit sein.«
Er keuchte heran. Bevor er aber an der Mauer war, hatte sich auch Zora hinübergeschwungen.

Zora schoss an Branko vorbei auf ein kleines Gartenhaus zu und zirpte wie ein Fink. Im gleichen Augenblick wurde ein Laden aufgestoßen und ein Junge blickte aus dem Fensterloch.

»Kommt heraus«, flüsterte Zora leise, »wir werden verfolgt.«
Aus dem einen Kopf wurden drei und mit einem Satz sprangen die drei zu ihnen in den Garten.

Der Erste war groß, plump und sah ungemein tollpatschig aus. Auf einem breiten Körper saß ein genauso breiter, schwerer Kopf. Die Haare standen in die Höhe wie bei einem Igel, die Ohren waren größer als gewöhnlich, die Nase dick und fleischig, und wenn nicht die Augen so melancholisch gewesen wären, hätte man annehmen können, der ganze Junge sei ein ausgesprochener Rowdy. Er kam mit großen Schritten, die Hände, die genauso ungefügig waren wie sein Körper, etwas vorgeschoben, auf sie zu.

Der Zweite war im Gegensatz zum Ersten klein, beinahe winzig, aber ungemein schnell und beweglich. Er überholte den Großen und war zuerst bei ihnen.

Der Dritte war ungefähr so groß wie Branko, er glich ihm auch in seinem Wuchs und seinem Aussehen, nur dass die geschlitzten Augen, der große Mund und ein Zug, der von der Nase bis hinunter zum Kinn ging, dem Gesicht etwas Boshaftes, ja Hinterhältiges gaben.

»Wer verfolgt euch?«, sprudelte der Kleine heraus und hob seinen spitzen Kopf und die kleine Stupsnase zu Zora empor.

»Zwei Gendarmen, Begovic und noch einer«, flüsterte das Mädchen, »gleich werden sie da sein, Nicola.«

Der Große zeigte die Fäuste und die Zähne. »Ich werde es ihnen schon geben.«

»Bist du verrückt, Pavle«, fuhr ihn Zora an, »davonlaufen sollt ihr an unserer Stelle, nichts weiter.«

»Das ist alles, was wir machen sollen?«, fragte der Dritte.

»Ja, Duro«, antwortete sie. »Pass auf. Du bist doch immer der Klügste. Wir beide gehen jetzt ins Gartenhaus. Ihr macht die Läden zu und setzt euch dann hierhin. Sobald euch Begovic und der andere sehen, reißt ihr aus. Jeder nach einer anderen Seite, und oben an der Brombeerhecke sehen wir uns nach einer Stunde wieder.«

Duro nickte, Nicola rieb sich die Hände: »Das wird fein«, und Pavle sagte: »Ich hätte sie doch lieber verprügelt.«

Da hörten sie Begovic schon an der Mauer. »Komm, Dordevic, hilf mir. Allein komme ich nicht mehr hinüber.«

Dordevic schien auch bereits da zu sein, denn einen Augenblick später tasteten Begovics dicke Hände auf die Mauer.

»Hinein!«, zischte Duro Zora und Branko zu. Da waren sie schon im Haus. Duro drückte die Läden zu und es wurde dunkel um die beiden.

Begovic hatte inzwischen mit Ächzen und Stöhnen die Mauer erklommen. Oben blieb er erst einige Sekunden sitzen. Er sah fürchterlich aus. Seine Kappe fehlte und die paar Haare, die er noch hatte, standen steil in die Höhe. Den Rock trug er offen, den Gürtel schien er verloren zu haben, auch seinen Knüppel hatte er nicht mehr und der Schweiß lief über sein Gesicht, als hätte man Wasser darüber gegossen.

»Äch«, stöhnte er, »äch«, und er wischte sich mit beiden Händen den Schweiß von der Stirn.

Erst dann sah er sich um. Die drei Buben, die unten im Gras saßen und Karten in der Hand hielten, spielten ihre Rollen ausgezeichnet. Sie machten erst Gesichter, als sei Begovic ein Geist. Auch Begovic starrte mit großen Augen zu ihnen hinunter.

»Dordevic!«, rief er. »Da sind sie, aber es sind nicht mehr zwei, sondern drei.«

»Ich glaube wirklich, du bist besoffen«, meinte Dordevic, der sich jetzt auch an der Mauer in die Höhe zog.

Als die Buben auch Dordevic sahen, warf Duro als Erster die Karten hin: »Zwei Gendarmen auf einmal, das ist mir zu viel.« Er riss aus.

Nicola warf als Zweiter seine Karten weg. »Ja, wenn Dordevic mit unterwegs ist«, meinte er, »wird es gefährlich«, und rannte nach der anderen Seite.

Pavle blieb noch immer sitzen. In seinem großen, gutmütigen Gesicht arbeitete es. Er hätte sich lieber mit den beiden geprügelt als auszureißen, besonders da man ihnen ansah, dass sie recht mitgenommen waren.

Endlich nahm er seine Karten zusammen, erhob sich langsam und brummte: »Ich will lieber auch gehen.«

Begovic hatte Dordevic inzwischen ganz nach oben gezogen. »Siehst du sie nun?« Er zeigte auf die davonlaufenden Jungen. »Es sind wirklich drei.«

»Schafskopf«, knurrte ihn Dordevic an, »ob zwei oder drei, fangen müssen wir sie.«

Begovic kratzte sich in den Haaren. »Sage mir wenigstens noch, welchen von ihnen.«

»Ich werde einmal dem Großen nachlaufen«, sagte Dordevic, »der scheint der Langsamste zu sein.« Er sprang von der Mauer hinunter und rannte Pavle nach.

Begovic strich sich noch einmal über die Haare. »Mir armen Mann überlässt man immer das Schwerste«, stöhnte er. Dann lief er Nicola nach.

Zora und Branko, die dicht an den Laden gepresst durch die Ritzen starrten, hatten alles gesehen und gehört. Zora rieb sich vor Freude die Hände, stampfte auf und zappelte hin und her.

Branko schnaufte noch immer und war außer Atem. Er sah aber gleichfalls mit Freude, wie erst die Buben und schließlich Begovic und Dordevic verschwanden.

»Was machen wir nun?«, fragte er, und da das Mädchen nicht gleich antwortete, fuhr er fort: »Ich würde am liebsten hier bleiben.«

»Das ist zu gefährlich«, meinte Zora, die noch hinter den Gendarmen herspähte. »Nein, sie können zurückkommen, wenn sie keinen von den beiden erwischen, und in alle Lauben sehen. Wir müssen weiter.«

»Wohin denn?«, wollte Branko wissen.

»Du hast es doch gehört. In die Brombeerhecken. Sie sind oben, hinter der Stadt.«

Sie drückte die Läden wieder auf, spähte noch einmal nach allen Seiten und sprang in den Garten. Branko folgte ihr.

Bevor sie durch den nächsten Zaun schlüpften, drehte sich Zora noch einmal um. »Hast du die Läden wieder zugemacht?« Branko verneinte.

»Schnell, mach es«, sagte sie. »Die Gendarmen wissen sonst sofort, dass wir in dem Haus gewesen sind.«

Branko kehrte um und tat es.

Sie krochen, kletterten, stiegen und schlichen diesmal langsamer vorwärts, aber sie mussten noch beinahe über ein halbes Dutzend Zäune, Mauern und Hecken, kamen an einem Springbrunnen vorbei, an schönen Aprikosenbäumen, an einem ganzen Blumenhain. Branko sah Sonnenblumen, Lilien, Klatschmohn, Rittersporn, Rosen und war erstaunt, wie abgeschlossen und schön es auf der anderen Seite der Mauern war, die er noch nie gesehen hatte, denn er spielte mit seinen Kameraden bisher immer nur in Höfen und Kellern oder unten am Meer.

Sie begegneten fast niemandem. Einmal einer alten Frau, die Unkraut jätete, einer Katze, einem alten Mann, der in der Sonne saß und kaum aufblickte, als sie vorüberrannten, und einem asthmatischen Hund, der aber zu dick war, um sie einzuholen. Im gleichen Augenblick krochen sie auch durch die letzte Hecke und befanden sich zwischen Schlehenbüschen, Brombeer- und Himbeergewirr und Ginster. Ja, hinter der letzten Mauer war die Schönheit, Abgeschlossenheit und Gepflegtheit der Gärten wie weggewischt. Es begann eine heiße, erst noch dichte, aber dann immer dürftigere Wildnis.

Die Kinder gingen einige Meter in dem Bachbett des Potoc und bestiegen dann eine Höhe.

Die Hitze war hier beinahe unerträglich. Die Hecken fielen zu winzigen Sträuchern zusammen. Immer wieder kamen Stein und Fels durch. Sie sahen auch keine Blume und kaum einen Grashalm mehr.

Hinter dem Hügel, wo es etwas schattiger war, begann das Brombeergebüsch, von dem Zora gesprochen hatte. Es zog sich die ganze Hinterseite des Hügels hinab und reichte bis hinunter ans Meer.

»Da drin kommen wir manchmal zusammen.« Zora zeigte auf die Mauer von Dornen und Ranken.

Branko stotterte nur: »Da drin?« Die Hecke schien ihm so undurchdringlich, die Ranken so fest und stachlig, dass er das Gefühl hatte, nicht einmal ein Hund oder sonst ein Tier könnte hineinkommen.

»Es darf eigentlich keiner, der nicht in der Bande ist, mit hineingenommen werden«, sagte Zora weiter, »aber du darfst hinein. Es ist ja meine Bande, also komm.«

Sie bückte sich, zog einige Ranken, die fest in der Erde steckten, heraus und legte sie neben sich.

Langsam wurde ein Gang frei.

»Kriech hinein!« Sie zeigte auf das Loch.

Branko staunte noch immer. »Das habt ihr gemacht? Ihr seid wirklich tüchtige Kerle.«

»Pass lieber auf, wie ich es wieder zumache«, antwortete Zora und steckte, nachdem sie ihm nachgekrochen und sich vorsichtig umgedreht hatte, alle Ranken wieder sorgfältig in die Erde.

»Nun kommt nicht einmal ein Fuchs oder ein Hase herein«, sagte sie stolz, »und du kannst weiterkriechen.«

Die Bande hatte einen richtigen Gang ausgeschnitten. Branko musste aber immer auf allen vieren bleiben; sobald er sich erhob, stach ihn eine Ranke in den Hals oder in den Rücken.

Zweimal machte der Gang einen Bogen und einmal musste Zora an ihm vorbeischlüpfen, weil er plötzlich aufhörte und noch einmal sorgfältig zugesteckt war.

»Da kommt wirklich niemand herein, der nicht genau Bescheid weiß«, lobte Branko wieder.

»Auch nicht hinaus«, meinte Zora. »Hinaus ist es noch schwieriger.«

Der Gang öffnete sich und sie konnten endlich aufstehen. Sie waren jetzt auf einem runden, ungefähr zehn Quadratmeter großen Platz.

»Wir sind da«, sagte Zora, »nun wollen wir warten, bis die anderen kommen.«

Branko sah sich um.

Auf dem Platz war eine alte Feuerstelle. Die Brombeeren standen hier so hoch, dass man nicht darüber sehen konnte. Ja, wenn man sich dicht an sie drückte, lag man sogar, obwohl die Sonne beinahe am höchsten stand, etwas im Schatten. Zora rollte sich unter ein paar Ranken zusammen, legte den Kopf zwischen die Arme und versuchte zu schlafen. Branko hockte ihr gegenüber. Er sah sie an.

Der Knabe war, seitdem ihn das Mädchen aus dem Gefängnis geholt hatte, noch nicht zur Besinnung gekommen. Jetzt atmete er auf und dachte noch einmal über alles nach.

Zora hatte die Augen geschlossen und er konnte sie unverwandt ansehen. Es lag etwas Weiches und Mädchenhaftes in ihrem Gesicht, während sie bisher ernst und knabenhaft, ja manchmal sogar hart und böse ausgesehen hatte. Das rote Haar war durch die Hände verdeckt, und die Sommersprossen waren im Schatten der Ranken kaum sichtbar. Sie sah jetzt nicht nur mädchenhaft, sondern geradezu schön aus. Warum hatte sie ihn wohl aus dem Gefängnis befreit und war dann mit ihm fast über alle Zäune und Mauern von Senj geklettert, um ihn zu retten?

Branko wurde traurig, während er darüber nachsann. Er sah wieder die Gesichter der Senjer Buben, die ihn beschimpft und einen Spitzbuben genannt hatten.

Alle hatten ihn verraten und verlassen, sogar seine Freunde, nur weil er einen Fisch aufgehoben hatte, und ausgerechnet dieses fremde Mädchen, das alle die rote Zora nannten, hatte ihn gerettet. Zora spürte, dass Branko sie ansah.

Plötzlich sagte sie, ihre Augen waren noch halb geschlossen: »Was starrst du mich so an?«

Branko sagte, was er dachte: »Warum hast du mich eigentlich gerettet?«, fragte er.

»Ich weiß es nicht.«

»Ich möchte es aber wissen.«

»Ich kann es dir nicht sagen.«

»Du hast mich doch vorher gar nicht gekannt?«

»Ich habe gesehen, dass du hungrig warst, und ich weiß, wie es ist, wenn man Hunger und nichts zu essen hat. Ich habe dir dann helfen wollen, als dich Karaman erwischte, und ich musste dir eben weiterhelfen, als dich Begovic ins Gefängnis brachte.«

»Mir will einfach nicht in den Kopf, dass du das alles für mich getan hast«, antwortete Branko.

»Ach«, spottete sie, »man soll überhaupt nicht so lange über etwas nachdenken. Ich tue einfach immer, was ich muss.«

»Ich denke immer erst nach, bevor ich etwas tue.«

Zora blickte ihn eine Weile nachdenklich an, sodass Branko ganz rot wurde. Dann lächelte sie. »Na, dann denk weiter, aber denk leise. Ich bin müde und will schlafen.«

Inzwischen war Dordevic Pavle und Begovic Nicola nachgelaufen. Dordevic täuschte sich aber, wenn er glaubte, dass er Pavle einholen könnte. Der große Knabe war schneller und gewandter, als er aussah. Er setzte sich mit einer ungemeinen Beharrlichkeit, beinahe wie ein großer Bär, in Trab, sprang über Zäune, setzte über Mauern, und bevor Dordevic durch das nächste Gebüsch gekrochen war, hatte er Pavle schon aus den Augen verloren.

Begovic hatte mehr Glück. Er war Nicola ein paar Schritte nachgegangen, dann legte er sich auf den Boden.

Nein, er konnte nicht mehr, und wenn alle Bürgermeister der Adria und selbst der Bischof von ihm verlangten diesen Lausejungen wieder einzufangen, hier lag er und hier blieb er liegen, wenigstens so lange, bis er ohne Keuchen weitergehen konnte.

Nicola, der neugierige Kerl, merkte bald, dass ihm Begovic nicht mehr folgte. Er schlich deswegen leise wieder zurück, wohl um sich den fremden Knaben noch einmal anzusehen, der mit Zora gekommen war.

Begovic, der noch immer schnaufte, spitzte die Ohren. Verdammt, da kam doch jemand. Vielleicht hatte er mit seinem Warten mehr Glück als Dordevic mit seinem Rennen.

Er hielt den Atem an und blieb ganz ruhig. Da trat Nicola aus dem nächsten Busch hervor.

»Hab ich dich!« Begovic packte ihn erst am Arm, dann am Hals. Nicola schrie auf und der gewandte Junge drehte und schlängelte sich wie ein Fisch, aber Begovic hielt fest. Dann setzte er seine Pfeife an die Lippen und pfiff.

Dordevic hörte den Pfiff und blieb stehen. »Aha«, dachte er, »Begovic hat einen«, und da von seinem Knaben keine Spur mehr zu sehen war, kehrte er wieder um.

Pavle und Duro hörten den Pfiff auch. Duro zischte durch die Zähne, das machte er immer, wenn er ärgerlich war. »Ffft«, klang es.

»Sicher«, brummte er, »hat sich Pavle, dieser Trottel, erwischen lassen.«

Pavle dachte das Gleiche. Er dachte es aber von Duro, denn dass jemand Nicola erwischte, war noch nie vorgekommen.

Nicola zappelte noch immer wie ein Fisch im Netz, kratzte und spuckte und Begovic spürte, dass er diesen quicklebendigen Irrwisch nicht mehr lange halten konnte. Er pfiff deswegen wieder.

»Ich komme schon!«, rief Dordevic und rannte schneller.

»Ich kann ihn kaum noch halten«, stöhnte Begovic.

»Dann gib ihm doch eins mit dem Knüppel!«, rief ihm Dordevic zu.

»Da hast du Recht.« Begovic griff nach der Stelle, wo sonst sein Knüppel hing, aber weder der Knüppel noch der Revolver noch der Gürtel waren da.

»Um Gottes willen!« Er stöhnte vor Schreck auf und fasste auch mit der anderen Hand nach unten.

Nicola nutzte den Augenblick und wollte davon, aber diesmal wurde er noch fester gepackt. Dordevic hatte ihn an Hals und Kragen.

»Was schreist du denn?«, fragte er Begovic.

»Mein Knüppel und mein Revolver sind weg.«

Dordevic lachte: »Die hast du schon drüben auf der anderen Seite der Straße verloren. Sei jetzt still und sehen wir uns lieber unser Vögelchen an.«

Er drehte Nicola herum. »Aber das ist ja gar nicht Branko Babitsch!«

Begovic blickte auch auf Nicola: Jedenfalls ist es der, der ausgerissen ist und den ich fangen sollte.«

»Ich bin nur ausgerissen«, sagte Nicola, der seinen Mut wieder gefunden hatte, »weil Sie plötzlich beide da oben auf der Mauer saßen.«

»So, so«, meinte Dordevic, »und ein Mädchen und einen anderen Burschen hast du nicht gesehen?«

»Doch.« Nicola nickte eifrig. »Aber die sind dort hinunter«, und er zeigte nach der Stadt zu.

»Das sagst du jetzt erst.« Begovic knirschte mit den Zähnen, und da er immer noch saß, ging er nicht, sondern kroch auf Nicola zu.

»Sie haben ja mich und meine Freunde gar nicht danach gefragt«, entschuldigte sich Nicola. »Wenn Sie uns gefragt hätten und nicht einfach von da oben auf uns heruntergesprungen wären, dass wir Angst bekamen, wären wir Ihnen auch nicht davongelaufen. Ja, wir hätten vielleicht die beiden mitgefangen.«

»Was habt ihr denn hier gemacht?«, fragte Begovic streng.

»Das haben Sie doch gesehen«, antwortete Nicola, »wir haben Karten gespielt.«

»Das haben wir«, echoten Duro und Pavle gleichzeitig. Sie waren unterdessen leise näher gekommen, aber sie blieben ungefähr zehn Schritte von den Gendarmen entfernt.

Begovic und Dordevic starrten sie verblüfft an.

Begovic sagte: »Das ist die ganze Bande.«

»Und das Mädchen und Branko sind nicht dabei«, unkte Dordevic.

»Das sehe ich auch.« Begovic sah Dordevic wütend an, dann rief er den beiden zu: »Kommt einmal näher.«

»So dumm bin ich nicht«, lachte Duro. »Sie können mir, was Sie sagen wollen, auch so sagen.«

»Ich komme auch nicht«, brummte Pavle.

»Ihr habt also hier nur Karten gespielt?«, fragte sie Dordevic.

»Nichts weiter.« Pavle zog seine Karten aus der Tasche. »Hier sind meine noch.«

»Das ist aber doch das Grundstück von Doktor Skalec«, examinierte sie Dordevic schärfer.

»Ich bin ja sein Neffe«, sagte Duro schlau.

Dordevic lachte. »Nun sag noch, der, den ich habe, ist der Sohn des Kaisers von China und der Große dort ist der Sohn des Sultans von Marokko. Nein, nein, mein Junge, der Neffe von Doktor Skalec, wenn er überhaupt einen hat, sieht nicht wie ein Schwein aus.«

Duro machte ein geziertes Gesicht. »Wir sehen immer so aus, wenn wir Räuber spielen. Gestern hatten wir uns sogar schwarz angemalt, weil wir Neger waren.«

Dordevic überlegte eine Weile und sah dann auf Begovic.

»Lass sie laufen«, meinte Begovic, »ob sie nun die Neffen von Doktor Skalec sind oder nicht. Wir wollen ja die rote Zora und Branko Babitsch fangen.«

Dordevic rieb sich sein glattes Kinn. »Ich glaube auch, es ist das Beste. Wenn nämlich einer von der Blase wirklich der Neffe von Doktor Skalec ist, nimmt uns der Bürgermeister doppelt vor. Er ist mit dem Doktor verschwägert und wir haben sowieso nichts zu lachen, wenn wir ohne Branko auf die Wache kommen.«

Er ließ Nicola wieder los, gab ihm aber noch einen Stoß, sodass der Bub erst kopfüber in das Gras fiel, bevor er aufspringen und zu Pavle und Duro rennen konnte.

»Das werde ich aber meinem Onkel sagen«, schimpfte Duro laut.

»Das sagen wir ihm«, wiederholten Pavle und Nicola und dann ließen sie Begovic und Dordevic stehen und jagten davon.

Es war schon vier, als sie an der Brombeerhecke eintrafen. Pavle schnupperte wie ein Hund. »Sie sind schon da«, sagte er.

»Riechst du das?«, spottete Duro.

»Nein, aber ich sehe es. Die Zweige sind anders gesteckt.« Sie machten das Loch auf und krochen hinein.

Branko wachte davon auf, dass er eine Stimme »sie schlafen« sagen hörte. Er öffnete mühsam die Augen. Da sagte die gleiche Stimme: »Nein, der Junge ist wach.«

Davon wachte auch Zora auf. Sie stützte sich auf ihre braunen Arme, sah die drei an, lachte und fragte: »Seid ihr sie losgeworden?«

»Und wie.« Nicola erzählte.

Zora lachte noch einige Male. Auch Branko musste lachen. Er konnte sich Begovic ohne seinen Knüppel gar nicht vorstellen. Dann war es still auf dem kleinen Platz. Nicola musterte Branko und Branko musterte Nicola. Auch Pavle schielte neugierig zu Branko hinüber, nur Duro tat so, als ob Branko nicht da sei. Zora, die das alles eine Weile verfolgte, sprang auf einmal auf.

»Ich habe euch ja noch gar nicht gesagt, wer das ist.«

»Branko heißt er!«, rief Nicola.

»Babitsch«, plapperte Pavle hinterher.

Duro sagte kurz: »Und der Bürgermeister sucht ihn. Er muss also allerhand ausgefressen haben.«

»Woher wisst ihr das schon?« Zora war erstaunt.

»Begovic und Dordevic haben es erzählt«, sagten die Buben.

»Dann sollt ihr auch wissen, dass er schon im Gefängnis war. Der reiche Karaman hat ihn verhaften lassen. Er hatte einen Fisch aufgehoben und ich habe ihn befreit.«

Pavles Augen wurden groß wie Froschaugen. Nicola machte einen spitzen Mund. Duro zog aufgeregt einen Grashalm durch die Zähne.

Branko bestätigte es. »Ich habe gestern meine Mutter verloren. Ich hatte Hunger. Es war ein kleiner Fisch, den ich aufgehoben habe. Begovic hat mich ins Gefängnis gebracht. Zora hat eine Stange durch das Fensterkreuz geschoben und wir sind geflohen.« Pavle machte diesmal nur »ah« und zeigte weiter seine Froschaugen. Nicola sah einmal auf den Jungen und einmal auf Zora. Duro schien wieder ruhiger. Er betrachtete Branko jetzt auch, aber nicht gerade freundlich. »Was soll nun aus dem Jungen werden?«, fragte er.

»Ich möchte ihn in unsere Bande aufnehmen«, antwortete Zora.

»Das wäre fein!«, jauchzte Nicola. »Wir können ruhig fünf sein.«

Pavle hob seinen Kopf. »Ich habe auch nichts dagegen. Einen, den sogar der Bürgermeister sucht, können wir noch gebrauchen.«

Duro sagte nichts. Er schob nur die Lippen vor und starrte weiter auf Branko.

Branko blickte ihn auch an. Das verschmitzte, hinterhältige Gesicht gefiel ihm noch weniger als vorhin.

»Na, und du?« Zora stieß Duro an.

»Du weißt, dass ich gegen jeden Neuen bin«, sagte Duro.

Zora kniff die Augen zusammen und machte ein böses Gesicht.

»Wir sind aber alle dafür.«

»Dann muss er wenigstens erst das Messerspiel probieren. Wenn er das Messerspiel kann, habe ich nichts dagegen.«

»Gut«, sagte Zora und ihr Gesicht erhellte sich wieder.

»Gut«, bestätigten auch Nicola und Pavle.

»Kennst du es überhaupt?«, fragte Zora Branko.

»Ich hab es schon gesehen. Die Zimmerleute und die Matrosen unten am Quai spielen es manchmal.«

Das Mädchen wandte sich an Pavle. »Hast du dein Messer?«

Pavle nickte. »Dann mach es ihm vor. Wenn er es noch nie gemacht hat, gilt immer erst der dritte Wurf.«

Pavle zog ein großes Messer aus der Tasche, das in einer Lederscheide steckte. Er zog es heraus und prüfte seine Schärfe. Zora, die ungeduldig war, sagte: »Fang schon an.«

Pavle ließ sich mit den Knien auf den Boden nieder und Branko musste sich ihm gegenübersetzen. Er hatte das Messer fest in seiner großen Hand und stieß es mit der Spitze nach unten. Das Messer stak bis zum Heft in der Erde.

»Das war Nummer eins«, sagte er, zog das Messer wieder heraus und gab es Branko.

Branko fasste das Messer genauso wie Pavle und ließ es nach unten fallen. Er lächelte. Es stak gleichfalls.

»Freu dich nicht zu früh«, grinste Duro hämisch, »das Erste kann jedes Kind.«

Pavle nahm nun das Messer zwischen den Zeige- und Mittelfinger, und zwar so, dass die Finger mit der Schneide gegen sein Gesicht standen, dann drehte er die Hand blitzschnell um und das Messer sauste wieder bis zum Griff in den Boden.

Diesmal glückte es Branko erst beim zweiten Male. Das Messer saß auch nicht so tief in der Erde, wie es bei Pavle gesessen hatte.

»Nummer drei ist noch schwerer«, sagte Nicola gewichtig.

Pavle hatte das Messer schon wieder. Er legte es so auf seinen Handteller, dass der Hornteil zwischen den Fingerspitzen saß und die Schneide bis über das Handgelenk reichte. Nun warf er es durch ein Hochschnellen der Finger in die Höhe, zog die Hand eilig zurück und das Messer stieß mit der Schneide ins Gras.

Diesmal wog Branko den Dolch erst eine Weile in seiner Hand, bis er es probierte. Er sah dabei scharf auf das Messer, und wirklich, es glückte ihm gleichfalls. Das Messer drang mit der Spitze in den Boden.

Nun machte Pavle noch einmal dasselbe. Nur dass er diesmal das Messer statt auf den Handteller auf den Rücken der Hand legte. Auch das machte ihm Branko ohne Schwierigkeiten nach. Die fünfte und sechste Übung waren noch schwieriger und Branko glückte es bei beiden erst beim dritten Mal, das Messer richtig in die Erde zu stechen. Beide Male lag es umgekehrt in der Hand, der Horngriff in der Handschale und die Schneide zwischen den Fingern. Er musste das Messer auch gegen sich schleudern und die Hand noch schneller zurückziehen.

Zora sah ihm dabei angestrengt zu, auch Duro starrte auf jede Bewegung von Brankos Hand und dem kleinen Nicola tropfte der Speichel aus dem Mund, so aufgeregt war er.

»Jetzt kommt das Schwierigste«, sagte Pavle.

»Nein«, meinte Nicola. »Das Letzte ist das Schwierigste.«

»Keins ist schwierig, erklärte Duro verächtlich. »Ich habe alle sofort gekonnt.«

Pavle hatte das Messer jetzt zwischen den Zähnen. Er senkte den Kopf etwas, hob ihn darauf schnell in die Höhe, dass das Messer mit der Schneide nach oben flog und gleich darauf wieder mit der Spitze nach unten sauste.

Zora klatschte in die Hände: »Das macht er immer am besten.«

Pavle war stolz auf das Lob und sein dickes Gesicht verzog sich zu einem Grinsen. »Ich probiere es auch immer wieder«, sagte er.

Branko hatte bis jetzt alles mit Freude nachgemacht, was ihm Pavle zeigte, aber die Messerschneide in den Mund zu nehmen hatte er Angst.

Duro, der sein Zögern sah, stieß Nicola an. »Er will nicht mehr«, spottete er.

Nicola meinte: »Ich habe es gleich gesagt. Es ist das Schwerste.«

Duro lachte auf. »Er hat einfach Angst.«

Das wollte sich Branko auf keinen Fall sagen lassen. Er hielt das Messer schon zwischen den Lippen, zögerte aber von neuem, und erst als ihn ein ermunternder Blick von Zora traf, schleuderte er es in die Höhe.

Es ging einfacher, als Branko gedacht hatte. Obwohl die Schneide flach auf den Boden fiel. Das zweite Mal ging es schon besser und das dritte Mal stak das Messer so tief wie bei Pavle.

»Bravo!«, sagte Zora laut.

Auch Nicola sagte: »Bravo«, und nickte Branko aufmunternd zu und Pavle, der das Messer schon wieder herausgezogen hatte, brummte anerkennend: »Es saß wirklich so tief wie bei mir.«

Die letzte Übung schien leichter zu sein. Pavle nahm das Messer zwischen Daumen und Zeigefinger, schleuderte es aber nicht nach vorn, sondern rückwärts. Das heißt, er bog die Hand nach unten und das Messer drehte sich erst, kurz bevor es auf den Boden kam. Branko probierte es, aber die Schneide streifte ihn, als er die Hand nach unten bog, außerdem fiel das Messer platt auf die Erde.

»Du musst es schneller machen.« Pavle zeigte es ihm wieder. 5
Branko versuchte es, aber in dem Augenblick, als er das Messer in die Höhe warf, stieß ihn jemand in die Seite. Er drehte sich um. Im gleichen Moment fiel das Messer nach unten, aber nicht in die Erde, sondern auf seine Hand, die er noch aufgestützt hatte. Es drang tief hinein. »Au!«, heulte er auf, schüttelte das Messer ab 10
und wurde weiß im Gesicht. »Au!«, schrie er noch einmal, denn es schmerzte, und wütend sagte er: »Jemand hat mich gestoßen.« Er drehte sich wieder um. Duro hockte hinter ihm. »Du bist es gewesen!«, schrie er. »Du!«

Duro senkte sein Gesicht. »Vielleicht habe ich dich zufällig be- 15
rührt. Ich wollte aber nur sehen, ob du es richtig machst.«

»Du hast es mit Absicht getan!«, schrie Branko laut und wäre Duro am liebsten mit der blutenden Hand in sein scheinheiliges Gesicht gefahren.

Zora rutschte jetzt herüber. »Zeig her«, sagte sie. 20
Die Wunde war recht tief und blutete immer mehr.

Zora riss ein Stück Leinen von ihrem Hemd und wickelte es um Brankos Hand. »So«, tröstete sie ihn, »nun halte die Hand hoch. Es wird schon wieder aufhören.«

Branko tat es, aber das Blut drang durch das Leinen und rann 25
den Arm hinab.

»Ich weiß etwas Besseres«, sagte Pavle. »Wenigstens hat es unser Schäfer immer so gemacht.«

»Was denn?«, fragte Branko.

Pavle kratzte Sand zusammen, ließ sein Wasser darauf und 30
drückte den nassen Sand auf die Wunde. Jetzt hörte es sofort auf zu bluten.

»Siehst du, es hilft«, und ein Strahlen lief über Pavles gutmüti- ges Hundegesicht. »Nun kratz es wieder ab und Zora kann ihren Lappen aufs Neue darumbinden.« 35

Sie machte es noch sorgfältiger als das erste Mal. »Tut es noch weh?«, fragte sie dabei. Branko schüttelte den Kopf. »Es brennt nur.«

Sie saßen einen Augenblick still zusammen. Plötzlich sagte Duro: »Nun gehört er also nicht zu unserer Bande?«

»Warum nicht?« Zora schoss herum und auch Pavle und Nicola sahen Duro erstaunt an.

»Die letzte Übung hat er ja nicht fertig gebracht.«

»Weil du mich gestoßen hast!«, begehrte Branko wieder auf.

»Ich habe dir ja schon gesagt, ich habe es nicht mit Absicht getan, und selbst wenn ich es mit Absicht getan hätte, das bleibt bestehen, das Messer saß nicht im Boden, sondern in deiner Hand.«

»Es war ja erst das zweite Mal«, sagte Pavle ruhig. »Branko kann es noch ein drittes Mal probieren.«

»Wenn er Mut dazu hat«, sagte Duro ironisch.

Branko wurde immer wütender. »Den habe ich schon. Gebt mir das Messer noch einmal.«

Pavle kramte es wieder aus der Tasche und gab es ihm.

Tatsächlich, es glückte; obwohl Branko die Hand zitterte, drehte sich das Messer in der Luft und stach in den Boden.

»Nun gehörst du wirklich zu uns.« Zora sah ihm stolz in die Augen. Nicola zwinkerte ihm nur zu. Pavle gab ihm die Hand. »Du bist ein tapferer Kerl«, sagte er und drückte Brankos Hand mit seinen festen Fingern, dass dem armen Branko fast wieder übel wurde. Zora stieß Duro in die Seite. »Willst du ihm nicht auch die Hand geben?«

»Nein.« Duro schüttelte den Kopf.

»Du freust dich also auch nicht, dass wir Branko in unsere Bande aufgenommen haben?«

Duro schüttelte wieder den Kopf.

Nun, dachte Branko, der ist wenigstens ehrlich, und er wusste, er hatte heute drei neue Freunde, aber auch einen Feind gewonnen, nach der Sache mit dem Messer zu urteilen, sogar einen sehr gefährlichen.

Zora sah noch immer auf Duro. »Wir sprechen später noch darüber«, sagte sie, »komm jetzt.«

Nicola und Pavle krochen schon in den Gang, Duro folgte, und hinter ihnen kroch Zora.

Bevor das Mädchen ganz in den Gang verschwand, drehte sie sich noch einmal um. »Freust du dich wenigstens, Branko?«

Branko nickte. »Ich freue mich.«

Zora strich sich ihre rote Mähne aus dem Gesicht. »Ich freue mich auch.«

Pavle wartete, bis alle aus dem Gesträuch heraus waren, dann machte er den Gang sorgfältig wieder zu. Die anderen waren inzwischen den Hügel hinabgelaufen. Es ging immer im Trab. Zora lief an der Spitze. Branko spürte seine Beine wieder, ihm war auch noch schwindlig von dem Schmerz in der Hand. Er wollte es Nicola, der vor ihm rannte, schon sagen, da blieb Zora stehen, äugte nach allen Seiten, ob niemand sie sah, und kroch in ein Ginstergebüsch.

Duro war schon darin verschwunden. Nicola auch. Branko folgte zögernd, da sah er Zora vor einem Loch stehen, das von dem Ginster verdeckt wurde.

»Wo gehen wir denn hin?«, fragte Branko.

Sie legte die Hand auf den Mund, zeigte dann auf das Loch und sagte leise: »Hier hinein.«

Es war stockdunkel in der Höhle. Branko musste auf allen vieren kriechen. Die Höhle war nicht sehr hoch. Überall lagen Steine und Scherben. Die Knie schmerzten ihm schon und auch die Hände taten ihm weh. Manchmal wuchs eine Mauer vor ihm auf und er dachte, die Höhle, die sich mit der Zeit zu einem Gang verengte, sei zu Ende.

»Kriech weiter!«, zischte dann Zora hinter ihm. »Kriech weiter!«

Und wirklich, der Gang machte nur einen Bogen. Er war noch immer nicht zu Ende.

Die Burg der Uskoken

Die Bande war schon beinahe fünf Minuten auf allen vieren gekrochen, als es endlich etwas heller wurde. Im gleichen Augenblick spürte Branko, dass der Gang jetzt nach oben ging. Bald konnte er sich wieder aufrichten. Er stand in einem halbdunklen Raum, in den durch eine Mauerlücke Licht drang.

Im gleichen Moment sah er, dass sich Duro und Pavle um einen großen Stein mühten, der an einer der Mauern lehnte. Endlich konnten sie ihn wegwälzen und ein neues Loch wurde sichtbar. Duro stieg hinein. Pavle und Nicola folgten. »Geh nur.« Zora, die hinter Branko getreten war, stieß ihn an: »Wir müssen auch hinein.«

Das Loch führte in einen Treppenraum. Eine steile Rundtreppe stieg beinahe kerzengerade in die Höhe. Sie konnten nicht darauf gehen, sie mussten gleichzeitig mit Händen und Füßen nach oben klettern. Manchmal fiel durch eine Ritze neues Licht auf die Stiege. Branko sah, dass die Treppe sehr alt und die Steine hoch und groß waren.

»Uff«, stöhnte Nicola über ihm. Er war in einen lang gestreckten Raum getreten. Noch zwei Treppenstufen, und Branko stand auch darin.

Der Raum war ungefähr zwei Meter breit, ziemlich hoch und beinahe zehn Meter lang. Es gab schießschartenähnliche Löcher, durch welche die Strahlen der sinkenden Sonne fielen.

Die Mauern bestanden alle aus schweren, grob übereinander gelegten, nur roh eingekalkten Steinen. Auch an den Schießscharten waren sie mindestens einen halben Meter dick. Überall lag Holz, in der einen Ecke stand ein kleiner, aus Steinen zusammengetragener Herd, an verschiedenen Stellen häuften sich Holzwolle, Heu und Decken. Der hintere Teil des Raumes war etwas erhöht, zwei Stufen führten hinauf, auch da oben lagen Heu, Stroh und andere Sachen.

»Das ist mein Lager«, sagte Nicola stolz und der Kleine zeigte auf den ersten Heu- und Strohhaufen.

Branko trat näher. Es lagen nur einige Lumpen, alte Holzschuhe, bunte Glasscherben und eine Steinschleuder herum.

»Das meine ich.« Nicola stieß Branko an und zeigte in die Höhe.

Branko sah auf. Die Sonne malte gelbe Ringe auf ein paar Bilder. Er trat näher. Es waren die Gesichter einiger Film- und Theaterstars, die sich Nicola aus Zeitungen und Magazinen herausgeschnitten und an die Wand gepappt hatte.

»Diese«, sagte er und tippte mit seinen spitzen Fingern auf eine dicke Sängerin, »gefällt mir am besten.«

Branko sah den kleinen, lebendigen Buben mit dem eckigen Mund und dem weiblichen Haar, das lang um den spitzigen Kopf hing, erstaunt an. »Warum?«

»Ich weiß nicht«, sprudelte Nicola heraus, »aber es ist so.« Und als wollte er nichts weiter darüber sagen, führte er Branko zur nächsten Lagerstatt.

»Wer schläft hier?« Branko sah wieder zuerst auf das Lager.

Pavle war zu ihnen getreten. »Ich!«

Pavle sammelte keine Filmdivas, sondern Boxer, Schwimmer, Springer, Rennfahrer und Athleten.

»So einer will ich einmal werden.« Der große Junge wies auf einen hünenhaften Japaner, der drei andere in die Luft stemmte.

»Hast du denn so viel Kraft?«, fragte Branko.

»Heute noch nicht.« Pavle sah Branko an. »Aber wenn ich tüchtig esse und immer stemme, bekomme ich schon noch so viel.«

»Das«, er zeigte auf einen Mann, der von einem hohen Brett ins Wasser sprang, »ist der beste amerikanische Kunstspringer. So springe ich auch einmal.« Pavle starrte mit seinen großen Augen ganz ernst auf das Bild und schien alles um sich herum vergessen zu haben.

Duro, der hinter sie getreten war, spottete: »Dabei ist er wasserscheu und kann noch nicht einmal schwimmen.«

Nicola biss die Zähne zusammen und grinste.

»Das lerne ich noch«, erwiderte Pavle zuversichtlich. »Ich bin ja erst dreizehn. Ich war auch schon bis zum Bauch im Wasser. Passt auf, bis das Jahr um ist, gehe ich noch bis zum Hals hinein.«

Duro spottete weiter. »Das werden wir wohl nie erleben.«
»Wollen wir wetten«, sagte Pavle, und nach einigem Überlegen, »um das Bild des Springers«, und er streckte Duro seine Hand hin.
Duro drehte sich um. »Mit dir wette ich nicht. Vor allen Dingen nicht um so eine lumpige Fotografie.«
Branko, der sich nicht in den Streit mischen wollte, war inzwischen zum dritten Lager getreten. Es sah ordentlicher aus als die beiden ersten und darüber waren drei Bretter angebracht. An dem ersten hingen mehrere Bilder von Pferden, an dem zweiten Fallen und eine Schleuder, wie Nicola sie hatte, an dem dritten waren in gleichen Abständen Schmetterlinge aufgespießt.
Nicola war ihm wieder gefolgt
»Hier schläft Duro. Er will Bauer werden oder Pferdezüchter.«
Er wies auf die Fallen: »Damit fängt er Vögel. Vorige Woche hat er einen Stieglitz gefangen, aber war noch zu jung. Er ist nach drei Tagen gestorben. Warum er die Schmetterlinge sammelte, weiß ich nicht. Er durchsticht sie mit einer Nadel und spießt sie auf. Wegen dem da«, Nicola zeigte auf einen riesigen Schwalbenschwanz, »war er eine ganze Woche unterwegs. Er ist dann immer wie verrückt, isst nichts, trinkt nichts, bis das Tier an seinem Brett zappelt.«
Branko trat näher an das Brett und sah sich den großen Schmetterling genauer an. »Er ist schön«, sagte er anerkennend.
»Oh.« Nicola schnalzte. »Du müsstest ihn in der Sonne sehen.«
Zora, die zuletzt in den Raum getreten war, ging inzwischen an allen vorbei auf die kleine Empore hinauf.
Branko sah ihr nach. Nicola stieß ihn an. »Ja, da oben hat sie ihr Lager«, erzählte er weiter. »Aber sie lässt keinen hinauf. An der Treppe ist die Grenze. ›Ich will mein Lager ganz allein haben‹, hat sie gesagt, als sich Duro auch da oben einquartieren wollte, und als er doch hinaufging, warf sie ihn – ritsch, ratsch – wieder hinunter.« Nicola erzählte das leise, damit es Duro, der jetzt vor seinem Lager saß, nicht hören sollte, und fügte hinzu: »Sie ist so stark, die Zora, stärker als wir alle.«

Branko trat nun an einen Fensterschlitz und blickte hinaus. Erst blendete ihn die Sonne, aber als sich seine Augen daran gewöhnt hatten, sah er einen Höhenzug, große Bäume, ein Dutzend Häuser von Senj, aber obwohl er sich lange überlegte, wo er sein könnte, kam er nicht darauf.

Als er sich wieder umdrehte, hatten die Buben alle eine Arbeit übernommen. Duro hockte vor dem kleinen Herd und steckte Holzwolle hinein. Nicola brachte aus einer Ecke Wasser in einem Topf. Pavle schleppte Holz. Der Bub war wirklich stark. Er zerbrach die dicken Äste wie Streichhölzer zwischen seinen Händen. Branko wollte ihnen helfen, da kam Zora wieder von ihrer Empore herunter. Ihre Haare waren zurückgestrichen und ein Band darum gebunden, außerdem hatte sie ihren Sweater abgestreift und eine wohl ehemals gelbe Bluse über ihren Rock gezogen.

»Ich weiß noch immer nicht, wo wir sind«, sagte Branko.

»Komm!« Sie drehte ihn um und schob ihn vor sich her. »Ich will es dir zeigen.«

Sie gingen wieder auf die Rundtreppe zu, aber als Branko in das Loch treten wollte, sagte Zora: »Halt, wir steigen hinauf.«

»Wo?«

»Wart nur ab.« Die Treppe führte unmittelbar neben der anderen weiter, aber der Eingang war wie unten mit großen Steinen verbaut und sie mussten sie erst sorgfältig herausnehmen.

»Warum macht ihr das immer wieder zu?«, fragte Branko.

»Das wirst du schon noch begreifen«, erwiderte Zora. Jedenfalls mach es auch immer zu, denn wenn jemals einer unser Versteck findet, sind wir verloren.«

Die Treppe hatte ungefähr dreißig Stufen und führte in einen großen, düsteren Saal, der von dicken Stein- und Holzsäulen getragen wurde. Sie waren kaum ein paar Schritte gegangen, da lösten sich viele schwarze Tiere von der Decke und flatterten mit leisem Pfeifen um ihre Köpfe. Branko wich furchtsam zurück.

Zora lachte. »Hab keine Angst. Das sind nur Fledermäuse.«

»Ich habe noch nie so viele gesehen.«

Zora lachte wieder. »Sieh einmal dort oben hinauf. Da wirst du noch mehr sehen.«

Hinter der zweiten Säule hingen Tausende, eine an der anderen, große und kleine, schmächtige und fette. Die spitzen Hundeköpfe mit den langen, leicht bebuschten Ohren hingen nach unten. Es sah aus, als habe man die Tiere aufgehängt.

Sie wurden nun alle unruhig. Erst wippten sie die Ohren hin und her, dann öffneten sie ihre Flügel, einen Augenblick später ließen sie sich fallen, und ehe sich die beiden Kinder versahen, flatterten sie wie eine schwarze Wolke um sie herum.

Branko blieb wieder stehen und wollte zurück.

Zora packte ihn an der Schulter. »Leg dir die Hand vor die Augen und komm. Noch zwei Schritte, und wir sind sie los.« Hinter einer Säule ging die Treppe weiter. Sie wurde etwas bequemer, auch breiter, und man musste nicht mehr auf allen vieren gehen. Die Kinder kamen an eine Tür, die aber nicht verschlossen war und die man leicht aufstoßen konnte.

In dem Raum, in den sie nun traten, stank es fürchterlich. Es war ein grässlicher Geruch; überall lagen Knochen, Federn, Wollreste und vor allem Vogeldreck herum und aus einer Ecke kam ein wütendes, lautes Fauchen.

»Was ist los?« Branko blieb wieder stehen.

Es war ein großer Kopf, der so fauchte, er sah aber nur die Augen, einen mächtigen Schnabel und einen unförmigen Federkranz darum.

»Ein Uhu«, flüsterte ihm Zora ins Ohr. »Spring! Mit dem ist nicht gut Kirschen essen.«

Eilig sprangen sie an ihm vorbei und hielten erst wieder an, als sie durch eine zweite und dritte Tür geschlüpft waren. Die Räume hingen aneinander, aber sie waren genauso leer und unbewohnt wie der erste. Manchmal waren auch die Dielen durchgebrochen und man konnte in ein schwarzes Loch oder durch die Mauer sehen.

»Nimm dich nur in Acht«, warnte Zora, »wir sind jetzt schon dreißig Meter hoch.«

Die Treppe begann wieder, aber sie führte nur einige Schritte höher in einen Verschlag. Branko hörte es gurren und sah Zora erstaunt an.

»Es sind Tauben«, lächelte das Mädchen. »Unsere Tauben. Sie nisten hier oben. Manchmal sind es zwanzig, manchmal sind es nur drei oder vier. Die Habichte und die Turmfalken sind sehr hinter ihnen her.«

»Esst ihr sie auch?«, wollte Branko wissen.

Zora nickte. »Aber nur, wenn wir gar nichts anderes zu essen haben. Es sind eigentlich Nicolas Tauben. Er füttert sie auch und bringt sich fast um, wenn wir eine essen müssen.«

Die beiden Kinder blickten in den Verschlag. Es war eine große Mauerlücke, die Nicola und Pavle, wie Zora erzählte, mit Brettern notdürftig vor den Habichten und auch vor dem Wind und der Sonne geschützt hatten.

»Siehst du die beiden dahinten?« Zora zeigte auf zwei schneeweiße Tauben, die ganz in der Ecke saßen. »Die brüten. Nicola kann sie aufheben und darunter sehen. Er sagt, jede hat zwei Eier und in einigen Tagen werden wir wieder vier Tauben mehr haben.«

Von dem Verschlag führte eine Leiter in die Höhe. Sie war sehr brüchig und sie mussten vorsichtig steigen. Es sah hier oben überhaupt recht brüchig aus. Auch die Mauern hatten Risse und manchmal waren sie so breit, dass man hineintreten konnte.

»Steig jetzt leise«, flüsterte das Mädchen, »dann kannst du noch etwas sehen.« Aber sie hatte wohl zu laut gesprochen, denn im gleichen Augenblick stieg ein Vogel vor ihnen hoch. Er war recht groß und maß von einem Flügel zum anderen beinahe einen Meter. »Das ist ein Turmfalke«, erklärte Zora weiter. »Siehst du«, sie zeigte in den Riss, »dort ist sein Nest. Ich glaube, es sind zwei Eier darin.« Auf einmal jauchzte sie. »Die kleinen Falken sind schon ausgekrochen. Wie lustig sie aussehen.« Zora lachte.

Branko lehnte sich über den Riss und konnte das Nest nun auch sehen. Es bestand aus Aststücken, Federn, Laub, Dreck und Kalkresten. Die kleinen Falken waren noch winzig und ganz nackt und das Größte an ihnen waren der Kopf und der Schnabel.

Die Tiere sperrten die Schnäbel auf und gaben piepsende Laute von sich. Dabei versuchten sie aufzustehen. Sie waren aber zu schwach und fielen wieder um.

»Sag Duro nichts davon, dass sie ausgekrochen sind«, bat Zora im Weitersteigen. »Er tötet alle Vögel und ich habe Falken so gern.«

»Ich sage ihm bestimmt nichts«, knurrte Branko und setzte vorsichtig einen Fuß vor den andern.

Sie waren schon auf der dritten Leiter, da wies Zora auf die Nächste und sagte: »Das ist die Letzte.«

Branko lachte. »Ich dachte, wir steigen bis in den Himmel.«

Ein paar Sekunden später sagte er aber nichts mehr, denn sie waren im Himmel. Alles Dunkle, Muffige, Grausige, Stinkende, Schwarze und Drückende war auf einmal verschwunden. Über den Kindern wölbte sich ein einziges, helles Blau. Es war, als stiegen sie aus einem tiefen Schacht mitten in die Sonne hinein, und sie waren wie geblendet.

»Oh!«, machte Branko nur.

»Oh!«, rief auch Zora und streckte ihre Hände in die Höhe, als könnte sie dem Himmel damit noch näher kommen.

»Ist das schön«, sagte Branko andächtig.

»Ich kenne nichts Schöneres«, meinte Zora, »obwohl ich es beinahe alle Tage sehe.«

Erst jetzt sah sich Branko um und nun wusste er auch, wo er war: auf der alten Burg, die sich links auf einem Hügel hoch über der Stadt Senj erhob.

Die Burg bestand aus einem riesigen Mauerviereck, das ungefähr fünfzig Meter in die Höhe wuchs. Alle Mauern waren ein bis zwei Meter dick und oben saßen vier kleine Türme, von denen der eine zerfallen war.

Tief unten lag die Stadt Senj. Branko sah die Straßen, die von hier oben wie Striche schienen, er blickte auf die Häuser, die alle nur noch wie Spielzeughäuser wirkten. Auch die Türme der Kirche des heiligen Franziskus und der Kathedrale sahen nur wie Lanzenspitzen aus, die aus dem Steingewirr herausragten, und der Bischofspalast, von dessen Breite und Höhe Branko sonst immer großen Respekt hatte, war von der Burg aus nichts weiter als ein länglicher, weißer Stein.

»Da geht ein Mann über die Clinia«, sagte Branko.

»Und dort noch einer«, lachte Zora. »Warum sollen die Leute auch nicht über den Platz gehen?«

»Es sieht von hier alles so winzig aus«, meinte Branko.

»Sieh nur auf die Berge«, antwortete Zora. »Da sind wir klein.«

Der Knabe hatte schon das Gesicht erhoben. Der Hügel, auf dem die Burg stand, lag ungefähr neunzig bis hundert Meter über der Stadt, aber trotzdem konnte man von ihm aus weit über das Land sehen.

Gleich hinter der Stadt stießen die Berge steil in die Höhe. Es waren fast alles Felsen, nur hie und da schimmerte etwas Grünes auf der Nacktheit der Berge, dem Gelb des Sandes und der rötlich braunen Erde.

Die Berge zogen sich um die ganze Stadt. An einigen Stellen war wie mit einem Beil eine Schlucht hineingeschlagen, aber die Einschnitte waren nicht tief und dahinter erhoben sich neue Berge. Branko zeigte hinüber: »Wie hoch sind die wohl?«

»Rate.«

»Dreihundert Meter.«

»Mehr.«

»Fünfhundert Meter.«

»Mehr.«

»Tausend Meter.«

Zora lachte. »Das ist zu viel, siebenhundert Meter.«

»Ich möchte einmal hinauf«, seufzte Branko. »Von da oben kann man sicher noch viel weiter sehen«

»Man sieht sehr weit. Vor allem auf das Meer.«

»Warst du schon oben?«

»Oft, sehr oft. Wir gehen viel auf die Berge.«

»Dann wollen wir bald wieder gehen. Ich bin noch nie auf einem Berg gewesen.« Er sah wieder hinauf. »Was haben die beiden übrigens für grüne Kämme?« Er wies nach rechts, wo sich hinter den ersten Hügeln weitere Hügel erhoben.

»Das sind Bäume«, antwortete Zora.

»Es gibt Bäume auf den kahlen Bergen?«

»Bist du dumm. Natürlich gibt es Bäume, und wie viele. Tausende und Abertausende. Und nicht so kleine wie hier unten im Park und in den Gärten. Bäume, die fünf- und zehnmal größer sind.« Sie lachte auf. »Du hast sie auch schon gesehen. Die Holzarbeiter bringen sie ja immer herunter und schleppen sie auf den Quai.«

»Ich dachte, die kämen von weit, weit her.«

»Solche sind auch dabei«, nickte Zora, »aber die meisten kommen von unseren Bergen.«

Branko starrte noch immer auf die Höhen. Zora hatte sich umgedreht. Sie klopfte ihm auf die Schulter. »Sieh dir jetzt das Meer an.«

Der Knabe machte ein noch erstaunteres Gesicht. »Oh«, sagte er, »hier ist es viel schöner als von meiner Klippe aus.«

»Du hast eine Klippe?«

»Unten am Wasser, aber da sieht man nur das Meer und Rab und Krk und das Wasser, welches zwischen den Inseln ist; aber von hier sieht man ja sogar noch das Meer hinter den Inseln.«

Zora nickte. »Blick nur genau hin. Von hier aus sieht man so weit, bis man nichts mehr sehen kann.«

Es war wirklich schön, das Meer von der Burg aus zu sehen. Es begann dunkel und wie ein schwarzer Streifen; das war das Meer zwischen den Inseln. Dann kamen die braunen und roten Felsen, die jetzt von der Abendsonne beleuchtet wurden und die so hell wie glühende Holzblöcke waren, und dahinter kam das richtige Meer. Das Meer, das erst blau, dann bläulich, dann immer heller, dann weiß und dann so unendlich wurde, dass man nicht mehr sah, wo es zu Ende ging, und darüber war der Himmel, der zuerst auch schwärzlich und blau war, dann heller wurde und auf einmal mit dem Meer versank, als wäre da alles zu Ende, das Meer, der Himmel, die Erde und die Welt, einfach alles.

Branko seufzte auf. Es kam tief aus seinem Inneren. »Und hier lebt ihr?«

»Hier leben wir«, antwortete Zora schlicht. »Hier leben wir schon seit acht Monaten.«

»Ich hatte zuerst Furcht, als ich in das dunkle Loch musste«, gestand Branko. »Auch als ich die vielen Tiere sah.«

»Wir hatten erst alle Furcht«, beruhigte ihn das Mädchen. »Aber nun haben wir uns an die Tiere und das Dunkel gewöhnt.«

»Ich hätte mir auch gar nicht denken können, dass ihr hier wohnt. In der Stadt sagt man doch, es sei verboten auf den Turm zu gehen. Außerdem sei es gefährlich und soll spuken.«

»Dass wir hier wohnen, ist verboten«, sagte Zora, »aber wo sollen wir sonst bleiben? Dass es gefährlich ist, stimmt gleichfalls, und zuerst haben wir auch gedacht, es spukt, aber dann war es nur der Wind oder ein Stamm, der krachte, oder der Uhu, und jetzt«, sie lachte lustig auf, »jetzt spuken wir selber mit, besonders wenn jemand kommt.«

»Kommt oft jemand?«

»Manchmal ein neugieriger Fremder. Manchmal jemand aus Senj. Deswegen machen wir auch alles immer gut zu, damit nicht plötzlich jemand in unserer Höhle steht.«

»Wie seid ihr eigentlich auf die Burg gekommen?«

Zora, die sich über die breite Brüstung gelehnt hatte, dachte nach.

»Als wir unsere Bande gründeten, lebten wir in der Brombeerhecke. Dann wurde es uns zu kalt und da zogen wir in die Gärten. Manchmal haben wir in einer Laube und manchmal in einem Gartenhaus gewohnt, aber meistens kamen die Leute bald dahinter, dass außer ihnen noch jemand in ihren Pavillons lebte. Sie lauerten uns auf; einmal hätten sie uns beinahe erwischt, einmal hat ein Hund Nicola gebissen und Pavle musste ihn erschlagen, später schossen sie sogar auf uns und dann entdeckte ich zufällig den Turm und sagte zu den anderen: Wir sollten in den Turm ziehen.«

»Du hast ihn entdeckt?«, sagte Branko nur.

»Ja, ich kam zufällig herauf und hatte gleich das Gefühl, das ist ein gutes Versteck für uns, und sagte es den anderen.«

Branko hockte auf einen Balken und Zora erzählte weiter: »Wir haben erst unten neben dem Brunnen gewohnt. Ich zeige dir das morgen. Da mussten wir uns aber immer verstecken, wenn jemand kam. Später haben wir den langen Raum gefunden, wo wir jetzt wohnen. Nicola, der sich den ganzen Tag im Turm herumtrieb, entdeckte mit der Zeit die Höhle, auch die Treppe hier herauf und die Leitern, die wir eben gegangen sind. Er ist überhaupt recht brauchbar, wenn er auch klein und nicht besonders stark ist.«

»Er ist schneller als ein Wiesel«, sagte Branko, »und so übermütig.«

Zora lachte. »Besonders mit der Zunge. Du sollst ihn einmal schimpfen hören, wenn wir uns mit anderen Buben prügeln oder uns sonst jemand etwas antun will.«

Branko sah wieder auf die Stadt. Die Sonne sank langsam tiefer. Ein leichter Nebel lag schon über den Häusern und am Quai flammten die ersten Lichter auf. Auf dem Turm war es noch hell und sie wagten sich noch ein paar Schritte weiter.

Um das Sims lief ein breiter Gang. Er führte von einer der kleinen Turmspitzen zur anderen. Da, wo das Türmchen abgebrochen war, Zora sagte, durch einen Blitz, mussten sie vorsichtig über einige Bretter klettern. Sonst war es weniger gefährlich. Der Gang wurde auf beiden Seiten von zwei Mauern flankiert. Die Mauern hatten tiefe Schießscharten, sodass sie mehr wie große, ausgezackte Kämme als wie Mauern aussahen. Durch jede dieser Scharten konnte man nach unten blicken, ohne dass von unten jemand hereinzusehen vermochte.

An einigen Stellen waren noch kleine, überbaute Erker, auf die man hinaustreten und von wo man die ganze Mauer überblicken konnte. An anderen Stellen waren kleine Gräben in die Mauer eingelassen, die mit Erde gefüllt waren; in ihnen wuchsen Blumen, Stachelbeeren, ein wilder Kirschbaum, Holunder und allerlei Unkraut, besonders Brennnesseln.

Branko lachte. »Sogar Sträucher habt ihr hier oben.«

Zora nickte. »Duro behauptet, hier hätten sie früher Gemüse gezogen, wenn die Burg belagert wurde, denn in die Gräben gehen überall kleine Wasserrinnen und die Erde ist über einen halben Meter tief.«

Branko antwortete nichts. Er sah jetzt nach der Innenseite. Zora lehnte sich neben ihn. »Hier geht es genauso tief hinunter wie draußen. Es ist ein großer Innenhof, um den die ganze Burg herumgebaut wurde. In der Mitte ist der Brunnen. Er soll sehr tief sein. Man sagt sogar, von ihm gehe ein Gang bis zum Meer.«

Branko versuchte hinunterzusehen. Die dicken, grauen Mauern schossen schwer und drohend in die Tiefe. Es war dem Knaben, als wollten sie ihn mitziehen, und er bog sich wieder zurück.

»Wie heißt die Burg eigentlich?«, fragte er.

»In Senj nennen sie die Leute nur ›die Burg‹, aber sie heißt ›Nehajgrad‹ und wir nennen sie die ›Uskokenburg‹.«

Branko sah vor sich hin. »Mutter hat sie auch immer nur ›die Burg‹ genannt. Du musst mir erzählen, warum ihr sie die Uskokenburg nennt.«

Zora richtete sich auf. »Wir nennen sie die Uskokenburg, weil wir uns selber ›die Uskoken‹ nennen.«

Branko starrte sie an. »Ihr?«

Zora stemmte sich in die Höhe und wuchs richtig aus ihrer gelben Bluse und dem braunen Rock heraus. »Wir«, sagte sie noch bestimmter, »denn wir wollen auch so tapfere Helden werden, wie es die Uskoken waren.«

»Ich habe nie von ihnen gehört«, sagte Branko.

Zora schüttelte erstaunt und missbilligend ihre rote Mähne.

»Was? Ein Senjer Junge weiß nicht, wer die Uskoken sind?«

»Mein Vater hat mir, glaube ich, doch etwas von ihnen erzählt. Er hat mir auch ein Lied von ihnen vorgespielt. Warte, vielleicht fällt es mir wieder ein.« Er begann:

>»Oh, das Meer ist so schön.
>Oh, das Meer ist so rot.
>Uskoken, seid immer bereit.«

Zora fiel ein:

>>Wenn ein Windstoß sich regt,
wenn die Ebbe vergeht
und der Aar hoch über uns schreit.<<

Sie sangen nun gemeinsam weiter:

>>Dann zu Schiff, dann zu Schiff
und die Segel gerafft
und wir stoßen mit Freude vom Land.
Kommt ein Türke daher,
schickt Venezia ein Schiff,
wir stürmens, das Schwert in der Hand.<<

Zora hatte immer leidenschaftlicher gesungen, nun fuhr sie fort:
>>Die Uskoken waren die berühmtesten Ritter, Kapitäne und See-
fahrer an der ganzen Adria. Geh einmal in die Kirche des heiligen
Franziskus, da liegen sie unter hohen Steintafeln begraben und du
kannst auf ihnen von ihren Heldentaten und Kämpfen lesen.<<
>>Ich bin dort getauft worden<<, sagte Branko.
>>Dann ist es noch schlimmer, wenn du nichts von ihnen weißt.
Sie waren viele Jahrhunderte die größten Helden von Kroati-
en. Sie haben die Mauern um Senj gebaut. Den Quai haben sie
errichtet, die Burg Nehajgrad, und siehst du da oben die Berg-
kuppe?<< Sie zeigte auf einen Felskegel, der sich hinter der Stadt
erhob.
Branko nickte.
>>Da oben hatten sie noch eine Burg. Ihren Adlerhorst. Wenn die
Feinde in zu großen Mengen kamen, zogen sie sich auf den Adlerhorst zurück. Aber sie sollen nur drei- oder viermal hinaufge-
zogen sein, sonst haben sie ihre Feinde immer geschlagen.<<
>>Du musst mir noch mehr von ihnen erzählen<<, sagte Branko.
>>Sie haben die Venezianer besiegt und die Türken, sie sind gegen
die Ungarn und gegen das Deutsche Reich ins Feld gezogen und
unter ihnen war auch ein junges Fräulein, das zog mit den Män-

nern ins Feld, und es war genauso tapfer wie sie; man erzählt sogar, es sei noch tapferer gewesen.«

Zora glühte richtig, als sie das sagte. Aber sie sah nicht mehr auf Branko, sie blickte auf den Adlerhorst, wo die Sonne gerade in ihrer ganzen Schönheit und Glut versank. Branko wollte weiterfragen, da trat Duro zwischen sie. Er musste schon länger hinter ihnen gestanden und sie belauscht haben, denn er kam ganz ruhig aus einer Nische und man merkte ihm nicht mehr an, dass er die vielen Treppen heraufgestiegen war.

Sein Gesicht war mürrisch, beinahe zornig. »Ich suche euch schon seit einer halben Stunde«, knurrte er.

»Ich habe Branko die Burg gezeigt«, entschuldigte sich Zora, »und jetzt habe ich ihm von den Uskoken erzählt.«

Duro blickte Branko ärgerlich an. »Er hätte etwas Nützlicheres machen können. Wir haben inzwischen das Essen kochen müssen.«

»Einmal musste er die Burg sehen«, sagte Zora bestimmt, »aber komm«, sie winkte Branko, »wir sind ja jetzt fertig«, und zu Duro: »Ich habe außerdem Hunger auf euer Essen.«

Die Kinder kletterten den langen Weg zurück. Als sie zum Raum kamen, wo der Uhu hauste, wollte Zora wieder springen. Duro hielt sie zuück. »Warte einen Augenblick. Ich glaube, er ist schon fort.«

Das unheimliche Tier hockte tatsächlich nicht mehr in seiner Ecke, aber es stank noch immer. Auch von den Fledermäusen waren viele fortgezogen. Es hingen nur noch vereinzelte in dem Saal und auch die schlugen mit den Flügeln und wollten aufbrechen.

Sie traten in die Höhle. Zora schnüffelte. »Es riecht nach Eiern.«

Duro nickte. »Wir haben Spiegeleier gemacht.«

Pavle und Nicola saßen auf der Erde. Die Pfanne mit den Eiern stand zwischen ihnen.

»Ihr seid ja eine Ewigkeit fortgeblieben«, schimpfte Nicola, »und Duro, der euch suchen wollte, auch. Wir haben inzwischen angefangen.«

»Und wenn ich nicht aufgepasst hätte«, stotterte Pavle aufgeregt, »hätte euch Nicola auch noch die letzten Eier weggegessen.«

»Du«, unterbrach ihn Nicola, und zu Zora gewandt: »Ich musste ihm immer mit dem Löffel auf den Mund hauen.«

»Lügner!«, schrie Pavle empört. »Dabei habe ich ihm beinahe die Finger zerschlagen.«

Zora klopfte dem aufgeregten Pavle beruhigend auf die Schulter. »Ich weiß schon, wer hier schwindelt.«

Nicola zwinkerte mit den Augen. »Ich weiß es auch.«

»Zeigt erst einmal, was überhaupt noch in der Pfanne ist«, sagte Duro grob.

Pavle hob den Deckel hoch. Es waren noch fünf Eier darin.

»Wie viel hast du denn hineingetan?«, fragte Zora.

»Zehn«, antwortete Pavle.

»Oh«, machte Nicola und tat ganz zerknirscht. »Dann habe ich doch vielleicht eins zu viel gegessen. Ich dachte, es wären fünfzehn darin. Für jeden drei.«

Zora drohte ihm mit der Faust. »Dafür bekommst du morgen eins weniger.«

»Einverstanden«, nickte Nicola. »Also morgen.« Und lachend: »Es waren natürlich die Letzten. Morgen bekommen wir alle keine.« Die drei lagerten sich um die Pfanne. Branko bekam Pavles Löffel – er war groß und aus Holz – und von Nicola ein dickes Stück Brot. Auch Duro und Zora bekamen einen Brocken. Zora teilte die Eier in drei Teile und schob erst Duro und dann Branko seinen Teil hin.

Branko, der schon ein Stück Brot abgebissen hatte, wollte sich gerade auch sein Ei nehmen, da sagte Duro zu ihm: »Warst du nicht der Letzte?«

»Ich glaube«, sagte Branko.

Duro wies mit seinem Kopf nach hinten. »Das Loch steht noch offen. Der Letzte muss es immer zumachen.«

Branko, der an die Worte Zoras dachte, wie wichtig es war, jeden Gang in der Burg gleich wieder zu schließen, steckte sein Brot in die Tasche und sprang auf.

Pavle erhob sich gleichfalls. »Du hast noch nicht gegessen, Branko. Ich gehe.«

Duro sah ihn böse an. »Seit wann bedient ein freier Uskoke den anderen? Der Letzte macht den Gang zu und nicht du«, und er zog Pavle wieder nach unten.

Branko schob, obwohl es ihm mit seiner verbundenen Hand noch schwer fiel, die Steine in das Loch und kam wieder zurück. Duro hatte inzwischen gegessen und sich zurückgelegt. Zora schien auf ihn gewartet zu haben, denn sie hielt ihr Brot noch in der Hand. »Nun komm.« Pavle schob ihm einen Stein zu.

Branko setzte sich wieder und holte sein Brot aus der Tasche, aber als er nach seinem Ei langen wollte, war es nicht mehr in der Pfanne.

Der Bub hatte sich so darauf gefreut, dass er ein ganz bestürztes Gesicht machte.

»Was hast du?«, fragte Zora.

»Es ist nicht mehr darin.«

»Diesmal war ich es aber nicht!«, schrie Nicola auf.

»Ich auch nicht«, schwor Pavle.

»Dann muss ich es wohl gewesen sein«, meinte Duro, der noch immer auf dem Rücken lag. »Ja, ich war es sogar bestimmt. Ich glaube, ich hatte einfach vergessen, dass wir plötzlich fünf geworden sind, und dachte, das letzte Stück gehört auch noch mir.« Branko starrte Duro böse an. Auch Pavle sah mit seinem bösen Blick auf Duro. Zora machte gleichfalls ein grimmiges Gesicht, dann nahm sie ihr Ei vom Brot herunter. »Da hast du meins.« Sie legte es auf Brankos Brot. »Ich habe heute sowieso keinen rechten Hunger.«

Duro merkte, dass die ganze Bande für Branko und gegen ihn war. Er sprang deswegen brüsk auf. »Wir haben jetzt immer so wenig zu essen«, klagte er, »und ich werde auch ohne den Neuen kaum noch satt. Kommt, wir wollen uns einmal wieder etwas Richtiges holen!«

»Wohin?«, fragten Nicola und Pavle zu gleicher Zeit.

»Kommt nur! Kommt nur!«

»Oh«, sagte Nicola, angesteckt von Duros Eifer, »ich komme schon.«

Pavle sprang gleichfalls auf. »Ich auch.«

»Wir gehen alle«, sagte Duro noch.

»Willst du uns wirklich nicht sagen, wohin?«, fragte nun auch Zora.

Duro war schon an der Treppe. »Ich sag es euch erst, wenn wir draußen sind.«

Die Hühnerdiebe
und Branko will nicht mehr mitmachen

Es dauerte über eine halbe Stunde, bis die Bande die Treppen hinunter, den langen Gang entlanggekrochen war und sich wieder im Freien befand.

Branko war der Letzte, aber Zora hatte auf ihn gewartet. Sie half ihm auch die Höhle wieder zuzudecken. Als sie sich aufrichteten und nach den andern umsahen, war schon niemand mehr da. Zora lauschte eine Weile. »Sie sind bereits in den Gärten«, sagte sie und setzte sich auch in Bewegung.

Das Mädchen lief mit leichtfüßiger Gleichmäßigkeit, und trotzdem sie barfuß war, trat sie fest auf alle Steine, Gräser, Scherben und Disteln.

Sie sah auch jedes Hindernis, obwohl es schon sehr dunkelte. Sie fegte über jede Hecke, sprang über jedes Loch, setzte über jeden Zaun und Branko konnte ihr kaum folgen.

Nach ein paar Minuten hatte sie die anderen eingeholt. Duro war noch an der Spitze. Pavle rannte schwer, aber gleichmäßig, knapp hinter ihm. Nicola war der Dritte.

Die Bande kam an eine Straße, überquerte sie und eilte weiter. Sie fegten wie ein Rudel Wölfe dahin, die Hügel hinauf und die Hügel hinunter und immer im gleichen Tempo. Branko kam ziemlich mühsam mit. Er war noch nie so lange gelaufen. Jetzt kamen sie einen Augenblick ans Wasser, drückten sich an die Klippen, aber nur, weil jemand oben die Straße entlangging, denn sie wichen jedem Menschen aus.

Es war wohl nur ein Liebespaar, denn Duro zirpte leise und die Bande setzte sich wieder in Marsch.

Sie krochen die Klippen entlang weiter, sprangen von Fels zu Fels; direkt unter ihnen klatschte das Wasser. Der Mond schien drauf und die kleinen Fontänen, die in die Höhe schnellten, leuchteten in allen Farben.

Sie überquerten die Straße ein zweites Mal, rannten über ein paar grob gepflügte, steinige Äcker, huschten wie Schatten durch einen alten Steinbruch, und erst, als sie oben, unmittelbar vor einem kleinen Obstwäldchen waren, blieb Duro stehen.

»Seht ihr das Haus da unten am Wasser?«, sagte er und zeigte in eine Bucht, die sich weit in das Land hineinzog.

Die Kinder nickten.

»Da gibt es Hühner. Ich habe sie gestern gesehen. Nicola stellt sich in die Nähe der Straße. Der Neue«, er sagte nicht Branko, »bleibt hier oben an den Bäumen stehen. Wenn jemand kommt, schreit ihr dreimal wie eine Eule, aber nicht zu laut. Pavle, Zora und ich gehen hinunter in den Hof und holen uns eines der Hühner.« Er erklärte das alles ganz kurz, beinahe befehlsmäßig, und bevor jemand etwas dagegen einwenden konnte, kletterte er den Hang, der vor ihnen lag, hinunter und Zora und Pavle folgten ihm. Branko, der zurückgeblieben war, kam erst jetzt heran. Nicola zischte ihm zu. »Sie sind hinunter zu dem Haus und wollen ein Huhn holen. Ich soll unten auf der Straße aufpassen und du hier oben.«

Branko winkte nur mit der Hand und Nicola wollte schon gehen.

»Halt«, sagte er noch, »wenn jemand kommen sollte, schreien wir wie ein Kauz. Kannst du das?«

Branko hatte sich hingeworfen. Er war von dem langen Lauf wie erschlagen. »Ich will es versuchen«, schnaufte er.

Er lag in einem Lavendelgebüsch. Sein Herz klopfte, als müsse es zerspringen. Nicola sah noch einmal auf ihn, dann rutschte er den Hang hinunter, aber nur bis auf die Straße.

Die anderen rannten noch ein ganzes Stück weiter, erst ungefähr hundert Meter vor dem Haus ging Duro im Schritt.

»Ist ein Hund da?«, flüsterte Zora.

»Ich glaube nicht«, wisperte Duro zurück.

»Es ist alles finster«, flüsterte Zora weiter.

Duro zeigte auf das Wasser. »Da ist Licht. Ich glaube, sie sind beim Fischen.«

Um das Haus lief eine brüchige Steinmauer, dahinter waren dichte Büsche und ein großer Feigenbaum. Duro kletterte leise über die Mauer, dann schlich er auf das Haus zu.

Das Haus war nicht sehr groß. Es war aus breit gefugten Steinen, und die Seite nach dem Meer hatte einen Kalkbewurf, nach dieser gingen auch die Fenster.

Sie kamen an ein Holzgestell, an dem Netze hingen.

Zora flüsterte wieder: »Die Netze sind da. Vielleicht sind sie doch nicht draußen.«

Duro beruhigte sie. »Sonst stehen hier auch die Boote. Ich habe sie gestern noch gesehen. Sie sind sicher hinausgefahren.«

Die Kinder schlichen wie Füchse um das Haus herum. Hinter dem Haus war ein ärmlicher Anbau.

»Da sind die Hühner sicher«, flüsterte Duro und schlich näher.

Sie schoben einen Riegel zurück und traten ein. In dem Raum lagen Büchsen, Angelgeräte, ein alter Anker und Lumpen.

Duro schnupperte. »Hier riecht es nicht nach Hühnern.«

Auch Zora suchte alle Ecken ab. Da hörte sie Pavle hinter sich.

»Kommt! Der Stall ist hinter dem Garten auf der anderen Seite.«

Sie umgingen den kleinen, eingezäunten Gemüsegarten, in dem auch Rosen, Jasmin und einige Sonnenblumen standen. Die Sonnenblumen sahen im Mondlicht wie große, silberne Scheiben aus. Hinter dem Garten stand die zweite Hütte. Sie war geräumiger als die am Haus. Pavle, der sie erspäht hatte, klinkte sie auf. Sie sahen hier zuerst auch keine Hühner, nur eine Ziege reckte sich in die Höhe, sah sie erstaunt an und meckerte laut.

»Bist du still«, zischte ihr Pavle zu. Aber es war ganz gut, dass sie gemeckert hatte, nun regten sich die Hühner. Sie saßen hoch über ihr auf einer Stange.

Es waren sechs Stück. Sie sahen so dumm und neugierig herunter, als ob sie nur darauf warteten, mitgenommen zu werden.

»Hast du den Sack?«, flüsterte Duro Pavle zu.

»Natürlich«, antwortete der große Junge und zog ihn zwischen Hemd und Hose hervor.

Zora war inzwischen auf einen Kübel gestiegen, packte eines der Hühner an den Beinen und zog es herab. Das Huhn flatterte auf, es fing außerdem jämmerlich an zu gackern, auch die Ziege meckerte wieder, sodass Duro ängstlich wurde.

»Sie werden uns noch erwischen«, meinte er und ging schon auf die Tür zu.

»Quatsch«, sagte Pavle ruhig. Er nahm Zora das schreiende Huhn ab und stopfte es in den Sack. Als er sah, dass auch Zora gehen wollte, sagte er ganz verblüfft: »Meinst du, eins ist genug?«

»Es ist wirklich gescheiter, wir gehen wieder«, antwortete das Mädchen und folgte Duro.

Pavle blickte noch einmal auf die Hühner. Sie waren zusammengerückt und schliefen schon wieder. Dann strich er sich über das Gesicht. »Zwei wären wirklich besser als eines«, dachte er, aber da Zora bereits rief, rannte er ihr nach.

Duro war schon an der Mauer. »Sie haben uns tatsächlich gehört und kommen zurück. Wenn ihr euch nicht beeilt, fangen sie uns noch.«

Zora sah auf das Wasser. Duro hatte Recht. Ein Boot schob sich links neben den Feigenbaum an den Strand. Sie sah auch, dass ein älterer Mann darin stand. Er zog die Ruder ein und spähte herüber.

Das Mädchen wartete noch, bis Pavle herangekommen war. »Mach leise und lass dich nicht sehen«, flüsterte sie, »das Boot ist gleich da.«

Sie schmiegten sich dicht an die Mauer und gerade, als das Boot auf dem Sand knirschte, waren sie drüben. Erst krochen sie noch auf allen vieren, aber als sie in den Schatten der ersten Bäume kamen, fielen sie wieder in ihren alten Trab.

Branko hatte sich inzwischen erholt. Sein Herz raste noch immer, aber langsam wurden die Schläge gleichmäßiger, ihm wurde auch wohler, er konnte sich aufsetzen und bald auch wieder stehen.

Er sah sich um. Der Himmel war voller Sterne. Im Westen hing groß der Mond. Er konnte alles sehen. Jeden Apfel, der über ihm in den breiten Bäumen hing, auch die Blätter der Bäume und ihre gekrümmten Äste. Die ganze Welt war in ein seltsames Halbdunkel getaucht. Er hatte das noch nie erlebt. Er spürte aber keinerlei Angst, im Gegenteil, diese halbe Dunkelheit hatte etwas Beruhigendes.

Er ging bis an den Rand des Wäldchens. Da unten war die Straße. Von Nicola war nichts zu sehen, er lag wahrscheinlich hinter den Wacholderbüschen, die dort wie übergroße Soldaten in einer langen Reihe standen.

Hinter der Straße fiel der Hang steil ins Wasser. Das Meer war ruhig geworden und glänzte so silbern wie eine große, unendliche Spiegelfläche.

Wo waren sie eigentlich? Wahrscheinlich war er noch nie hier gewesen. Er sah die Boote auf dem Wasser, auch die Fackeln, mit denen die Fischer nachts hinausfuhren. Er sah die Bucht und die seltsame Rundung, die tief ins Land reichte, und auf einmal sah er auch das Haus, das oberhalb der Bucht stand. Das war doch das Haus des alten Gorian. Branko schlich ein paar Schritte vorwärts und sah genauer hin.

Jetzt erkannte er alles wieder, den kleinen Bau, den Feigenbaum. Natürlich war er schon hier gewesen, sogar oft. Der alte Gorian war ein guter Freund seines Vaters und sein Vater ging immer zu ihm, wenn er in Senj weilte. Er war auch ein guter Freund Brankos. Der Alte war ja sogar mit beim Begräbnis der Mutter gewesen und Branko hatte sich vorgenommen nach dem Begräbnis mit ihm zu sprechen, aber dann war er zu seiner Klippe gegangen und hatte alles vergessen.

Branko setzte sich wieder nieder. Da fielen ihm Duros Worte ein. »Da unten sind Hühner, ich habe sie gestern gesehen.« Er sprang in die Höhe. Um Gottes willen, sie stahlen die Hühner doch nicht beim alten Gorian? Er wäre ihnen jetzt am liebsten nachgerannt, aber da sah er, dass die drei schon auf die Straße traten, dass sich Nicola zu ihnen gesellte und dass sie eilig heraufkamen.

Branko trat ihnen entgegen. »Wart ihr da unten in dem Haus?« Duro schob ihn wütend auf die Seite. »Ja, aber frag jetzt nicht. Wir werden verfolgt«, und er jagte an ihm vorbei.

Auch Zora, Nicola und Pavle rannten eilig weiter und Branko blieb nichts anderes übrig, als ihnen zu folgen.

Die Bande eilte wieder über Äcker, Wiesen und Hänge, und erst als sie zwischen den schützenden Felsen des Steinbruchs waren, blieb Duro stehen. »Hier sind wir sicher«, sagte er zu Nicola und dann zu Branko: »Stell dich da oben auf die Höhe und pass wieder auf.« Branko kam aber näher. »Ich habe dich schon vorhin gefragt, ob ihr dort unten in dem Fischerhaus wart?«

»Ich habe dir auch geantwortet«, erwiderte Duro, »und du hast es wohl auch verstanden.«

Pavle hob seinen Sack hoch: »Ein Huhn.«

»Wisst ihr, dass es ein ganz armer Fischer ist, dem ihr das Huhn gestohlen habt, und dass er außerdem mein Freund ist?«

Duro, der Pavle den Sack abgenommen hatte, lachte: »Wenn wir Hunger haben, stehlen wir, wo wir stehlen können. Wir können nicht erst fragen, ob der Mann arm oder reich ist.«

Pavle, der über Brankos Angriff erstaunt war, hob seine schweren Hände etwas hoch, dann sagte er: »Es war auch nicht das einzige Huhn, welches er hatte. Es waren sechs da.«

»Sechs«, fuhr ihn Branko noch zorniger an. »Karaman hat mindestens dreihundert. Wenn ihr schon stehlen müsst, dann stehlt dort.«

Nicola pfiff: »Karaman hat einen Hund.«

Duro lachte wieder. »Ja, er soll nur morgen hingehen und dort ein Huhn stehlen.«

Branko wurde durch den Spott noch wütender. »Ich denke, ihr seid Uskoken und wollt genauso tapfere Helden sein wie die, die in der Kirche des heiligen Franziskus liegen. Nun, ich glaube, ein Uskoke hat nie einen armen Menschen bestohlen, und ich glaube auch nicht, dass sich ein Uskoke je vor einem Hund gefürchtet hat.« Er blickte genauso wütend auf Zora. »Auch keine Uskokin.«

»Was willst du eigentlich?« Das Mädchen trat auf ihn zu.

»Ich will, dass wir das Huhn sofort wieder zum alten Gorian hinbringen, und wenn ihr keinen Mut dazu habt, mach ich es und dann gehen wir zum reichen Karaman und holen uns dort ein anderes.«

Zora sah ihn schweigend an. Pavle machte nur »hm, hm«, und der kleine Nicola sagte gar nichts.

»Wollt ihr oder wollt ihr nicht?« Branko blitzte sie an.

»Da hast du das Huhn«, sagte Duro spöttisch. »Trag es ihm hin.«
Und er warf das Huhn Branko vor die Füße.

Branko bückte sich, um es aufzuheben. Er fasste aber in Blut.
»Du hast es getötet!«, rief er und wollte Duro an den Hals springen. Duro lachte nur. »Das macht man mit jedem Huhn, bevor
man es brät, du Narr. Nun rupf es, Pavle«, fuhr er ruhiger fort.
»Nicola und ich suchen Holz. Zora macht Feuer, und dir habe
ich schon einmal gesagt, du sollst da oben hinaufgehen und aufpassen. Die Uskoken gehorchen nämlich, wenn ihnen ihr Führer
etwas sagt.«

»Ich denke, Zora führt die Bande.« Branko zitterte, so wütend
war er.

»Das schon«, erwiderte Duro. »Aber wenn einer von uns etwas
vorschlägt und es angenommen wird, so führt er das auch durch
und die anderen gehorchen ihm.«

Brankos Augen streiften Zoras aufs Neue. »Ist das wahr?«

Zora nickte.

Branko starrte noch einmal auf das Huhn. Pavle rupfte es schon.
Nicola hatte auch bereits Holz zusammengetragen. Gleich würden sie es braten und essen. Es war also sowieso nichts mehr zu
machen. Gorians Huhn ging den Weg aller Hühner. Er wandte
sich deshalb um und stieg auf den Rand des Steinbruchs, wie es
Duro verlangt hatte.

Zora war seinen Blicken gefolgt und hatte sie wohl falsch gedeu-
tet, denn sie rief ihm nach: »Sobald es fertig ist, rufen wir dich
oder ich schicke dir etwas davon hinauf.«

Branko drehte sich heftig um. »Ich will nichts davon haben. Nichts.
Von dem Huhn des alten Gorian esse ich nicht ein Stück.«

Er lehnte sich oben an eine alte Esche und starrte vor sich hin.
Er war immer noch wütend, aber nicht nur auf Duro, von dem
er schon wusste, dass er sein Feind war und bleiben würde, auch
auf Pavle und Nicola, sogar auf Zora und auf sich selber. Dabei
konnte er nicht einmal sagen, warum er die Zähne zusammen-
biss, dass es knirschte. Die Bande konnte ja nicht wissen, als sie

das Huhn stahl, dass der alte Gorian ein armer Mann und außerdem sein Freund und der Freund seines Vaters war. Die Kinder konnten auch nicht ahnen, dass Branko, und das spürte er wieder deutlich, noch Hemmungen gegen das Stehlen hatte. Er war ja selber ein Dieb gewesen und Zora hatte ihn als Dieb aus dem Gefängnis befreit. Außerdem hungerten die Kinder und mussten essen, und wenn sie nichts stahlen, das wusste Branko gleichfalls, freiwillig gab ihnen in Senj niemand etwas.

Aber wie sich auch Branko alles überlegte, wie er die Worte abwog, etwas war noch falsch an allem, irgendwie klafften noch Risse zwischen seinen Gedanken. Er nahm sich vor, wenigstens das, was geschehen war, wieder gutzumachen. Ja, das musste er. In der nächsten Nacht wollte er zum alten Karaman gehen und dort ein Huhn stehlen, und wenn er ein Dutzend Hunde hatte. Nein, sogar zwei Hühner, und sie in den Stall des alten Gorian bringen. Als er das zu Ende gedacht hatte, wurde er wieder ruhiger und ging sogar hin und her.

Unterdessen wurde unten Holz gebrochen, jemand zündete ein Streichholz an und die Flammen schlugen hoch. »Pass doch auf«, schimpfte Duro Nicola, »man kann das Feuer sicher überall sehen.«

Pavle und Zora stellten sich davor und der Schein war weniger sichtbar.

Nach einer Weile drang der Duft des Bratens zu ihm herauf. Es roch gut. Branko zog ihn ein. Er hatte lange nichts so Gutes gerochen oder gegessen und es presste ihm fast den Magen zusammen. Aber er nahm sich vor fest zu bleiben. Nein, von dem Huhn aß er nichts.

Pavle kam herauf »Da ist ein Stück.« Er brachte ihm eine Keule. »Ich habe schon Zora gesagt«, antwortete Branko heftig, »ich will nichts von dem Huhn. Iss es selber.«

Pavle schüttelte den Kopf. »Zora hat mir extra gesagt, ich soll es dir geben.«

»So sage ihr extra«, Branko wurde bös, denn der gute Duft betäubte ihn beinahe, »ich will es nicht.«

»Ich werde es ihr ausrichten.« Pavle rutschte wieder in die Tiefe.
Nach ein paar Minuten kam Zora selber herauf. »Du bist ein
Dummkopf«, sagte sie. »Nun hat es Duro gegessen.«
»Soll er«, knurrte Branko. »Er hat es ja auch gestohlen.« Das
Mädchen blickte ihn einen Augenblick unwillig an. »Wir haben
es alle gestohlen. Merk dir das und komm jetzt. Wir müssen
gehen.« Pavle hatte inzwischen das Feuer ausgelöscht. Duro warf
die Knochen auf die Seite und sie gingen.
Diesmal war Zora an der Spitze. Sie rannte noch schneller als
Duro und nach einer halben Stunde waren sie vor der Burg.
Zora war bereits in der Höhle verschwunden, auch Pavle und
Duro, da drehte sich Duro noch einmal um und sagte zu Nicola:
»Vergiss nicht zum Bäcker zu gehen.«
Nicola nickte und wandte sich zu Branko: »Gehst du mit?«
»Wohin?«
»Wir holen Brot in der Stadt.«
»Stehlt ihr das auch?«
Nicola lachte: »Nein, das stiehlt ein anderer für uns.«
»Wer denn?«
Nicola lachte noch lauter: »Der Bäcker.«
Branko stieß Nicola in die Seite. »Du lügst!«
»Nein, nein, komm nur. Ich werde es dir erzählen.«
Die beiden schlichen den Hügel wieder hinab, krochen durch das
Bachbett des Potoc; es war tief und auf der anderen Seite ging es
noch steiler hinauf. Während sie so schlichen, sich gegenseitig
stützten oder zogen, erzählte Nicola seine Geschichte.
»Wir bekommen das Brot vom dicken Curcin.«
»Von dem«, unterbrach ihn Branko, »oh, den kenne ich auch.«
»Er ist mein ganz besonderer Freund«, fuhr Nicola fort. »Es
ist schon lange her. Ich glaube drei Monate, da stahlen wir bei
ihm noch das Brot. Einmal, ich hockte im Hausgang bei ihm
und wartete, bis er mit dem neuen Brot kam, war ich aber nicht
schnell genug und er erwischte mich. Ich dachte, nun ist es vorbei. Curcin wird mich erst beim Kragen nehmen, dann verprügeln, danach ruft er sicher nach Begovic, der verprügelt mich

noch einmal und ich werde eingesperrt. Aber Curcin sagte nur: ›Also, du bist der Dieb‹, sah mich eine Weile durchdringend an, dann meinte er: ›Nun, du siehst nicht so aus, als ob du aus Freude stiehlst. Geh einmal in meine Kammer, und sobald ich fertig bin, werde ich mit dir reden.‹

Ich fasste das natürlich so auf, wie unsereiner das auffasst. Ich dachte mir: Er will erst sein Brot fertig heraustragen oder inzwischen Begovic holen oder sich einen Stecken besorgen. Jedenfalls hatte ich seinen freundlichen Ton keinen Augenblick ernst genommen und mir war zumute wie allen Dieben, wenn sie beim Stehlen erwischt werden. Ich dachte auch gar nicht daran, ruhig zu warten, ich dachte nur daran, ob es wohl eine Möglichkeit gebe, aus dem Raum, in den er mich gesteckt hatte, wieder herauszukommen. Ich sah mich um. Es war ein alter Backraum, der jetzt eine Mehlkammer geworden war. Vor mir wölbte sich der große Ofen, rechts standen volle Mehlsäcke und links ein alter Backtisch und einige leere Säcke. Sonst waren nur noch die Tür, die verschlossen war, und ein kleines Fenster zu sehen. Das Fenster war sehr hoch und hatte ein Drahtgitter.

Ich äugte hinauf und glaubte, dass ich das Gitter auseinander zwängen könnte. Aber wie sollte ich hinaufkommen? Ich rüttelte an dem Backtrog, um ihn unter das Fenster zu schieben. Er war zu schwer. Ich wollte einen Mehlsack herbeischleppen, aber der war noch schwerer. Ich war ganz verzweifelt, und da der dicke Curcin ziemlich lange ausblieb, wurde ich es mit jeder Minute mehr. Auf einmal kam er. Ich dachte noch, ich könnte, wenn er hereinkäme, durch seine Beine sausen, aber er trat so schnell herein und machte die Tür so wenig auf, dass es unmöglich war. Dann drehte er sich um und schloss nun die Tür von innen zu. Dabei blinzelte er mich das erste Mal an und sagte: ›Das mache ich nicht wegen dir, sondern wegen meiner Frau.‹ Ich verstand aber auch das nicht und blieb weiterhin misstrauisch.

Er ließ sich auf einen Mehlsack nieder und rief mich zu sich. Ich kam langsam näher. ›Nun, mein Junge‹, sagte er, und wieder aufs Allerfreundlichste: ›Sag mir einmal, warum du immer mein Brot stiehlst?‹ Ich sagte, teils trotzig, teils ängstlich: ›Weil ich Hunger habe.‹ – ›Hast du keine Eltern?‹, fragte er weiter. ›Nein.‹ – ›Auch keine Großeltern?‹ Ich sagte wieder: ›Nein‹, und dann: ›Wir haben alle keine, auch die anderen, für die ich das Brot mitstehle.‹ – ›Was‹, sagte er, ›ihr seid mehrere?‹ – ›Vier‹, antwortete ich schon tapferer.

Er strich mit seinen breiten, weißen Händen ein paar Mal über das Gesicht, dann über die dicken Oberschenkel und darauf sagte er: ›Ja, du siehst wirklich nicht so aus, als ob du das Brot zum Vergnügen stiehlst. Ich will dir etwas sagen. Ich habe jeden Tag einen Korb altes Brot, das meine Frau Brozovic für seine Schweine gibt, und er gibt ihr dann manchmal eine Flasche Schnaps dafür. Was sie mit dem Schnaps macht, weiß ich nicht. Entweder trinkt sie ihn selber oder gibt ihn weiter. Ich bin der Meinung, ihr braucht das Brot nötiger als die Schweine. Ich stelle jetzt jeden Morgen den Korb hier herein. Punkt fünf. Von fünf Uhr an könnt ihr euch aus dem Korb so viel Brot herausnehmen, wie ihr wollt. Aber nur bis um sieben. Um sieben trägt ihn meine Frau zu Brozovic. Also verspätet euch nicht. Verstanden.‹«

Nicola sah Branko strahlend an. »Er gab mir sogar seine Hand. Seitdem holen wir uns jeden Morgen bei Curcin das Brot, und nicht nur immer altes.« Nicola drückte genießerisch ein Auge zu. »Manchmal, wenn das frische schon fertig ist, legt uns Curcin auch etwas von dem frischen hinein.«

Die Kinder waren an einer kleinen Mauer angekommen. Sie kletterten hinauf, mussten noch über ein Dach, dann ließen sie sich in einen Hof hinunter. Es war der Hof der Bäckerei.

»Geh jetzt leise«, mahnte Nicola Branko, »wir müssen durch das ganze Haus.« Er klinkte eine Tür auf und sie kamen in einen langen Gang, in dem es nach frischem Brot duftete.

»Hier ist es.« Nicola drückte eine zweite Tür auf und zog Branko hinein.

Der Raum war genau so, wie ihn Nicola geschildert hatte. Der Brotkorb war ein breites, langes Gestell, das voller alter Wecken, Brote und Küchenreste war.

Nicola schnupperte. »Siehst du?« Er hob eines der Brote hoch. »Das ist wieder ein frisches. Nun stopf dir die Taschen voll.« Die Buben waren gerade dabei, sich noch einige Brotlaibe zwischen Hemd und Haut zu stecken, als die Tür einen Spalt weit geöffnet wurde, jemand laut »Diebe! Diebe!« rief, die Tür wieder zuknallte, zweimal den Schlüssel umdrehte und weiter »Diebe! Diebe!« schrie.

Nicola sperrte den Mund auf und ließ vor Schreck die Brote, die er in der Hand hatte, fallen. »Das war die Meisterin«, sagte er kläglich. »Gott, das kann bös werden.«

»Ist sie so schlimm?«, fragte Branko, der weniger erschrocken war.

»Der Meister hat gesagt, sie sei schlimmer als der Teufel, und wir sollen uns ja nie von ihr erwischen lassen.«

»Was machen wir da?« Branko sah sich nach allen Seiten um.

»Nichts«, jammerte Nicola. »Wir können nichts machen.« Die Meisterin war inzwischen immer noch schreiend in die Backstube geeilt. »Curcin!«, schrie sie. »Hörst du nicht?«

Curcin antwortete: »Ich backe. Was ist denn?«

»Es sind Diebe in der Mehlkammer und ich schreie mir fast die Kehle aus dem Leibe und du kommst nicht.«

»In der Mehlkammer?«, wiederholte Curcin, der schon ahnte, wer in der Kammer war. »Was sollen sie in der Mehlkammer stehlen?«

»Du merkst natürlich nichts. Jeden Morgen ist ein Teil des alten Brotes weg. Ich wollte es erst nicht glauben. Ich dachte, wer stiehlt schon altes Brot in Senj? Dann dachte ich, es sei eine Katze, aber ich habe das Brot gewogen. Einmal waren es elf Pfund und am anderen Morgen neun. Zwei Pfund stiehlt auch die größte Katze nicht.«

»Vielleicht waren es Ratten«, meinte Meister Curcin und holte weiter das frische Brot aus dem Ofen.

»Ratten! Du Tropf, ich habe es dir doch gerade gesagt: Diebe sind es. Ich habe mich auf die Lauer gelegt. Sie sind über die Mauer gekommen. Ich habe es genau gehört. Ich habe auch die Mehlkammer einen Augenblick aufgemacht. Es sind zwei Kerle. Ich habe sie gesehen, wie ich dich sehe, dann habe ich schnell die Mehlkammer abgeschlossen und nach dir geschrien.«

Der Bäcker sagte: »Zwei hast du gesagt. Hm.« Er rieb sich die weißen Hände zuerst aneinander und später an den Hosen ab. »Da muss ich wohl einmal nachsehen.« $\quad$ 5

Er stieg langsam von seinem Ofen herauf und dabei überlegte er, wie er die beiden Buben, denn es konnten ja nur diese sein, ohne dass sie seine Frau zu Gesicht bekam, wieder aus der Mehlkammer befreien könnte.

Auf einmal rieb er sich die Hände eiliger. »Zwei hast du gesagt?«, $\quad$ 10 wiederholte er.

»Zwei! Zwei waren es! Zwei große, starke Kerle!«

»Hm.« Curcin blieb stehen. »Ist der Geselle da?«

»Nein. Das weißt du doch. Er ist um diese Zeit immer mit dem ersten Brot unterwegs.« $\quad$ 15

»Dann solltest du lieber erst bei Brozovic an den Laden trommeln und mir Hilfe holen. Zwei starke Kerle sind schließlich zu allem fähig.«

»Gern«, sagte die Frau. »Ich gehe schon.« Sie band sich schnell eine Schürze um, denn sie war nur in Hemd und Nachtjacke, und $\quad$ 20 rannte über die Straße.

Curcin schloss unterdessen eilig die Mehlkammer auf. Natürlich, am Backtrog standen die beiden Buben. Nicola hatte seine Brote wieder aufgehoben und sah Curcin kläglich an. Branko stand etwas ruhiger hinter ihm. $\quad$ 25

»Da sitzen wir ja schön in der Patsche«, sagte der Bäcker. »Über den Hof könnt ihr nicht hinaus, denn meine Frau hat schon die halbe Nachbarschaft aus dem Schlaf geschrien, über die Straße könnt ihr auch nicht. Was machen wir bloß?«

Auf einmal kam ihm ein Gedanke. Er kicherte und ging auf Zehenspitzen auf den Ofen zu. $\quad$ 30

»Vielleicht könnt ihr da hinaus. Ja, sicher«, strahlte er. »Das ist noch ein alter Kamin. Also nur Mut!« Er machte den Ofen weit auf.

Die beiden Buben zögerten, als sie den schwarzen Schlund sahen. $\quad$ 35

»Bei Begovic ist es bestimmt nicht schöner«, fuhr Curcin fort.
»Und mit dem Brot ist es dann auch aus. Also, hineinspaziert.«
»Wie sollen wir aber wieder herauskommen?«, fragte Nicola, der
noch immer etwas Angst hatte.
»Geht erst einmal hinein. Spürt ihr die frische Luft? Wenn ihr
drei Meter tief gekrochen seid, kommt der Kamin. Der ist so
breit, dass sogar ein Mann, wenn er nicht zu dick ist, hinaufkrie-
chen kann. Es sind Eisenklammern darin und oben ist er so weit
offen, dass ihr bequem hinauskriechen könnt. Ihr seid dann unmittelbar über dem Potoc. Rutscht das Dach hinunter und ihr
seid in Sicherheit.«
»Danke, Meister.« Branko schlüpfte schon in den Ofen hinein.
Curcin packte ihn an der Hose. »Halt, bist du nicht Branko?«
Branko verzog sein Gesicht. »Ja, der bin ich.«
»Bist du auch schon bei den Hungerleidern? Jossip hat mir doch
erzählt, sie hätten dich zu deiner Großmutter geschickt.«
»Die wollte mich nicht«, antwortete Branko. »Sie hat mich schon
am nächsten Tag hinausgeworfen.«
»Diese Hexe«, knurrte Curcin böse. »Der will ich es aber sagen.«
Unterdessen war auch Nicola in den Ofen gekrochen und der Bä-
cker machte die Klappe wieder zu.
»He«, hörten sie seine Stimme nochmals, er musste die Klappe
wieder geöffnet haben, »und kommt morgen auf demselben Weg
zurück. Meine Alte wird die Tür jetzt sicher abends abschließen.
Halt, ich glaube, es ist noch besser, ich stelle euch die Brote gleich
in den Ofen, dann müsst ihr gar nicht erst in die Mehlkammer
kommen.«
Curcins Frau hatte inzwischen heftig gegen Brozovics Laden ge-
trommelt.
Endlich tauchte das fuchsige Gesicht des Krämers auf. »Was ist
denn!«, schrie er. »Brennt's? Ich schlafe noch.«
»Diebe sind bei uns, Herr Brozovic, Diebe! Zwei Stück. Sie möchten kommen und meinem Mann helfen.«
»Diebe, Frau Curcin?« Er erkannte sie erst jetzt. »Zwei Stück.«
Und da ruft ihr ausgerechnet mich, einen alten Mann. Wisst ihr

nicht, dass wir dazu die Polizei haben. Ein halbes Dutzend Gendarmen in Senj, die wir alle von unserm Geld bezahlen. Rennt auf die Wache oder wartet, ich schicke meinen Jungen.« Und er zog sein Gesicht wieder zum Fenster herein.

In der Zeit war aber schon der bucklige Schuster auf die Straße getreten, auch ein paar Fischer, die vom Nachtfang kamen, und einige andere Leute hatten sich versammelt.

»Kommt nur«, sagte der Schuster. »Ich habe mehr Mut. Ich und Ihr Mann werden die Diebe schon fangen.«

»Wir gehen auch mit«, sagten die Fischer. »Dem dicken Curcin tun wir gern einen Gefallen.«

Es waren mit zwei Nachbarsfrauen im Ganzen acht, die mit Knüppeln und Stöcken bewaffnet in die Bäckerei eindrangen.

»Gott!«, schrie die Curcin auf einmal laut. »Die Tür steht offen. Mein Mann ist allein hineingegangen. Und wie still es ist. Hoffentlich ist ihm nichts passiert.«

Da stand Curcin auf der Schwelle. »Ich lebe noch«, lächelte er, »und deine Diebe haben sich davongemacht. Jedenfalls habe ich nichts mehr von ihnen finden können.«

»Ich schwöre aber«, die Curcin hob die rechte Hand, »ich habe sie gestanden sie. Hier am Backtrog. Der eine war klein. Der andere war dicker und größer. Ich habe sogar gesehen, dass sie Brote in den Händen hatten.«

Die Menschen waren alle hinter der Meisterin eingedrungen und blickten sich um.

»Hm«, machte der Schuster, »hier scheinen sie tatsächlich nicht mehr zu sein.«

Der eine Fischer sah unter den Backtrog. »Hier ist auch keiner.«

»Ob sie sich in den Säcken versteckt haben?«, meinte eine Frau und versuchte einen hochzuheben.

»Die sind zu schwer«, lachte der Meister, »die bringt nur ein richtiger Bäcker weg, Fräulein.«

»Ho«, machte da der Schuster, der ein pfiffiger Kerl war, »vielleicht sind sie durch den Backofen davon.«

Er versuchte die Tür aufzumachen. »Sie geht ganz leicht auf.

Sehen Sie!«, schrie er. »Hier sind Spuren, Meister.« Er zeigte auf den Ruß, in den Hände und Füße eingedrückt waren.

Alle drängten sich heran.

»Das waren sie«, sagte die Curcin richtig erleichtert.

Der Meister fuhr sich über das Kinn.

»Ihr könntet Recht haben.« Er schob die anderen auf die Seite und kroch ein Stück in den Ofen hinein. Er horchte dabei. Es war aber nichts mehr zu hören. Die Kinder waren wohl schon in Sicherheit.

»Man sieht es noch ganz deutlich«, meinte er, als er wieder herauskam, »sie sind tatsächlich durch den Ofen davon und bereits über alle Berge.«

»Ach«, klagte die Meisterin, »und ich dachte, ich hätte sie. Jeden Tag stehlen sie uns ein paar Wecken und Brote.«

Inzwischen war auch Begovic gekommen. Die Mütze saß schief auf seinem Kopf. Seine Jacke war noch nicht zugeknöpft und der Knüppel baumelte auf der falschen Seite. Er schob die Anwesenden auseinander. »Bei Ihnen ist gestohlen worden, Curcin?«, schnarrte er.

»Ja, aber nichts Schlimmes; altes Brot.«

Seine Frau schlug die Hände über dem Kopf zusammen. »Nichts Schlimmes nennt er das.«

Begovic zwirbelte seinen Bart: »Habt Ihr die Diebe?«

»Beinahe, Herr Wachtmeister.«

Die Curcin zog ihn ganz in die Mehlkammer. »Ich hatte sie hier eingeschlossen.«

»Und wo sind sie jetzt?«

»Durch den Backofen davon«, antwortete Curcin.

»Das muss ich mir einmal ansehen«, sagte Begovic gewichtig.

»Bitte.« Curcin ließ Begovic mit einem verlegenen Grinsen vorbei.

»Mich müsst ihr aber jetzt entschuldigen«, sagte er noch. »Ich muss mich um mein Brot kümmern, sonst hat die halbe Stadt heute nichts zu essen und das ist die Geschichte nicht wert.«

»Geh nur«, meinte seine Frau aufgeregt, »ich werde es dem Herrn Gendarm zeigen.«

Die Buben waren tatsächlich schon lange davon. Der Feuerraum, durch den sie kriechen mussten, war ungefähr einen halben Meter hoch und sie kamen gut bis zu dem Kaminloch. Auch der Kamin war breit genug, sodass sie ohne Schwierigkeiten hindurchkamen. Oben lockerten sie ein paar Ziegel, damit die Öffnung, durch die sonst nur der Rauch drang, breiter wurde, dann traten sie auf das Dach.

»Was machen wir nun?« Branko spähte das Dach hinunter.

»Curcin hat gesagt, wir sollen einfach hinunterrutschen«, sagte Nicola, der seinen Humor wieder gefunden hatte, und meinte: »In der Hölle waren wir schon, wir können also nur noch in den Himmel kommen.«

Sie hockten sich nieder.

»Gib mir deine Hand«, sagte Nicola noch, aber Branko rutschte schon über das Dach hinaus und sauste in die Tiefe. Er fiel in das Bachbett des Potoc auf einen Lumpenhaufen. »Lebst du noch?« Nicola äugte zu ihm hinunter.

»Ja, ja, komm nur. Ich bin ganz weich gefallen.«

Einen Augenblick später fiel Nicola neben ihn.

Die Buben rafften eilig das Brot zusammen, das ihnen bei der Rutschfahrt aus den Taschen gefallen war, kletterten das steile Bachbett hinauf und fünf Minuten später krochen sie durch ihren Gang.

Als sie in der Burg ankamen, war es schon beinahe sechs und die Sonne schien herein.

»Wie seht ihr denn aus?«, lachte Zora.

«Wir?« Branko wischte sich über das Gesicht.

«Ja, ihr.« Zora lachte noch lauter. Auch Pavle und Duro lachten. Sie blickten sich an. Jetzt merkten sie erst: Der Ruß saß ihnen nicht nur an den Händen und Füßen, sondern auch am Hals und im Gesicht. Sie waren in Curcins Kamin schwarz wie die Neger geworden.

Der alte Gorian

Die Bande verbrachte den ganzen Tag im Turm. Duro drehte den anderen den Rücken und las in einem Buch, das Nicola einmal gefunden hatte. Pavle hockte auf seinem Lager und schnitzte aus festem Holz Löffel. Nicola war bei seinen Tauben und Zora saß oben auf ihrer Empore und nähte.

Branko setzte sich eine Weile neben Pavle und ließ sich im Schnitzen unterweisen, worin der sonst ungeschickte Junge eine große Fertigkeit zeigte; dann kroch er allein in der Burg herum, stieg erst hinunter in die Keller und dann hinauf bis auf den Zinnengang. Als er gegen Abend zurückkam, saß noch immer jeder für sich auf seiner Matte und die gedrückte Stimmung, die sich seit dem Krach wegen des Huhnes über die Bande gelegt hatte, war noch nicht gewichen.

Gegen neun stand Pavle auf und sagte: »Ich hole Wasser.« Duro hängte sich zwei Blechbüchsen um und ging mit.

Einen Augenblick später kam Zora von ihrem Lager herunter, trat neben Branko und sagte: »Willst du noch immer zu Karaman gehen?«

Branko nickte. »Ich stehle ihm zwei Hühner und bringe sie Gorian.«

»Ich begleite dich«, sagte Zora.

»Warum?« Branko sah auf.

»Ich begleite dich«, sagte Zora noch einmal, »das genügt.«

Die beiden Kinder gingen diesmal einen anderen Weg. Von der Wendeltreppe gelangte man, wenn man ein paar Steine auseinander schob, unmittelbar auf die frühere Haupttreppe, die vom Hof bis hinaus auf den Söller führte.

»Die gehen wir aber nur bei Gefahr oder wenn wir es eilig haben«, erklärte das Mädchen.

Der Hof war ein kleiner, viereckiger Schacht. Die dicken Mauern fielen wie Felswände in ihn hinunter. Der Brunnen, der genau in der Mitte des Vierecks stand, war leer. Zora warf einen Stein hinein. Es dauerte lange, bis er unten aufschlug.

Ein Tor schloss den Hof ab. An dem unteren Teil waren zwei lose Bretter. Zora schob sie auseinander und sie schlüpften hinaus.

Die Kinder bogen gleich hinter der Burg in eine Schlucht. Der Hof des reichen Karaman lag am Ausgang der Schlucht, da, wo das spärliche Wasser, das durch die Schlucht rann, ins Meer floss. Zora wollte sich in Trab setzen, aber Branko hielt sie an. »Wir haben noch Zeit«, meinte er. »Karaman geht sicher nicht vor elf ins Bett und wir sind, auch wenn wir langsam gehen, in einer Stunde dort.«

Sie gingen nebeneinander. Zora war immer einen halben Schritt voraus. Das Mädchen hatte ein fremdes, etwas starres Gesicht. »Sie trotzt sicher noch«, dachte Branko, »aber es ist doch anständig, dass sie mitgegangen ist.«

An einem kleinen Hang blieb sie stehen und schnupperte. »Hier muss es Aprikosen geben.«

Branko zog auch Luft durch die Nase. »Ich rieche nichts.«

»Bestimmt«, sagte sie. »Komm, wir klettern ein Stück hinauf.«

Das Mädchen hatte Recht, auf der Höhe stand eine Reihe Aprikosenbäume. Es war heute dunkler als in der vergangenen Nacht. Der Mond hing hinter einem Schleier.

»Hoffentlich gibt es auch Früchte«, sagte Branko skeptisch.

Zora schnupperte wieder. »Die Früchte duften, nicht die Bäume.«

Sie tasteten in die Blätter. Da waren Aprikosen, große, weiche Früchte. Sie pflückten mehrere und bissen hinein.

Die Schlucht wurde breiter. An den Hängen lagen einige Feldstücke. Sie waren, wie hier alle Felder, mit Steinmauern eingezäunt, um sie vor der Bora zu schützen.

Nach einigen hundert Metern sahen sie ein Licht.

Branko zeigte darauf. »Das ist der Hof von Karaman. Siehst du, der Bauer ist noch wach.«

Sie kletterten wieder ein Stück den Hang hinauf und hatten den Hof jetzt direkt unter sich. Es war ein großes Häuserviereck. Der lange, einstöckige Wohnbau lag dem Meer zu, auf beiden Seiten gliederten sich der lang gestreckte Stall und die Scheunengebäude an. Eine hohe Mauer schloss die hintere Front ab.

Im milchigen Halbdunkel sah der Hof wie eine Festung aus. Alle Konturen waren verschwommen und auch die Bäume, die innerhalb und außerhalb des Viereckes standen, glichen eher großen, gespenstischen Gestalten als ehrenwerten Pflaumen-, Birnen- und Apfelbäumen.

Die Kinder sahen auf den Hof hinunter. Auf einmal fasste Zora Branko bei der Hand. »Siehst du, dort am Baum, den Hund?« Branko sah ihn jetzt auch. Er stand unter einem riesigen Birnbaum und sah herauf. Einige Sekunden später setzte er sich in Bewegung und kam auf sie zu.

Branko hatte seit ihrem Aufbruch keinen Gedanken für den Hund gehabt. Auch in der Nacht vorher, als Duro den Hund erwähnte, war für ihn das Tier nichts weiter gewesen als einer von den vielen Kläffern, die er kannte und die, wenn man mit einem Stein nach ihnen warf, den Schwanz einzogen und davonjagten. Karamans Hund war kein »Kläffer«, sondern ein großer, ausgewachsener, braun gefleckter Wolfshund. Als er nun, manchmal langsam, manchmal schneller, auf sie zulief, machte Branko ein genauso erschrockenes Gesicht wie Zora.

Der Bub hatte außer dem Sack für die Hühner nichts bei sich, mit dem er einem so großen Hund entgegentreten konnte. Nicht einmal einen Stein oder einen Knüppel.

Er sprang auf; auch Zora hatte sich erhoben. Ihr Mund stand offen und sie lehnte sich ängstlich an ihn.

»Ich glaube, wir müssen ausreißen«, stammelte Branko.

Zora schüttelte den Kopf. »Das wäre das Dümmste. Er hat uns schon, bevor wir am nächsten Baum sind.«

Der Hund war kaum noch dreißig Meter von ihnen entfernt. Er bog um ein Gebüsch und sie sahen ihn nun ganz genau. Es war ein stattlicher, schöner Hund mit einem spitzen, edlen Kopf, einem prächtigen, schlanken Körper und festen, hohen Beinen.

»Er hinkt ja!«, rief Branko aufatmend.

Auch Zora wurde mutiger. »Und er wedelt mit dem Schwanz.«

Branko hatte einmal gehört, dass der reiche Karaman seinen Hund »Leo« rief. Er ging dem Tier entgegen. »Leo«, sagte er, »Leo.« Der

Hund hinkte wirklich, er kam aber, als er seinen Namen hörte, noch schneller auf Branko zu. Er ließ sich sogar von ihm streicheln.

Zora kam auch heran.

Branko lachte: »Vor dem Hund hast du nun Angst gehabt!«

»Mach dich nur nicht tapferer, als du bist«, fauchte ihn Zora an.

»Eben hast du noch mehr gezittert als ich.«

Der Hund ließ sich auch von Zora streicheln, dabei jaulte er und legte sich auf den Rücken.

»Was hat er wohl?«, fragte Branko.

»Er wird etwas an der Pfote haben. Sieh nur, wie er sie hochhebt.« Zora fasste schon nach dem Bein, das der Hund besonders behutsam von sich fortstreckte.

Das Mädchen tastete sich nach der Pfote hinauf. Der Hund jaulte wieder, aber er wedelte dabei noch heftiger mit dem Schwanz.

»Ich kann leider nichts sehen«, sagte Zora.

Branko fasste in die Tasche. »Ich zünde ein Streichholz an.«

In dem hellen Licht sahen sie, dass der Hund sich einen Scherben in den Ballen getreten hatte, außerdem musste das Tier den Ballen schon einige Male hin und her gewetzt haben, um den Scherben herauszubringen, denn die Wunde war breit und blutete.

Zora setzte sich. »Gib mir das Bein auf den Schoß.«

Branko versuchte das Tier zu ihr hinüberzuschieben, aber der Hund sprang von selber auf und legte die Pfote in ihren Schoß.

»Leuchte wieder.«

Branko, der nur noch drei Streichhölzer hatte, zündete einen kleinen Span an.

Zora versuchte den Scherben mit einem Stück Tuch zu fassen. Es war gar nicht so einfach. Er saß recht tief. Der Hund zuckte oft hin und her, jaulte aber nicht mehr, er sah Zora nur groß an, während sie an dem Splitter zog.

»Da ist er.« Zora atmete auf und hielt das Stück Glas hoch.

Der Hund warf den Kopf in die Höhe und versuchte nach dem Scherben zu schnappen, dann setzte er seine Pfote vorsichtig auf. Er jaulte noch einmal, aber er spürte wohl, dass der Schmerz ge-

ringer wurde, denn er setzte die Pfote immer wieder auf die Erde.
»Ich werde ihm die Wunde am Wasser noch auswaschen«, sagte
Zora.
Branko nickte. »Ich gehe in der Zeit zum alten Karaman hinunter.« Er sagte es leise, als wolle er verhindern, dass es der Hund
verstünde.
»Komm, Leo!« Zora sprang auf und fasste den großen Hund am
Halsband. Leo ging auch willig mit.
Branko schritt unterdessen auf das Haus zu. Er sah nach dem
Licht. Es war erloschen. Sie hatten Glück. Karaman war inzwischen zu Bett gegangen.
Das schwere Tor war verriegelt. Es war gut, dass Branko das Haus
vorher von oben gesehen hatte. Er umging es und kletterte hinten über die Mauer.
Der Hof war so milchig wie alles in dieser Nacht. Er sah aber den
Misthaufen, ein Taubenhaus und rechts eine Leiter, die wohl zu
dem Hühnerstall führte.
Er öffnete die Tür darunter. Ja, hier waren Hühner. Er roch es.
Einen Augenblick später leuchtete sein vorletztes Streichholz auf.
Er hatte bestimmt nicht zu viel gesagt: Der ganze längliche Raum
war voll Federvieh. Er packte die beiden vordersten Tiere, stopfte
sie in seinen Sack und verschwand wieder.
Zora saß immer noch mit dem Hund am Wasser.
»Ich bin zurück!«, rief Branko zu ihr hinunter.
»Hast du die Hühner?«
»Hm«, macht der Bub nur.
»Lass sie oben und komm herunter.«
Branko legte den Sack hinter einen Baum und rutschte hinab.
Zora hatte dem Hund einen Lappen um die Pfote gebunden.
Jetzt fütterte sie ihn mit einem Rest Brot, den sie in ihrem Rock
gefunden hatte. »Fühl nur«, sagte sie, »wie mager das Tier ist.«
Branko war es schon aufgefallen. Das große, gefleckte Tier sah
wirklich recht elend aus. »Ich habe auch noch ein Stück Brot«,
sagte er und nahm es aus der Tasche.
Der Hund schnüffelte schon, steckte aber erst den Kopf unter

Brankos Hände, dann nahm er das Brot und zermalmte es zwischen den Zähnen.

Zora machte sein Maul auf. »Der hätte uns schön zugerichtet«, meinte sie, »wenn er nicht einen Scherben in der Pfote gehabt hätte.«

Branko sagte wieder nur: »Hm.«

Der Hund stand nun auf und sprang ein paar Mal um sie herum. Es ging schon besser, obwohl er noch immer hinkte.

»Was machen wir aber nun mit ihm?«, fragte Branko.

»Ich habe mir das auch überlegt. Er wird mitkommen, wenn wir gehen.«

»Hast du noch ein Stück Brot?«

Zora zeigte es.

»Gib es her. Ich werfe es weit über den Bach, dann rennen wir im Wasser bis zum Meer. Bis der Hund das Brot gefunden hat, sind wir unten und im Wasser kann er unsere Spur nicht verfolgen.«

»Ich werde es werfen«, sagte Zora. »Hol du inzwischen den Sack oder willst du ihn oben liegen lassen?«

Branko kratzte sich. Die Hühner hatte er schon wieder vergessen. Zora tauchte das Brot vorher noch ins Wasser. »Spring, Leo!«, rief sie und warf das Brot, so weit sie es werfen konnte. Leo setzte vorsichtig über das Wasser hinweg und verschwand in der Dunkelheit. Zu gleicher Zeit rannte Zora den Bach hinunter. Branko, der einen Bogen gemacht hatte, war schon fast am Meer.

»Kommt er?« Der Bub lauschte.

»Sei doch still«, zischte Zora ärgerlich. »Ein Hund hört viel besser als ein Mensch.«

Sie rannte weiter. Erst als sie schon eine Weile, meistens im Wasser oder über Klippen und Steine, am Meer entlanggesprungen waren, blieb Zora hinter einem Felsen stehen. »So«, sagte sie, »nun wollen wir lauschen.«

Sie hörten den Hund, aber weit entfernt. Er bellte ein paar Mal auf. Nicht wütend, wie sonst Hunde bellen, sondern beinahe traurig.

»Ich glaube, er kommt uns nicht nach«, meinte Branko.

»Ich glaube es auch nicht.« Zora wischte sich die Haare aus dem Gesicht. »Aber wir sollten weiterlaufen.«

Die Kinder rannten jetzt knapp bis an die Bucht, wo die Hütte des alten Gorian stand. Da, wo sie sich in der Nacht vorher getrennt hatten, blieb Branko stehen.

»Du solltest hier bleiben«, meinte er. »Ich gehe lieber allein.« Zora schüttelte den Kopf. »Ich gehe mit. Ich war ja auch schon dort und kann dir zeigen, wo der Hühnerstall ist.«

»Oh«, Branko tat überlegen. »Ich kenne beim alten Gorian jede Ecke.«

»Ich gehe trotzdem mit«, sagte Zora bestimmt.

Im Haus war es wieder dunkel und still. »Heute sind sie aber nicht draußen.« Zora zeigte auf den Strand. »Da liegen die Boote.«

»Gorian wird schlafen«, beruhigte sie Branko. »Er ist ein alter Mann und er geht, wenn er nicht fischen muss, immer früh ins Bett.«

Sie drückten die Tür auf und traten in den Stall. Gestern hatte der Mond in den kleinen Raum geschienen, heute war es stockdunkel.

»Sei vorsichtig«, zischte Zora, »hier rechts muss die Ziege sein.«

Branko zischte zurück: »Ich habe den Sack schon offen.«

In dem Augenblick schnappte hinter ihnen ein Riegel zu und und gleichen Moment flammte ein Licht auf.

»Ich habe es dir doch gesagt, dass sie heute wieder kommen, Andja«, sagte eine tiefe Stimme hinter ihnen. »Diebe kommen immer zweimal, besonders, wenn sie das erste Mal nicht alles gestohlen haben.«

Zora fasste sich ans Herz, so erschrocken war sie. Auch Branko stockte einige Sekunden der Atem. Er hatte die Stimme erkannt, es war der alte Gorian. Das Mädchen hatte sich schon wieder in der Gewalt. Sie sah sich nach allen Seiten um. Die Tür war zu. Das Schnappen des Riegels saß ihr noch im Ohr, aber es war noch ein Fenster da. Vielleicht konnten sie durch das Fenster entkommen. Sie sprang hinüber, aber das Fenster war auch zu.

Der alte Gorian hatte es beobachtet. »He, he«, lachte er auf. »Siehst du, Andja, jetzt wollen sie durch das Fenster. Nein, nein, wenn wir Diebe fangen, machen wir vorher auch die Fenster zu.«

Zora sah sich nun nach dem Mann um. Wo saß er überhaupt? Sie hatte ihn noch nicht gesehen. Und mit wem sprach er? Vielleicht war seine Frau mit im Stall. Ihre Augen suchten den ganzen Raum ab, der von dem Licht – es war eine einfache Pechfackel, wie sie die Fischer auf dem Wasser verwenden – nur notdürftig erleuchtet wurde.

Sie sah aber außer Branko, der noch immer erschrocken mitten im Stall stand, nur die fünf Hühner auf der Stange und die Ziege. Da drehte sich die Ziege um und blickte sie an. Im gleichen Augenblick wurde hinter ihr das bärtige Gesicht eines Mannes sichtbar. »Ja, ja, Andja«, sprach der Alte weiter, »sieh dir nur die beiden Diebe an. Der eine ist ein Bursche und der andere ein Mädchen. Ech, ech.« Er hustete auf. »Nicht wahr, es sind dieselben, die gestern in deinem Stall waren?« Er lachte wieder. »Sie konnten ja nicht wissen, dass du als mein Wächter hier warst. Hast brav gemeckert«, er streichelte der Ziege über den Rücken, »aber ich war zu weit draußen, und als ich kam, waren sie schon mit dem Huhn davon. Aber«, er lachte lauter, »der alte Gorian hatte Recht. Sie sind wieder gekommen, und diesmal haben wir sie.« Er erhob sich. »So, Andja«, sagte er noch, »und nun wollen wir uns die Diebe einmal ansehen.«

Wie er so langsam aufstand, der große Kopf, das graue Haar darum, die hellen Augen ernst, ja zornig auf die Kinder gerichtet, die breite Gestalt, die durch das Licht noch breiter wurde, in der vorgeschobenen Hand einen tüchtigen Knüppel, sah er aus wie ein Riese, der sich plötzlich aufrichtet.

Zora wurde noch aufgeregter und rannte schneller hin und her. Sie hatte in diesem Augenblick keine Angst mehr, sondern wollte nur gegen die ankommende Gefahr etwas tun. Sie schlug nach dem Licht. »Ich werde es ausblasen«, dachte sie, »dann ist es dunkel und er sieht uns nicht mehr.«

Der Alte lachte wieder. »He, he! Siehst du, Andja, das habe ich mir auch gedacht, deswegen habe ich eine Pechfackel genommen. Blas nur, Mädchen, blas, eine Pechfackel bläst du nicht aus.«

Zora sah es schon ein. Ja, je wilder sie auf die Fackel blies, umso heller und größer brannte sie.

»Nehmen wir den Buben zuerst, Andja?«, fragte der alte Gorian.

»Sicher, wir nehmen den Buben«, und bevor Branko, der die ganze Zeit mit offenem Mund und wie gelähmt auf den Alten gestarrt und auf das Gespräch mit der Ziege, die er übrigens auch kannte, gelauscht hatte, sich wehren konnte, packte ihn Gorian, steckte ihn zwischen die Beine und gleich darauf sauste der Stecken auf seine Hinterbacken herunter.

»Au!«, schrie Branko, der durch den Schmerz schneller wieder auf die Erde kam, als ihm lieb war. »Au, au!«, und er versuchte sich aus den Knien des Alten zu befreien.

Vater Gorian hieb aber ruhig weiter.

»Au, au!« Branko schrie immer kläglicher.

»So«, sagte der Alte endlich und seine Knie lockerten sich. »Ich glaube, er hat genug, Andja, und nun soll auch das kleine Fräulein ihren Teil haben.«

Branko hatte die letzten Schläge kaum noch gespürt. Ja, der Schmerz hatte ihn beinahe betäubt, und als ihn der Alte jetzt freiließ, taumelte er nur zurück und fiel ins Stroh. Die Worte des Alten, dass jetzt auch Zora verprügelt werden sollte, brachten ihn aber sofort wieder zur Besinnung. »Nicht!«, schrie er unter Tränen. »Nicht! Das Mädchen dürft Ihr nicht schlagen!«

»Hörst du, Andja«, sagte der Alte, der sich inzwischen – das Prügeln hatte ihn angestrengt – auf einen Eimer gehockt hatte. »Unser Dieb ist sogar ein Kavalier. Das ist nicht jeder Spitzbube. Sehen wir ihn uns einmal näher an.« Er packte Branko wieder und zog ihn hoch.

Branko hatte noch immer das Gesicht voller Tränen. Er versuchte sie abzuwischen und mit der anderen Hand hielt er seine Hinterseite, die langsam wie Feuer brannte. »Nein«, stammelte er wieder, »das Mädchen dürft Ihr nicht schlagen.«

Gorian hatte inzwischen seine Fackel geholt, riss Brankos Hand vom Gesicht und leuchtete den Jungen an.

»Du bist es, Branko? Du bist es?« Er ließ die Hand des Jungen wieder los. »Siehst du, Andja«, sprach er etwas gedämpfter, »gestern haben wir noch darüber gesprochen, wir sollten uns nach Milans Buben umsehen und ihn vielleicht ins Haus nehmen. Man soll nie voreilig sein, merk dir das, Andja. Da hätten wir uns ja einen schönen Spitzbuben ins Haus geholt.«

»Ich bin kein Spitzbube«, sagte Branko das erste Mal fester und stampfte trotz seiner Schmerzen auf. »Ich bin keiner und das Mädchen auch nicht.«

»Hör dir das an, Andja«, lachte der Alte. »Hör dir das an«, und etwas lauter: »Und wer hat mir gestern mein Huhn gestohlen? Und wer hat eben gesagt: ›Ich habe den Sack schon aufgemacht.‹?«

Branko, der endlich seine Sprache und auch seinen Mut wieder fand, antwortete: »Wir wollten keine Hühner stehlen. Wir haben Euch zwei Hühner gebracht und ich habe den Sack nur aufgemacht, um die Hühner herauszulassen, dann wollten wir wieder gehen.«

Nun hatte der Alte den Mund offen. Er stand auf. »Ihr habt mir Hühner gebracht?« Er hob die Fackel höher und sah sich um. Auch die Ziege drehte ihren Kopf, als habe sie wieder alles verstanden.

Der Alte hätte die Fackel beinahe fallen lassen. Tatsächlich, in der linken Ecke des Stalles hockten zwei Hühner. Sie schmiegten sich fest aneinander und als jetzt das volle Licht auf sie fiel, gackerten sie leise.

Der alte Gorian sah erst noch einmal hinauf auf die Stange, da oben saßen die fünf anderen Hühner, dann sah er wieder auf die beiden in der Ecke. Auch die Ziege sah sie an, sie meckerte diesmal etwas lauter als sonst.

Der alte Mann fiel auf seinen Eimer zurück. »Aber«, und diesmal sprach er nicht zu seiner Ziege, »warum hast du mir das nicht gesagt, bevor ich dich verprügelt habe, du dummer Junge?«

»Ich wollte es ja«, stotterte Branko, »aber bevor ich den Mund auftun konnte, hattet Ihr mich schon zwischen den Knien. Außerdem«, er zögerte etwas, »waren wir wirklich gestern da und haben ein Huhn gestohlen.«

»Hm«, Gorian schnäuzte sich, »und dann hat dich heute das böse Gewissen gepackt, dass du den alten Gorian um eines seiner Hühner gebracht hast, und du wolltest eure Dieberei wieder gutmachen?«

Branko schüttelte den Kopf. »Ich musste aufpassen und wusste gar nicht, dass das Huhn bei Euch gestohlen wurde. Als ich es später erfuhr, habe ich gleich gesagt, ich bringe dem Vater Gorian sein Huhn wieder zurück. Da töteten sie es schnell, rupften und brieten es, und bevor ich mich versah, war es auch schon gegessen. Ich habe aber nichts davon genommen und gesagt: ›Nein, ich esse nicht von diesem Huhn‹, und dann habe ich geschworen, ich bringe Euch dafür zwei andere Hühner in den Stall.«

»Hm«, machte der Alte wieder, »und das Mädchen ist dazu mitgekommen?«

»Das ist die rote Zora«, sagte Branko stolz. »Ich gehöre jetzt zu ihrer Bande.«

Der alte Gorian schnäuzte sich aufs Neue. »So, so.« Er zog Zora zu sich heran. »Du bist die rote Zora. Ich habe schon allerlei von dir und deiner Bande gehört. Nicht viel Gutes. Ihr treibt euch in den Feldern herum und lebt von Diebstahl.«

Zora sah den Alten ruhig an. »Wir nehmen nur, was wir brauchen.«

Gorian wandte sich wieder an seine Ziege. »Die spricht genauso wie du, Andja. Du nimmst dir auch nur, was du brauchst. Nicht?«, und er klopfte ihr den Rücken.

»Määä«, machte die Ziege und blickte zu ihm auf.

Gorian wandte sich erneut an das Mädchen. »Ihr seid aber keine Ziegen. Ihr seid junge Menschen und ihr solltet irgendwo hingehen und etwas Besseres anfangen.«

»Uns will aber niemand«, antwortete Zora trotzig.

Der Alte stieß Branko an: »Dich auch nicht?«

Branko schüttelte den Kopf: »Sie haben mich zu meiner Großmutter geschickt.«

Gorian lachte leicht. »Und was hat sie gesagt?«

»Ich soll stehlen gehen.«

»Und du hast ihren Rat befolgt?«

Der Bub wurde rot und nun erfuhr Gorian auch die andere Geschichte.

Von dem in die Gosse gefallenen Fisch. Dass der reiche Karaman Branko verhaften ließ. Seine Flucht mit Hilfe Zoras aus dem Gefängnis. »Und«, schloss Branko, »nun gehöre ich zu ihrer Bande.«

»Hm«, machte der Alte nach einer Pause, in der er lange vor sich hingesehen hatte, »wie viel seid ihr denn?«

»Fünf«, antwortete Branko.

Der Alte kratzte sich hinter dem Ohr. »Fünf. Das ist mir zu viel. Zwei hätte ich vielleicht genommen.«

Wir wären auch gar nicht gekommen«, sagte Zora an Brankos Stelle trotzig. »Wir sind eine richtige Bande, die Uskoken, und wohnen ...«

In dem Augenblick schlug sie sich auf den Mund.

»Ich kann mir schon denken, wo ihr wohnt. Wahrscheinlich in einer Scheune oder in einem Stall, aber fünf«, der alte Gorian kratzte sich wieder hinter dem Ohr, »nicht, Andja, fünf sind wirklich zu viel.«

Da bückte er sich. Die beiden neuen Hühner waren aus ihrer Ecke gekommen und scharrten unter ihm im Sand. Er packte das eine und hob es hoch. Es war ein junges, mageres Hähnchen. »Ha, ha!«, lachte er. »Das Vögelchen haben sie mir für unsere dicke Henne mitgebracht, Andja.«

»Dafür sind es auch zwei.« Branko hob das andere Tier hoch. Es war gleichfalls ein junger Hahn und genauso mager wie der andere.

»Na«, fuhr der Alte fort, »ein guter Tausch ist es nicht. Wo habt ihr sie denn her?«

»Vom reichen Karaman«, sagte Branko zögernd.

»Hm, und der hat sie euch einfach gegeben?« Gorian blinzelte erst Branko und dann Zora an.

Branko sagte: »Wir haben sie genommen.«

Gorian tippte ihm wieder gegen die Brust, dann strich er sich über den Bart. »Hörst du das, Andja, sie haben sie genommen, und eben hat er noch geschrien: ›Ich bin kein Dieb.‹«

»Oh«, antwortete Branko. »Ich war selber im Stall. Es waren viele da. Ich glaube, ein paar Hundert.«

Der Alte schmunzelte: »Ich glaube, so hätte dein Vater auch gesprochen, Branko, und auch dein Großvater, den ich noch gekannt habe, aber ob du nun einem, der tausend Hühner hat, ein Huhn stiehlst, oder einem, der nur sechs hat, Diebstahl bleibt Diebstahl.«

»Nein«, sagte Branko und auch Zora schüttelte den Kopf.

Zora fügte noch hinzu: »Auf dem Markt haben sie außerdem gesagt, Karaman sei selber ein Spitzbube.«

Der Alte bewegte seinen Kopf missbilligend hin und her. »Trotzdem habt ihr kein Recht bei ihm zu stehlen, sonst hätte ja auch jeder das Recht bei euch zu stehlen, denn ihr seid genau solche Spitzbuben wie er.«

»Ich würde mich schon zur Wehr setzen.« Branko machte eine Faust.

»Ich auch.« Zora zeigte ihre Zähne.

»Nun, darauf könnt ihr euch verlassen, meinte Gorian, »Karaman setzt sich auch zur Wehr. Aber nicht selber. Er wird, wenn er morgen früh sieht, dass ihm zwei Hähne fehlen, und er sieht es sicher, denn der alte Geizhals zählt den Tag über mindestens dreimal alles, was er besitzt, nach Senj gehen und es der Polizei melden. Übermorgen gehen dann überall die Gendarmen herum, schnüffeln in alle Bratküchen, in alle Hühnerställe, kommen sicher auch zu mir und fragen: ›Gorian, gehören die kleinen Hähne da dir?‹ Und ich werde weder ja noch nein sagen können, denn wenn ich ja sage, werden sie doch Karaman erzählen, dass sie nur bei mir zwei Hähne gesehen haben, und wenn ich nein sage, werden sie mich mitsamt den Hähnen gleich mitnehmen und mich zwei oder drei Monate einsperren.«

Die Kinder waren nach der langen Rede des Alten recht still geworden und sahen betrübt vor sich hin.

»Na«, Gorian stieß sie diesmal beide an, »was sagt ihr nun?«

»Man könnte sie vielleicht gleich schlachten«, schlug Branko vor. Zora klatschte in die Hände. »Und am Spieß braten wie gestern Abend. Ich kann das wie kein anderer«, und sie hatte schon den einen Hahn hochgehoben und wollte ihm den Kopf abdrehen.

»Halt«, sagte der Alte aufgeregt, »halt. Nein, auch aus dem Braten wird nichts. Der alte Gorian hat noch nie etwas Gestohlenes gegessen und es würde ihm auch heute nicht schmecken.«

Er wandte sich an Branko: »Wo hast du deinen Sack?«

Branko suchte ihn. Er lag hinter ihm.

Der alte Gorian nahm ihm den Sack ab.

»Gib den Hahn her«, sagte er zu Zora und stopfte ihn in den Sack zurück.

»Wo ist der andere?«

Branko hatte ihn schon.

»Hinein mit ihm.« Gorian wickelte noch eine Schnur um den Sack.

»So«, meinte er, »nun nehmt ihr den Sack auf den Rücken und bringt die Hühner zum alten Karaman zurück.«

»Wie sollen wir das machen?«, fragte Branko.

»Das ist eure Sache. Ihr habt sie hergebracht, also bringt sie auch wieder hin. Es wird bestimmt nicht schwerer sein.«

Er war aufgestanden und griff nach seiner Fackel. »Ihr müsst übrigens gleich gehen. Ich muss aufs Meer. Ihr habt mir gestern zwei Stunden Fang gestohlen und heute habe ich auch die halbe Nacht auf euch gewartet. Wenn ich nicht noch zehn Kilo Fische fange, haben meine Andja und ich die nächsten Wochen nichts zu essen und müssen auch stehlen gehen.«

Er reichte Branko den Sack und schob die Kinder zur Tür.

»Können wir nicht mit aufs Wasser gehen?«, fragte Zora. »Ich war schon oft dabei, wenn sie Fische fingen.«

»Könnt ihr denn rudern?«

Die bejahten eifrig.

»Hm«, machte der Alte, »das ist sogar ein guter Gedanke. Der alte Orlovic, der mir sonst hilft, hat sich gestern Rheumatismus geholt und liegt im Bett, und wenn wir zu dritt sind, können wir sogar mit den Netzen fischen.«

5 »Das wäre schön.« Die Kinder strahlten.

»Dann lasst den Sack da. Eure Hühner haben noch ein paar Stunden Zeit, packt dort das kleine Boot und schiebt es ins Wasser.« Die Kinder stürzten sich jubelnd darauf und einen Augenblick später schaukelte es auf den Wellen.

Die Nacht auf dem Wasser

Ein leichter Wind schob den Nebel, der über dem Land gelegen hatte, über dem Wasser zusammen. Dort stand er wie eine Wand, aber er zog langsam weiter nach den Inseln hinüber.

Der Mond strahlte jetzt genauso wie gestern. Die Sterne waren zu sehen und man konnte sogar die Burg von Senj und dahinter die Berge erblicken.

Branko und Zora saßen nebeneinander auf der breiten Ruderbank.

Branko tauchte das rechte Ruder, Zora das linke ins Wasser. Es dauerte eine Weile, bis sie in den gleichen Takt kamen und ihr Boot gleichmäßig vorwärts schoss.

Der Alte hatte inzwischen das zweite Boot ins Wasser geschoben und folgte ihnen. »Seht ihr da draußen das große Licht«, rief er ihnen zu. »Das ist der Leuchtturm von Rab. Auf den müsst ihr zuhalten.«

Die Kinder tauchten die Ruder schneller ins Wasser. Je weiter sie hinauskamen, umso leichter schien es ihnen, die schweren Hölzer durch das Wasser zu ziehen. Die von einer milchigen Schicht bedeckte Flut war glatt wie Öl und ihr Boot glitt wie ein Pfeil dahin. Nun setzten sich die Kinder, die erst steif und ungeschickt auf der Bank gesessen hatten, auch etwas freier hin. Sie sahen sich um. Es war recht lustig, so nachts auf dem Wasser zu sein. Wenn sie ihre Ruder in die Flut tauchten, bildeten sich silberne Kreise, und wenn sie sie wieder heraushoben, glänzte alles wie tausend schillernde Perlen.

Wie still es jetzt auf dem Wasser war! Sie hörten nichts als das gleichmäßige Aufklatschen ihrer Ruder und manchmal die Ruder Vater Gorians.

»Wie weit er hinter uns bleibt«, lachte Branko.

»Ich sehe ihn kaum noch«, sagte Zora und nach einer Pause fragte sie: »Hat er dich sehr geschlagen?«

»Es tut schon noch weh, aber wenn ich mich fest darauf setze, vergeht der Schmerz.«

»Ich wusste gar nicht, was ich machen sollte, als er dich so schlug«, fuhr Zora fort. »Mir war es, als hätte er mich selber geschlagen.«

»Er ist sonst sehr gut«, sagte Branko.

»Ich dachte auch erst, es seien zwei im Stall.«

»Weil er mit seiner Ziege sprach. Ich kenne das. Das macht er immer. Mein Vater sagt, er sei ein wenig närrisch geworden, seit er seine Frau verloren hat, aber sonst sei er der gütigste Mensch der Welt.«

»Du hast noch einen Vater?«, fragte Zora erstaunt.

Branko nickte. »Er heißt Milan und ist der beste Geiger von Senj.«

Zora dachte einen Augenblick nach: »Ich glaube, ich habe ihn schon einmal gehört. Es war im Frühjahr. Er spielte im Hotel ›Zagreb‹.«

»Das kann er gewesen sein«, sagte Branko eifrig. »Im Frühjahr war er das letzte Mal da.«

»Hast du auch noch eine Mutter?«, fragte Zora weiter.

Branko schüttelte traurig den Kopf und ließ einen Augenblick sein Ruder auf dem Wasser schleifen, sodass das Boot scharf nach links glitt. »Nein, ich habe keine mehr«, sagte er dann. »Sie haben sie« – und er betonte das »sie« – »vor drei Tagen begraben.« Zora antwortete nicht darauf, sie versuchte erst ihr Ruder mit dem Brankos in Einklang zu bringen, und erst als sie wieder eine Strecke zurückgelegt hatten, sagte sie: »Meine Mutter ist schon vor vier Jahren gestorben.«

»Ich glaube gar nicht, dass meine Mutter gestorben ist«, meinte Branko bestimmt. »Sie hat es einfach vor Sehnsucht nach Milan nicht mehr ausgehalten und ist auf und davon gegangen.«

Zora blickte vor sich hin. »Meine Mutter ist aus Sehnsucht nach Albanien gestorben.«

»Seid ihr aus Albanien?« Branko machte große Augen.

»Ja«, sagte Zora. »Ich bin eine Albanierin gewesen, bevor ich in Senj eine Uskokin wurde.«

»Albanien ist weit«, sagte Branko.

»Wir sind mit einem kleinen Boot gesegelt. Es hat vierzehn Tage gedauert, bis wir nach Senj kamen.«

»Warum seid ihr überhaupt fortgefahren, wenn deine Mutter dann solches Heimweh hatte?«

Diesmal vergaß Zora ihr Ruder durchs Wasser zu ziehen. »Das ist eine lange Geschichte und ich habe sie noch keinem Menschen erzählt.«

Branko blickte das Mädchen an. »Mir kannst du sie ruhig erzählen.«

Zora nickte. »Ja, ich glaube, dir kann ich sie erzählen. Ich weiß nicht, ich hatte schon das erste Mal, als ich dich über den Markt gehen sah, das Gefühl, dir könnte man alles erzählen, und wie du heute so tapfer warst und nicht wolltest, dass mich der alte Gorian prügelte, dachte ich sogar einen Augenblick, ich möchte einen Bruder haben, der so ist wie du.«

Branko blickte verlegen auf die Seite. Im gleichen Augenblick musste er das Ruder fester nehmen. Sie waren aus der Bucht in das offene Meer gekommen und von rechts kam eine starke Strömung.

Auch Zora bog sich stärker gegen die Bank und nach einigen kräftigen Ruderschlägen hielten sie wieder Kurs auf das Leuchtfeuer.

»In unserem Land«, begann Zora aufs Neue, »herrscht noch die Blutrache. Ich weiß nicht, ob ich es dir richtig erklären kann, aber der Großvater meines Vaters hatte einen aus der Familie der Dhailan getötet und da mussten alle Dhailans schwören, dass sie nicht eher Ruhe halten würden, bis auch einer oder mehrere von unserer Familie tot waren. Ich war noch sehr klein, da wurde mein Vater erschlagen. Daraufhin haben seine Brüder wieder ein paar Dhailans getötet, und die Brüder der Dhailans unsere ganze Familie bis auf unsern Dinco, der damals erst drei Monate alt war, meine Mutter und mich. Da Dinco auch noch getötet werden sollte, ist meine Mutter heimlich mit uns hinunter ans Meer gegangen, hat einem kroatischen Fischer, der gerade mit seinem Boot nach Hause wollte, ein paar ihrer Ketten gegeben und der hat uns nach Senj gebracht.«

»Oh«, machte Branko nur, der allem, was Zora erzählte, atemlos lauschte, »und dann seid ihr in Senj geblieben?«

Zora nickte. »Meine Mutter fand erst Arbeit in der Tabakfabrik. Dann hat sie für Matrosen und manchmal für andere Leute gewaschen und hat ihnen die Sachen geflickt. Aber sie hatte immer Sehnsucht nach Albanien und eines Morgens lag sie im Bett und war tot.«

»Und du und dein Bruder?«

»Dinco ist ein paar Tage später auch gestorben und mich hat man zu den Grauen Schwestern gegeben, weißt du, die ihr Haus in der Josefsallee haben.«

Branko kannte es, auch die grauen, beflügelten Frauen, die manchmal durch die Straßen von Senj huschten.

»Bei meiner Mutter durfte ich machen, was ich wollte; bei den Grauen Schwestern sollte ich den ganzen Tag ›brav‹ sein, schreiben und lesen oder singen und beten. Ich las hauptsächlich in den alten Chroniken und am liebsten das, was von den Uskoken darin stand, aber als ich das alles gelesen hatte, wurde mir das Leben in dem grauen Haus immer langweiliger und ich ging auf und davon. Zweimal haben sie mich wieder eingefangen und lange eingesperrt und als sie mich das dritte Mal wieder fanden, sagten sie, wenn ich ihnen noch einmal davonliefe, käme ich in ein Kloster hoch oben in den Bergen, das hätte eine hohe Mauer und da könnte ich nicht wieder heraus. Da habe ich mich etwas besser vor ihnen versteckt, denn ich hatte Angst vor den hohen Mauern, und bin in die Brombeerbüsche gezogen. Ich hatte erst furchtbare Angst so allein im dicken Gestrüpp, besonders nachts, aber dann kam Pavle.«

»So, dann kam Pavle«, wiederholte Branko.

Zora wollte weitererzählen aber da hörten sie die Stimme des alten Gorian hinter sich. »Könnt ihr nicht mehr?«, rief er und versuchte an ihnen vorbeizufahren.

Den Kindern war es gar nicht aufgefallen, dass sie, während Zora erzählte, erst langsamer und zuletzt gar nicht mehr gerudert hatten.

»Wir können schon noch«, sagte Branko und holte kräftig aus. Zora fasste ihr Ruder auch fester und nach einigen Schlägen hatten sie den Alten bereits wieder hinter sich.

»Es ist noch gut eine halbe Stunde«, rief ihnen Vater Gorian nach, »und behaltet den Leuchtturm im Auge.«

Das Wasser strömte nicht mehr so stark, aber es schlug jetzt kleine Wellen. Sie klatschten gegen das Boot wie Peitschenschläge.

»Der Erste, den du trafst, war also Pavle«, fing Branko wieder an. Zora strich sich eine Strähne aus dem Gesicht. »Ich sah ihn eines Tages unten am Quai. Er war schon so groß wie heute, aber er heulte und das Wasser lief ihm aus Augen und Nase. Ich stieß ihn mit dem Fuß an und fragte: ›Warum heulst du?‹ Da sah er mich aus seinen großen Augen an und schluchzte: ›Mein Vater hat mich verprügelt, hinausgeworfen und gesagt, wenn ich jemals wieder nach Hause komme, schlägt er mich tot.‹ Ich fragte ihn: ›Warum denn?‹ ›Ich weiß auch nicht‹, antwortete er mir. ›Mein Vater ist Schuster und ich soll ihm helfen und er sagt, ich mache alles kaputt!‹ – ›Machst du denn das?‹, fragte ich ihn weiter. ›Ja‹, sagte er, ›ich muss alles auch immer von innen sehen, wenn ich es von außen gesehen habe!‹

Ich hatte damals schon nicht mehr so viel Angst, aber ich war immer so allein, deswegen sagte ich zu ihm: ›Komm mit mir. Da tut dir niemand etwas und es kann dich auch niemand mehr schlagen.‹ Er hat mich zuerst nur dumm angesehen und dann gesagt: ›Hast du denn auch etwas zu essen für mich? Ich habe den ganzen Tag schrecklichen Hunger.‹ – ›Komm nur‹, habe ich geantwortet, ›ich werde immer satt und da wirst du auch satt werden.‹ Als er schon ein Stück mit mir gegangen war, blieb er noch einmal stehen und sagte: ›Du musst aber auch auf mich aufpassen.‹ – ›Warum?‹, habe ich ihn gefragt. ›Nun, weil ich doch alles kaputtmache.‹ Ich habe laut aufgelacht und gesagt: ›Bei mir bist du sogar am richtigen Platz. Da wo ich wohne, kannst du alles kaputtmachen.‹«

Branko musste lachen: »Ja, das kann er. Sowohl in der Hecke wie im Turm und es wird sicher noch eine Weile dauern, bis er das alles kaputtgemacht hat.«

»Er ist jetzt ganz nützlich geworden«, meinte Zora, »und klüger, und anstatt alles kaputtzumachen, macht er sogar Quirle und Löffel. Er ist auch unerhört stark und du hast es ja gehört: Er will noch stärker werden.«

Branko lachte wieder: »Und der beste Schwimmer.«

»Spotte nicht«, sagte Zora ernst, »er geht auch noch ins Wasser.«

Die Wellen schlugen höher und spritzten ins Boot. Sie mussten vorsichtiger fahren. Branko fragte aber doch: »Kam dann Duro?«

»Nein. Erst kam Nicola. Pavle brachte ihn eines Tages mit. ›Da ist noch einer‹, sagte er, ›der keinen Vater und keine Mutter mehr hat‹, und zog ihn durch das Tor. Wir wohnten damals noch unten in der Burg. Ich fragte ihn, wo er ihn herhabe. ›Er wollte Äpfel stehlen‹, sagte Pavle, ›da habe ich ihn erwischt.‹ – ›Waren es deine Äpfel?‹, fragte ich ihn. ›Nein‹, antwortete Pavle, ›aber es waren die, die ich auch stehlen wollte, und da habe ich ihn erst verprügelt, aber weil er so schrie, habe ich ihm ein paar von den Äpfeln gegeben, und als er dann gleich wieder Witze machte, habe ich ihn mitgenommen.‹«

»Nicola gefällt mir auch«, lachte Branko und er dachte daran, wie sie bei Curcin durch den Kamin gekrochen und das Dach hinuntergerutscht waren. Was hatte doch Nicola damals gesagt? Ach ja: »In der Hölle waren wir schon. Wir können nur noch in den Himmel kommen.«

Zora lächelte auch, obwohl sie nicht wusste, warum Branko so prustete. »Er macht viel Spaß«, meinte sie, »und er hat uns schon oft zum Lachen gebracht, wenn wir weinen wollten.«

»Fahrt jetzt nach rechts«, hörten sie da die Stimme des alten Gorian weit hinter sich. »Ungefähr zweihundert Schläge nach rechts. Wartet dort, bis ich herankomme.«

Zora tauchte ihr Ruder tief ins Wasser und Branko hob das seine heraus.

Das Boot drehte sich wie ein Kreisel, es schlingerte jetzt richtig, und sie mussten sich einen Augenblick aneinander festhalten. Zora packte Branko dabei an der Schulter. »Halt dich nur. Ich sitze schon wieder ganz fest.« Branko legte zur gleichen Zeit sein Ruder flach auf das Wasser, da hörte das Schaukeln auf.

Die Kinder warteten nun, bis der Alte herankam.

Branko konnte es aber nicht unterlassen, vorher zu fragen: »Und dann kam Duro?«

Zora nickte. »Wir kannten ihn gar nicht und hatten ihn auch noch nie gesehen. Er belauschte uns aber schon eine Zeit und erspähte dabei, dass wir jeden Tag in den Turm gingen. Eines Morgens trat er an uns heran und sagte: ›Ihr müsst mich in eure Bande aufnehmen, sonst verrate ich es dem Begovic, dass ihr hier oben haust.‹ Pavle hatte ihn schon am Hals und sagte: ›Soll ich ihn in den Brunnen werfen?‹«

»Ach!«, rief Branko. »Hätte er es nur getan!«

Zora schüttele den Kopf: »Nein, es wäre nicht richtig gewesen. Du kennst ihn ja noch gar nicht. Duro ist ein ganz brauchbarer Junge, und wenn wir ihn nicht gehabt hätten, wäre es uns schon manchmal sehr schlecht ergangen.«

»Ich weiß nur, dass er falsch ist«, meinte Branko.

»Vielleicht gegen dich«, gab Zora zu, aber gegen uns ist er es seit damals am Brunnen nicht wieder gewesen.«

Da ruderte Gorian heran. »Ihr seid wirklich gute Ruderer«, lobte er sie. »Ich bin ganz in Schweiß geraten, um euch nachzukommen«, und er fuhr sich über das Gesicht.

»Was sollen wir nun machen, Vater Gorian?«, fragte Zora.

»Warte es nur ab, Mädchen. Ich muss erst einen Augenblick verschnaufen«, und er holte einige Male tief Luft, während sein Kahn langsam an das Boot der Kinder heranglitt.

»Habt ihr ein Streichholz?«, fragte er dann. Branko hatte noch eines.

»Hebt vorn das Brett hoch.« Er zeigte auf die Spitze ihres Bootes.

»Habt ihr's?«

»Gleich, gleich!«, riefen Branko und Zora.

»Vorn liegen zwei Fackeln. Gebt mir eine herüber. Danke. Die andere steckt in die Gabel, die vor euch steht, und zündet sie an.«

Zora machte ihre Hände zu einer Höhle und Branko strich das Holz über die Schachtel. Ein paar Sekunden später loderte ihre Fackel hell auf. Der Alte reichte die seine noch einmal herüber und sie zündeten sie auch an.

»Nun passt gut auf«, erklärte der Alte. »Ich habe hier mein großes Zugnetz. Wir nehmen es zwischen unsere beiden Kähne. Ich binde meinen oberen Teil hinten an meinen Kahn, der untere ist beschwert und fällt nach unten. Haltet die Leine.« Er reichte sie ihnen. »Damit bindet ihr den anderen Teil des Netzes an euren Kahn, aber oben und so, dass das Netz trotzdem tief nach unten fallen kann. Könnt ihr das?«

Branko machte gerade den Knoten.

»Nun lasst euch weiter nach rechts treiben. Das Netz fällt langsam ins Wasser. Wenn die obere Schnur spannt, haltet. Wir treiben dann mit der Flut wieder in die Bucht. Aber redet nicht dabei, wir müssen jetzt still sein.«

Die Kinder nickten eifrig. Sie waren jetzt ganz bei der Sache und ließen ihr Boot langsam abtreiben. Beim alten Gorian klatschte unterdessen das Netz ins Wasser.

»Halt!«, rief er plötzlich. »Jetzt wird es gut sein. Nun haltet immer den gleichen Abstand. Das rechte Ruder zieht ihr am besten ein und passt nur auf das Netz auf.«

Die Kinder taten es und wechselten dabei die Plätze. Branko setzte sich in den hinteren Teil des Bootes und Zora neben die Fackel.

Auf Brankos Gesicht fiel der Mond.

»Du siehst ganz durchsichtig aus«, flüsterte Zora leise, »ich kann hinter dir das Wasser und das Boot sehen.«

»Du siehst aus, als fingst du gleich an zu brennen«, antwortete Branko.

Die Flamme der Fackel, die ungefähr in gleicher Höhe wie ihr Kopf flackerte, kam einmal vor und einmal hinter ihrem Gesicht zum Vorschein und umlohte es, als brenne das Gesicht selber.

Sie mussten jetzt sehr genau aufpassen, dass sich die Leine nicht zu straff zog. Sie sahen es an den Korken, die an der Leine waren und die dann über, statt auf dem Wasser tanzten.

Die Kinder spürten, wie die Wellen immer schneller in die Bucht trieben. Manchmal spritzte ihnen das Wasser ins Gesicht, so hoch schlugen sie gegen ihr Boot.

»Ob wohl schon Fische im Netz sind?«, fragte Zora leise.

Aber Branko antwortete nur: »Sei still. Wir sollen doch still sein.«

Der Knabe musste schon zum zweiten Male das Steuerruder herumreißen, weil sich die Leine zu straff anzog. Auf einmal sprang ein großer Fisch hoch.

»Hast du es gesehen«, sagte Zora wieder. »Er ist über unser Netz gesprungen.«

Branko musste lachen: »Das hättest du auch gemacht, wenn du ein Fisch wärst.«

Die Boote waren wieder am Anfang der Bucht und trieben hinein.

»Kommt langsam herüber«, rief da der Alte, »und zieht dabei das Netz etwas in euer Boot. Aber wirklich langsam.«

Branko stellte das Steuer schräg und die Kinder zogen zuerst den Strick und dann das Netz zu sich herauf. Es war schwer und sie mussten sich fest gegen die Bootswand stemmen. Die Boote hatten sich schon ungefähr auf acht Meter genähert und die Kinder zogen immer heftiger an dem Netz.

»Da ist ein Fisch!«, schrie Branko aufgeregt.

»Habt ihr den Ersten!« Der alte Gorian beugte sich vor. »Packt ihn und werft ihn hinter euch in das Fass.«

Branko fasste nach dem Fisch, der in einer Masche des Netzes steckte. Er ließ aber dabei das Netz los und die schweren Stricke rutschten mitsamt dem Fisch wieder ins Wasser zurück.

Zora lachte: »Ein Glück, dass das Netz angebunden ist, sonst hätte uns der alte Gorian sicher zum Teufel geschickt. Du musst immer die linke Hand am Netz lassen und die Fische nur mit der rechten Hand herausnehmen.«

Sie zogen wieder. Der Fisch war noch da. Branko packte ihn vorsichtiger. Er war schlüpfrig, und als er ihn zwischen den Fingern hatte, schnellte er hin und her. Der Knabe brachte ihn aber doch in das Fass.

Zora fing jetzt auch einen. Er war kleiner als der, den Branko gefangen hatte, und er wäre ihr beinahe wieder entwischt.
Die Kinder hatten nun den größten Teil des Netzes in ihr Boot
gezogen und die Kähne kamen sich immer näher. Der alte Gorian schien mehr Glück zu haben. Er packte schon das fünfte oder
sechste Mal zu.
»Wir haben erst zwei«, sagte Zora kläglich.
»Passt nur gut auf«, tröstete sie der Alte. »Das Netz ist noch recht
schwer. Die größten sitzen unten.«
Es war so. Plötzlich plätscherten vor den Kindern ein paar große
Fische. Sie sahen erst nur die Flossen, aber dann auch die silbri-
gen Leiber der Tiere. Sie waren zu dick, um mit dem Kopf durch
die Maschen zu kommen, sie schossen deswegen noch frei im
Netz herum.
»Lasst das Netz locker«, rief der Alte, »ich hole sie zu mir herüber.«
Vater Gorian zog und das Netz glitt nun ganz in sein Boot.
»Das sind wirklich schöne Kerle«, sagte er anerkennend und holte den Ersten heraus. Er packte auch den Zweiten und Dritten,
aber der Letzte, der der Größte war, schnellte auf einmal in die
Höhe und ehe sich der Alte versah, war er wieder im Meer ver-
schwunden.
»Futsch«, machte Gorian und sah dem Fisch mit einem komi-
schen Gesicht nach, so dass die Kinder lachen mussten. »Ja, ja«,
er kratzte sich den Bart, diese Viecher sind schlauer, als sie aussehen«, er lachte jetzt auch, »und ich hatte die zehn Dinar für ihn
schon in der Tasche.«
Der Alte verschnaufte nun einen Augenblick, während sich die
Boote wieder aneinander legten.
»Seid ihr nicht müde?«, fragte er die Kinder.
Branko schüttelte den Kopf. »Keine Spur.« Er war es wirklich
nicht.
Der Alte zündete sich seine Pfeife an und der Wind trug den würzigen Rauch zu den Kindern hinüber.
»Ist euch auch nicht kalt?«, fragte er weiter.

»Nein, nein.« Die Kinder lachten. »Uns ist ganz warm.«

Die Pfeife wurde ausgeklopft und der Alte griff wieder nach den Rudern. »Dann wollen wir es noch einmal versuchen.«

Die Boote glitten eine Weile die Bucht entlang; aber als sie das Netz herausholten, waren nur vier kleine Fische darin. Nun ruderten sie wieder ins Meer hinaus, dabei waren sie glücklicher und fingen über ein Dutzend.

Der alte Gorian, der sich eine zweite Pfeife gönnte, meinte: »Sie schwimmen jetzt alle nach dem Ufer. Wenn wir weiter so viel ins Netz bekommen, wird es ein guter Fang.«

Die Kinder machten ihre Sache besser und besser. Sie lernten, wie man das Netz festhaken und mit beiden Händen nach den Fischen greifen konnte, wenn sie für eine Hand zu groß waren. Sie sprachen auch kaum noch ein Wort und sahen nur nach den Korken oder den Fischen.

Als sie sich das vierte Mal nach dem Meer wandten, stand Branko plötzlich auf.

»Was hast du denn?«, fragte Zora.

»Sieh nur!« Branko zeigte auf das Wasser.

Es war ein seltsames Schauspiel.

Die Kinder spürten schon lange an der beginnenden Helle, dass es tagte und die Sonne bald kommen würde. Jetzt lag ein erster Streifen, der oben ganz spitz war, auf dem Wasser und er kam wie eine Pyramide auf sie zu.

»Das ist die Sonne«, sagte Zora, die das schon oft gesehen hatte, und sie strich ihr Haar, das ihr tief ins Gesicht hing, nach hinten. Branko stand aber immer noch mitten im Boot und schaute in das Licht. Der Strich wurde heller und heller und auf einmal tauchte die Sonne auf. Sie kam wie ein glühender Ballon über die Spitzen der Berge und der Nebel dampfte um sie, als koche alles unter ihrer Hitze.

»Das ist schöner als das Abendrot, das ich neulich sah«, sagte Branko.

»Warte einen Augenblick.« Zora sah auch in die Glut. »Es wird noch schöner.«

Das große Meer, so weit es die Sonne beleuchtete, wurde in diesem Moment zu fließendem Silber.

Branko hatte noch nie so etwas Schönes gesehen; einige Minuten später wurde das Silber durch die höher steigende Sonne in Gold verwandelt.

»Oh.« Branko stöhnte auf. »Das ganze Wasser ist pures Gold. Wenn ich doch etwas davon hätte.«

»Nimm dir doch etwas davon«, spottete Zora und spritzte ihm eine Hand voll ins Gesicht.

Branko wollte zurückspritzen, aber da rief der alte Gorian: »Kommt! Wir machen Schluss.«

Der letzte Fang war der beste. Branko fing elf und Zora dreizehn Fische und in ihrem Fass plätscherte es, als sei es voll.

»Deck einen Sack darüber«, sagte Zora, »damit uns keiner wieder herausspringt.«

Branko fand keinen, darum legte er ein Brett über die Öffnung.

Der Alte zog wieder das ganze Netz zu sich herüber. Er ließ es vorsichtig in sein Boot fallen und schmunzelte dabei vor sich hin.

»Ihr seid wirklich Glückskinder«, lachte er. »So viel hatte ich schon lange nicht mehr in meinem Fass.«

»Unseres ist auch bald voll«, meldete Zora.

»Dann«, der Alte nahm seine Ruder, »können wir ja ruhig heimfahren.«

Der Wind hatte sich gelegt, die Wellen waren wieder verschwunden, das Meer war noch immer ein großer Bottich mit Gold und sie ruderten in das Gold hinein.

Die Boote waren weit draußen, sie brauchten über eine halbe Stunde, bis sie endlich die Hütte des alten Gorian zu Gesicht bekamen, und noch einmal zehn Minuten, bis ihr Kahn auf dem Sand knirschte.

Zora gähnte: »Ich bin jetzt doch müde.«

Branko streckte sich. »Ich auch. Besonders in den Händen.«

Der Alte hatte diesmal besser mit ihnen Takt gehalten und sein Boot glitt auch schon auf den Strand.

»Kommt!« rief er. »Wir wollen das Netz gleich aufhängen.«

Er gab ihnen das eine Ende und sie zogen es aus dem Boot heraus. »Hängt es über die Pfähle!« Er zeigte sie ihnen und im gleichen Augenblick kam er selber und hängte das andere Ende auf. »Nun holt euren Kübel.« Der Alte blinzelte sie freundlich an. »Wir wollen einmal sehen, was wir gefangen haben.«

Der Alte hob den seinen einfach hoch und schleppte ihn an einen großen Steintisch, neben dem eine leere Wanne und zwei leere Bottiche standen.

Branko und Zora brachten den ihren nicht so leicht fort.

»Wartet, ich komme.« Der Alte half ihnen.

Er schüttete nun beide Kübel in die Wanne, in der etwas Wasser war. Die Fische überkugelten sich, schlangen sich durcheinander und versuchten sich in den Ecken zu verkriechen. Jetzt sahen die Kinder erst, wie viele es waren. Sie konnten sie kaum zählen. Es war ein lustiges Durcheinander von Köpfen, Flossen und Schwänzen. Im Licht der Sonne sahen sie auch die einzelnen Farben. Jeder Fisch sah anders aus. Das war ihnen noch gar nicht aufgefallen. Der eine silbrig und der andere grau, der dritte glänzte grün und der Nächste hatte schwarze Tupfen. Auch ihre Köpfe, Schwänze und Flossen waren verschieden.

Der alte Gorian trat an die Wanne heran und fasste hinein. »Das ist eine Äsche.« Er zog einen der größten Fische heraus. Das Tier war gefleckt und voller Schuppen, am Rücken war es dunkelgrau, die Seiten glänzten silbern und der Leib war weiß. Schwarze Streifen liefen darum.

Der Alte wog die Äsche in der Hand. »Sie wiegt bestimmt drei Pfund.«

»Woher kennt Ihr die Fische so genau?«, fragte Branko.

Vater Gorian lachte. »Wenn man sein ganzes Leben mit Fischen zu tun hat, kennt man sie natürlich. Äschen gibt es übrigens eine große Menge. Das sind die schwersten.« Er zeigte auf den Kopf und auf die Flossen. »Es ist die großköpfige Meeräsche.«

Er schlug dem Tier mit einem Stück Holz über den Kopf, öffnete den Leib und ließ die Eingeweide nach unten fallen. Den ausgenommenen Fisch schob er auf die Seite.

Er zog einen zweiten aus der Wanne. »Das ist auch eine Äsche. Seht genau hin. Ihr merkt es immer am Kopf und am Schwanz. Kaum ein anderer Fischschwanz ist so tief ausgeschnitten wie der von den Äschen.«

Die nächsten Fische waren Makrelen. Sie waren am lebendigsten und glitschten dem Alten immer wieder davon. Ihre Leiber schimmerten zuerst in allen Farben, aber je länger die Fische an der Luft waren, umso dunkler wurden sie und zuletzt ging der zuerst opalfarbige Schimmer in ein dunkles Olivgrün über.

»Sind noch mehr Makrelen darin?«, fragte der Alte und blickte in die Wanne. »Die tun wir alle in das große Fass. Ich bringe sie erst nach Senj, wenn ich wenigstens ein halbes Hundert habe.« Der Alte holte nun nacheinander die anderen Fische aus der Wanne heraus. Es waren ein paar schlanke Seebarsche. Sie schlugen um sich und zeigten ihre Zähne. Wie bei Raubtieren bleckte ihr Gebiss auf und sie waren ja auch solche. Vater Gorian sagte: »Dass sind die wertvollsten von unserer Beute. Die kommen ins Hotel ›Zagreb‹.«

Zwischen den Barschen lagen Sardellen, Anchovis, wieder Makrelen. Von den Sardellen warf der Alte zwei zurück ins Wasser. »Die nimmt uns doch keiner ab, die sind noch zu klein.« Die Anchovis schimmerten silbern und ihr Kopf war goldig. Die Sardellen glänzten auch wie Silber. Ihr Maul war weit gespalten und ihr Unterkiefer stand etwas vor.

»Oho«, sagte der Alte plötzlich. »Was haben wir denn da gefangen?«, und er hielt einen breiten Fisch in die Sonne. Das Tier war kurz, hoch und rautenförmig. Die Augen saßen auf der linken Seite und gerade übereinander. Das Maul war groß und die Kinder sahen eine Reihe spitzer Zähne, die bis hinunter in den Schlund reichten. »Der kommt sonst selten ins Netz«, meinte der Alte. »Es ist ein Steinbutt.«

Der Steinbutt kam mit einigen großen Barben, die mit ihren rubinroten Kiemendeckeln, ihren bräunlich gelben Rücken, den weißen Leibern, die wie Perlmutter glänzten, und den goldgelben Streifen, die von den Brustflossen bis zu den Schwanzflossen reichten und außerdem noch zinnoberfarbige Flecken hatten, die schönsten und buntesten Fische waren, in das andere Fass.

»Die hebe ich auch auf«, sagte der Alte. »Die kommen erst am Freitag auf den Markt. Am Freitag kaufen die Senjer auch teurere Fische.«

»Hast du gesehen?«, sagte Zora und stieg Branko an. »Die Barben haben einen Bart«, und sie zeigte auf die Fäden, die an den Kiemen der Barben hingen.

Gorian nickte. »Damit wühlen sie den Schlamm auseinander und scheuchen die kleinen Tiere auf, die sich dort vor ihnen verstecken.«

Der Haufen vor dem Alten wurde größer und größer. Jetzt in der Sonne und so nebeneinander geworfen, verloren die Tiere ihre schönen Farben immer mehr und glichen nur noch einem Berg toter Fische, wie ihn die Kinder auf dem Markt schon oft gesehen hatten.

»Schade«, sagte Branko laut.

Der Alte sah ihn an. »Was ist schade?«

»Dass sie nun tot sind. Erst sahen sie viel schöner aus.«

Der Alte nickte: »Ja, die Fische sind schön. Vor allem, wenn man sie gerade aus dem Wasser nimmt. Aber wir müssen alle sterben. Die meisten Fische sind dazu noch Räuber und leben von anderen Fischen und die keine Fische fressen, fressen Würmer und Krustentiere. Wir sind ja dazu da, um zu fressen oder gefressen zu werden, und ihr müsst kein allzu großes Mitleid mit ihnen haben.«

»Lebend waren sie doch schöner«, sagte Branko noch einmal.

Gorian sah ihn an: »Das sind wir auch, Junge, aber nun kommt.« Er schob ihnen die Hälfte der Fische hin. »Habt ihr etwas bei euch, um sie mitzunehmen?«

»Wir?«, fragten Zora und Branko erstaunt.

»Ja, ihr. Ihr habt sie doch mitgefangen und die Beute wird bei uns Fischern immer geteilt.«

»Wir haben Euch aber doch nur geholfen.«

Der Alte lachte: »Das ist es ja gerade. Und nicht nur geholfen, sondern ihr wart für das erste Mal sogar recht brauchbare Fischer. Fasst nur zu. Die Fische gehören euch. Oder meint ihr, ich werde ehrliche Arbeiter um ihren Lohn bringen? Genauso wie der alte Gorian kein Spitzbube ist, ist er auch kein Betrüger.«

Da die Kinder noch immer keine Anstalten machten die Fische einzupacken, nahm der Alte einen Sack und steckte sie hinein.

»Nun nehmt sie«, sagte er noch einmal, »sonst werde ich zornig.«

Zora, die recht verschüchtert und von der Güte des Alten ganz erschüttert war, trat neben ihn und nahm sie.

»Danke«, stotterte sie und dann noch einmal: »Danke.«

Vater Gorian lachte: »Da ist wirklich nichts zu danken. Wenn ihr nämlich nicht gekommen wäret, hätte ich mit der Angel hinausfahren müssen, und ihr könnt sicher sein, dann hätte ich nicht die Hälfte von denen gefangen, die jetzt mein Anteil sind. Nein, ich muss euch sogar danken«, und er schüttelte den Kindern die Hand.

»Dürfen wir dann vielleicht wieder einmal kommen und Euch helfen, Vater Gorian?«, fragte das Mädchen.

Der Alte zwinkerte ihr zu: »Gern. Sagt mir nur eure Adresse, dass ich euch eine Mitteilung machen kann.«

Zora blinzelte zurück. »Kennt Ihr Curcin?«

»Den dicken Bäcker? Wer kennt ihn nicht. Ich hole mir alle drei Tage mein Brot bei ihm.«

»Sagt es dem, der sagt es uns wieder.«

»So, so«, der Alte fuhr sich über seinen Bart, »mehr darf also auch Vater Gorian nicht erfahren?«

Zora nickte. »Die Uskoken sind schweigsam.«

»Na, meinetwegen. Aber geht jetzt. Ich will mich noch eine Stunde aufs Ohr legen«, und er gab ihnen nochmals die Hand.

Sie waren bereits durch das Gartentor. »Halt! Halt!«, rief da der Alte laut. »Ihr habt eure Hühner noch hier.«

»Ach«, stöhnte Zora, »ich dachte schon, Ihr hättet sie vergessen.«

»Nein, nein«, sagte der Alte. »Kommt! Kommt! Sie liegen im Stall.« Branko holte sie.

»Und liefert sie brav ab«, drohte ihnen der alte Fischer, »und wenn ihr es nicht tut, dann lasst euch nicht wieder beim alten Gorian sehen.«

Die Gymnasiasten

Zora trug den Sack mit den Fischen, Branko den Sack mit den Hähnen. Sie wanderten schweigsam dahin. Als das Gehöft des reichen Karaman vor ihnen auftauchte, sah Zora Branko an.
»Wie machst du es mit den Hähnen?«
Branko zuckte mit den Achseln. »Ich weiß es noch nicht.« Darauf setzte er sich hin.
»Wir lassen den Sack einfach hier liegen«, schlug Zora vor.
»Dann merken sie es ja, dass jemand die Hähne stehlen wollte. Nein, wir müssen uns schon etwas Besseres ausdenken.«
Das große Hoftor wurde aufgemacht. Es war aber nicht Karaman, der heraustrat, sondern einer seiner Knechte, ein baumlanger Kerl mit einer roten Mütze. Er stieß auch den zweiten Flügel auf.
Die Kinder krochen in ein Gebüsch und starrten unentwegt zum Gehöft hinüber.
Der Bursche ging zurück. Es dauerte aber nicht lange, da watschelten einige Enten durch das Tor und dahinter, der Gänserich an der Spitze, ein Dutzend Gänse. Sie marschierten alle hinunter zum Bach.
»Sieh!« Zora sprang auf. »Da kommen auch die Hühner.«
Es waren zwei große Hennen und ein Hahn, die neugierig aus der Durchfahrt spähten.
»Gib mir den Sack.« Zora hatte ihn Branko schon weggenommen und schlich langsam von Busch zu Busch auf das Tor zu.
Als sie an den Weg kam, der hinauf zu Karamans Hof führte, machte sie den Sack auf und zog die Hähne heraus. Sie taumelten erst einige Schritte, schüttelten sich dann und richteten sich auf. Der kleinere versuchte bereits zu krähen, und obwohl es noch recht kläglich klang, probierte es einen Moment später auch der andere. Ein paar Hähne aus dem Hof antworteten ihnen, und als hätten die beiden nur auf diese Antwort gewartet, stürmten und flatterten sie wie wild durch das Tor hinein.
Zora kam zurück. Sie lachte über das ganze Gesicht. »Das war einfacher, als ich dachte.«

Die Kinder verteilten die Fische nun in beide Säcke. Es war noch immer kalt und sie setzten sich in Trab. Es schlug sechs, als sie oben an der Burg ankamen. Von der Bande war nur noch Pavle im Versteck. Er saß auf seiner Matte und starrte vor sich hin. Als Zora und Branko eintraten, sprang er erfreut in die Höhe. »Da seid ihr ja!«, rief er immer wieder. »Da seid ihr ja!«

»Wo sollen wir denn sonst sein?«, fragte Zora erstaunt.

»Wir dachten, Karamans Hund hätte euch gebissen und einer seiner Knechte oder Karaman selbst hätte euch erwischt.«

»Woher weißt du überhaupt, dass wir zu Karaman gegangen sind?«, fragte Branko.

»Du hast doch gesagt, dass du zu ihm gehen willst«, antwortete Pavle und nach einer Pause fügte er etwas verlegen hinzu: »Duro hat außerdem gesehen, dass ihr zu ihm hinuntergegangen seid.«

Zora sah sich um. »Wo ist er?«

»Er wollte euch suchen gehen.«

»Und Nicola?«

»Der ist wie immer zu Curcin gegangen, das Brot holen.«

Die Kinder warfen ihre Säcke auf die Erde. »Rate einmal, was wir darin haben, Pavle«, sagte Zora.

Pavle hob ihren Sack hoch. »Er ist schwer.« Er schnüffelte. »Und es riecht nach Fischen. Habt ihr Fische darin?«

Zora nickte eifrig. »Beide Säcke sind voll. Hast du Öl?«

»Eine halbe Flasche.«

»Hole sie schnell. Bevor die anderen kommen, müssen die ersten Fische braten.« Branko suchte Holz und Papier und es dauerte gar nicht lange, da prasselte ein Feuer. Zora schob die Pfanne, die sie einmal am Meer gefunden hatte, über die Flammen, legte ein paar Fische hinein, goss das Öl darüber und bald roch der große Raum nach Öl und bratenden Fischen.

Der Erste, der kam, war Nicola. Er freute sich auch, dass Zora und Branko zurück waren, dann schnupperte er aufgeregt. »Und Fische habt ihr mitgebracht?« Er stürzte sich gleich auf den größten.

»Sieh nur, da sind noch mehr.« Zora schüttete den anderen Sack aus.

Nicola machte große Augen. »Habt ihr ein ganzes Netz gestohlen?«

Zora schüttelte ihren Kopf, dass die Haare nach allen Seiten flogen. »Wir haben die Nacht mit dem alten Gorian gefischt und er hat uns die Hälfte von dem Fang geschenkt.«

»Was hat er zu euren Hühnern gesagt?«

»Er wollte sie nicht haben. Wir mussten sie wieder zu Karaman zurückbringen.«

Nicola kaute mit beiden Backen. »Und habt ihr das getan?«

Zora und Branko nickten.

Nicola hörte zu kauen auf. »Wirklich?« Dann sah er wieder auf die Fische. »Die langen ja für drei bis vier Tage, so sei euch verziehen.«

»Wir müssen sie trocknen«, sagte Zora nachdenklich. »Frische Fische halten sich nicht lange.«

»Auf der Insel Rab legen sie sie einfach in die Sonne«, meinte Pavle, der das einmal gesehen hatte.

»Ich glaube, wir räuchern sie lieber«, schlug Nicola vor. Zora war auch der Meinung. »Wir braten sie erst etwas an. Pavle macht uns einen Räucherofen und dann hängen wir sie hinein.«

Pavle, der an einer Äsche kaute, starrte Zora an. »Lasst mich wenigstens erst meinen Fisch essen«, stotterte er.

Nicola blinzelte. »Wenn wir nur dann noch etwas zu räuchern haben?«

»Oh.« Pavle stopfte noch eine zweite Äsche in sich hinein. »Ich bin gleich fertig.«

Auf einmal stand Duro hinter ihnen. Er war so lautlos wie immer in den Raum getreten. Er zeigte auf die Fische. »Die sind vom alten Gorian.«

Zora nickte. Sie war ganz stolz.

»Ich habe gesehen, wie sie euch der Alte geschenkt hat.«

Zora hob ihren Kopf »Er hat sie uns nicht geschenkt. Wir haben sie gefangen.«

Duro tat so, als habe er das nicht gehört. »Ich war erst bei Karaman und habe euch gesucht, und als ihr dort nicht zu finden wart, bin ich zu Gorian gegangen.«

»Wir sind aber schon lange hier«, sagte Branko und sah ihn an.

»Ich habe noch Aprikosen geholt.« Duro warf Zora zwei in den Schoß. »Ich wollte euch auch etwas mitbringen.«

Zora biss in eine Aprikose hinein. Sie spuckte gleich alles wieder aus. »Die sind ja noch grün. Die wir heute Nacht gegessen hatten, waren saftiger und reifer.«

Duro antwortete erst nichts, dann sagte er: »Dafür sind meine auch am Tage gepflückt. Der reiche Karaman hat es sogar gesehen.«

Die Bande hörte aber gar nicht darauf. Pavle baute in einer Ecke eine Räucherkammer. Nicola und Branko reihten die Fische auf einen Draht und hängten sie hinein. Zora brachte etwas von dem brennenden Holz herüber und sie versuchten die Fische zu räuchern.

Drei Tage saßen sie nun in ihrem Versteck herum und aßen von den Fischen. Zora ging einmal nach Kirschen, aber sie waren noch nicht reif. Pavle schnitzte, wenn er nicht aß. Nicola besuchte mit Branko seine Tauben, während Duro in seinem Buch las oder gelangweilt vor sich hinstarrte.

Am vierten Morgen, als Pavle wieder Fische holen wollte, sagte Duro, der die ganzen Tage schon brummig gewesen war, grob: »Ich habe die verdammten Fische satt. Ich möchte einmal wieder etwas anderes essen.«

»Du kannst dir ja etwas anderes holen«, blitzte Branko ihn an.

»Das tue ich auch.« Duro sprang auf.

Pavle kam wieder zurück. »Dann hole nur auch für uns etwas. Die vier letzten Fische sind weg.«

Zora kam von ihrer Empore herunter. »Es waren eine Barbe und drei Makrelen. Ich habe sie gestern Abend noch gesehen.«

»Sie sind radikal weg«, sagte Pavle betrübt und zeigte den Draht, auf dem sie aufgespießt waren.

Branko sah sich den Draht an. Außer den Kiemen der Barbe und ihren spitzen Zähnen war von den Fischen nichts mehr zu sehen.

»Das war aber keiner von uns«, sagte er, »das waren Ratten.«

Pavle ballte seine Fäuste. »Diese Bande. Ich glaube, ich habe sie gehört. Es muss gegen Morgen gewesen sein, als sie sich die Fische holten.«

»Was soll ich denn besorgen?« Duro war unschlüssig an der Treppe stehen geblieben.

»Ich gehe mit. Wir werden schon etwas finden«, sagte Zora.

Pavle legte einen Finger an die Stirn. »Ist heute nicht Mittwoch?«

»Wahrscheinlich«, antwortete das Mädchen.

»Am Mittwoch kommt Stjepan. Vielleicht hat uns Stjepan etwas mitgebracht.«

»Wir wollen sehen.« Zora ging auch nach der Treppe.

»Nimm dich aber in Acht«, rief ihr Nicola nach. »Begovic ist, seitdem du Branko aus dem Gefängnis geholt hast, nicht gerade freundlich auf dich zu sprechen.«

»Woher weißt du das?«

»Curcin hat es mir gesagt. Begovic schnüffle überall nach dir und Branko herum.«

Zora lachte: »Soll er. Die rote Zora fängt man nicht so leicht.«

Einen Augenblick später war sie mit Duro verschwunden.

Branko und Nicola räumten die Höhle auf, während sich Pavle wieder an seine Löffel setzte.

Branko setzte sich später neben Pavle.

»Wer ist dieser Stjepan?«, fragte er.

Pavle schnitzte erst seinen Stiel fertig. »Ein Bauernjunge«, antwortete er dann.

»Ihr kennt ihn?«

»Hm«, nickt Pavle.

»Gut?«

Pavle blickte ihn an. »Meinst du, er würde uns sonst etwas schenken.«

Nicola setzte sich zu ihnen. »Frag lieber mich«, lachte er. »Wenn dir Pavle so weiter antwortet, weißt du heute Abend noch nicht, wer Stjepan ist.«

Branko wandte sich an Nicola.

»Also, erzähle.«

»Stjepan ist ein Bursche aus der Nähe von Brinje. Das ist ungefähr vier bis fünf Stunden von hier. Er bringt jeden Mittwoch Butter, Obst und Gemüse in die Stadt. Für die meisten Sachen hat er feste Abnehmer, den Rest bringt er auf den Markt.«

»Ist Stjepan groß?«, fragte er.

»Ungefähr einen halben Kopf größer als du.«

»Hat er schwarze Haare?«

»Schwarze Haare und eine Stupsnase.«

»Hat er vier Esel?«

Nicola nickte eifrig. »Manchmal auch fünf oder sechs. Es kommt darauf an, wie viel Körbe er in die Stadt bringen muss.«

»Ich habe ihn einmal gesehen. Er sprach mit Zora. Es war an dem Tag, wo ich ins Gefängnis kam.«

»Kennst du auch die Gymnasiasten, die in der Josefsallee spielen?«

»Den Sohn von Brozovic, diesen Spitzkopf, den dicken Skalec, den Sohn vom Doktor, und Marculin aus dem Hotel ›Adria‹, die?«

»Ja«, fiel Nicola ein, »und den dicken Müllerssohn, den Sohn von Karaman, den Försterjungen und den Sohn vom Bürgermeister. Sie legen sich immer auf die Lauer, wenn Stjepan durch die Allee kommt, und treiben seine Esel auseinander. Einmal kamen wir gerade dazu.«

»Ihr! Ihr!« Pavle hob seinen Löffel und sah Nicola blitzend an. Nicola lachte. »Ich weiß schon, du.«

Pavle tippte auf seine Brust. »Ich und Zora.« Ein Grinsen lief über sein Gesicht. »Wir haben sie …«

»Verhauen«, ergänzte Nicola, »und seitdem ist Stjepan unser Freund, und wenn ihm etwas übrig bleibt von seinen Sachen, so schenkt er es uns.«

»Oft«, sagte Pavle wieder, »bringt er uns sogar etwas mit. Mir hat er das letzte Mal Speck mitgebracht und Zora ein Stück Butter.«

Nicola lachte lauter. »Ich weiß schon, euch beide liebt er am meisten.«

Nicola und Branko legten sich zurück. Der Kleine sang ein Lied und Branko summte mit. Da schoss Zora wieder in ihr Versteck.

»Kommt! Kommt!«, rief sie atemlos. »Die Gymnasiasten sind wieder über Stjepan!«

Nicola war schon aufgesprungen, auch Pavle hatte seinen Löffel auf die Seite geworfen und sich einen Stecken genommen.

»Wir haben gerade von Stjepan gesprochen«, sagte Nicola.

»Ja«, echote Pavle, »ich habe Branko von ihm erzählt.«

Während sie die große Treppe hinabsprangen – ja, diesmal krochen sie nicht durch den Gang –, berichtete ihnen Zora, was passiert war.

»Wir sind über den Markt geschlichen, um nach Stjepan Ausschau zu halten, aber da war er nicht. ›Vielleicht hat er schon alles verkauft‹, sagte Duro, ›wir werden einmal im ›Hotel Zagreb‹ nach ihm fragen.‹ Ich bin über die Zäune und Duro ist durch die Stadt gegangen. Ringelnatz stand vor dem Hotel, und Duro hat ihn nach Stjepan gefragt. Ringelnatz antwortete: ›Stjepan war noch gar nicht da. Er ist auch noch nicht vorbeigekommen.‹ Auf einmal sieht Duro einen seiner Esel über den Platz traben und denkt gleich, da ist sicher wieder etwas passiert. Ich stand schon oben am Tor, als er über den Markt kam, und da sahen wir auch, wie sich Stjepan mit den Gymnasiasten vor dem Garten des Bürgermeisters herumschlug. Wir jagten hinauf, aber Stjepan schrie: ›Holt Pavle, sie sind zu sechst‹, und ich bin sofort wieder umgekehrt euch zu holen.«

»Hörst du«, sagte Pavle stolz und stieß trotz des Laufens Nicola in die Seite, »mich soll sie holen.«

»Stjepan wird sich auch freuen, wenn ich mitkomme«, antwortete Nicola und rannte noch schneller.

Kurz vor der Stadt blieb Zora stehen.

»Es ist besser, wir trennen uns. Pavle und Nicola rennen durch die Stadt und Branko und ich klettern über die Zäune.«

Pavle brummte nur etwas.

Er war schon in den ersten Straßen verschwunden und Nicola stürmte ihm nach.

Zora und Branko jagten den Potoc hinauf, stiegen über Zäune und sprangen durch Gärten.

Als sie ein paar Minuten später über die Mauer äugten, die die Allee von den Gärten trennte, sahen sie, dass sich der Kampf schon dem Ende näherte.

Duro schlug sich noch mit zwei Gymnasiasten herum, während die anderen verschwunden waren. Stjepan selber rief verzweifelt nach seinen Eseln. Einer graste ein Stück weiter oben, zwei standen bei einem Baum, ein dritter und vierter liefen langsam wieder herbei.

Branko und Zora sprangen mit ein paar Sätzen mitten in das Getümmel hinein. Die beiden Gymnasiasten – der eine war der junge Marculin und der andere der Sohn von Doktor Skalec – warteten aber gar nicht ab, bis Zora und Branko sie gepackt hatten, sie liefen davon.

Branko wollte ihnen nach. Zora hielt ihn fest. »Bleib«, sagte sie, »wenn die beiden weiter die Allee hinunterrennen, kriegt sie Pavle und er wird ohne uns mit ihnen fertig. Wir wollen lieber Stjepan helfen, dass er seine Esel wiederbekommt.«

Duro wischte sich über das Gesicht. Er hatte eine Wunde über der Stirn. »Das war ein schwerer Kampf«, stöhnte er.

»Wo sind denn die anderen?«, fragte Zora und versuchte Duro das Blut aus dem Gesicht zu wischen.

»Sie sind im Garten des Bürgermeisters«, sagte Duro leiser.

»Eben habe ich sie noch gehört.«

Stjepan hatte bereits drei Esel beisammen, jetzt brachte er den vierten. Sein langes, aufgewecktes und offenes Gesicht war ganz mit Blut und Dreck beschmiert, auch seine Kleider waren blutig und hingen ihm in Fetzen vom Leib.

»Siehst du schlimm aus!« Das Mädchen fuhr ihm ebenfalls mit ihrem Rockzipfel über das Gesicht. Dadurch wurde es nur noch schlimmer. Zora hatte ihm das Blut von einem Ohr zum anderen gewischt.

»Oh«, sagte Stjepan, »das bisschen Blut macht nichts. Viel böser ist, dass mir immer noch ein Esel fehlt.«

»Dein Esel ist schon auf dem Markt«, tröstete ihn Duro.

»Auf dem Markt?«, fragte Stjepan erstaunt.

»Er stand am Brunnen. Er wird wohl auch jetzt noch dort stehen. Ich will einmal nachsehen«, und er wandte sich zum Gehen.

Duro war aber noch nicht zehn Schritte gegangen, da bog Nicola aus dem Tor in die Allee ein und zog den Esel hinter sich her. Er strahlte dabei über das ganze Gesicht, und als er mit dem Tier herankam, sagte er: »Er stand vor dem Hotel ›Zagreb‹ und wollte seinen Salat allein verkaufen, aber als ihm Ringelnatz einen Zehn-Dinar-Schein gab, konnte er nicht herausgeben.«

Alle lachten, auch Stjepan musste lachen, obwohl ihm nicht zum Lachen war.

»Wo hast du denn Pavle gelassen?«, fragte Branko.

Nicola grinste. »Eben hat er den kleinen Marculin in den Brunnen geworfen und der dicke Skalec liegt auch bereits darin. Da habe ich den Esel genommen und mir gedacht, ich will mir lieber bei euch Arbeit suchen. Pavle wird doch nichts für mich übrig lassen.«

Alle lachten wieder, nur Stjepan war noch traurig.

»Ich weiß nicht, was ich machen soll«, klagte er. »Dem Grauen da«, er zeigte auf das kleinste Tier, »fehlt ein Korb mit Aprikosen. Ich glaube, sie haben ihn gestohlen.«

»Sicher«, bestätigte Duro. »Ich habe gesehen, wie sie ihn forttrugen.«

»Er gehört Ristic«, klagte Stjepan weiter, »und der wird mich erschlagen, wenn ich ihm erzähle, dass mir die Gymnasiasten seine Früchte gestohlen haben.«

»Wo haben sie ihn denn hingebracht?« Zora sah Duro an.

»Da hinein.« Duro zeigte wieder auf den Garten des Bürgermeisters. »Der fuchsige Brozovic trug ihn an der rechten und der dicke Müller an der linken Seite.«

»Dann kommt! Vielleicht können wir Stjepan auch die Aprikosen wiederholen.« Sie stürzte schon auf die Tür zu, und Nicola und Branko folgten ihr.

Duro wollte auch mit.

»Bleib lieber zurück«, rief das Mädchen Duro zu. »Hilf Stjepan seine Esel wieder beladen. Mit den paar Burschen werden wir auch ohne dich fertig.«

Die Kinder plumpsten in ein Blumenbeet, als sie von dem Tor heruntersprangen.

Hinter dem Beet begann ein langer Laubengang, der mit Rosen, Glyzinien und Wein bewachsen war, und am Schluss des Ganges stand ein kleines Haus.

»Das ist ihr Schlupfwinkel«, zischte Zora Branko zu. »Wir sind schon einmal darin gewesen. Sie haben Federbüsche, Bogen, Pfeile und ein paar Holzbeile an den Wänden.«

Nicola nickte. »Gleich hinter dem Haus ist noch eine Schilfhütte. Die nennen sie ihren Wigwam.«

Zora war schon am Haus. Es stand offen. Sie blickte hinein. Es war aber niemand darin.

»Sie sind sicher im Wigwam«, sagte Nicola. »Kommt, ich führe euch. Es sind nur ein paar Schritte.«

»Wenn du weiter so schreist, sind sie bestimmt nicht mehr darin«, flüsterte Zora.

So war es auch. Als die Kinder um das Gartenhaus bogen, sahen sie die Gymnasiasten über einen Zaun in den Nachbargarten springen.

Der eine blieb einen Augenblick auf dem Zaun sitzen. Es war der junge Ivekovic, ein überlanger Bursche mit einem schmalen, bleichen Gesicht, einem festen Tuchanzug und derben, hohen Stiefeln. Über den Augen saß eine Brille.

»Das ist doch die rote Zora«, sagte er und äugte noch einmal zu den Kindern hinunter.

Ein zweiter, der junge Brozovic, der schon hinter dem Zaun stand und sein fuchsiges Gesicht durch die Latten quetschte, fügte hinzu:

»Und der andere, der hinter ihr steht, ist der Bursche, den sie aus dem Gefängnis befreit hat.«

»Ich bin es«, antwortete das Mädchen, hob ein Stück Holz hoch und schleuderte es zu dem Sohn des Bürgermeisters hinauf. Der Bub hatte sich aber schon zu Boden fallen lassen.

»Ich werde es Begovic sagen«, schrie er zurück, »der wird sich freuen, wenn er euch wieder zu Gesicht bekommt.«

Branko und Nicola wollten den Gymnasiasten nach, aber Zora hielt sie zurück. »Lasst sie nur laufen. Mit denen rechnen wir später ab. Wir wollen lieber sehen, wo sie Stjepans Aprikosen haben.«

Vor dem Eingang der Schilfhütte hing eine rote Decke. Sie schlugen sie zurück und traten ein.

In dem kleinen Raum war nichts als der Korb. Die Früchte lagen auf dem Boden. Einige waren zertreten und andere angebissen. Die Kinder sammelten sie eilig wieder ein, aber auch mit den zertretenen und angebissenen wurde der Korb nicht voll.

»Der arme Stjepan«, seufzte Zora, »der halbe Korb wird ihm nicht viel nützen.«

»Ich habe hinter dem Haus einen Baum mit viel schöneren Aprikosen gesehen«, sagte da Nicola. »Pflücken wir einfach von denen noch so viele, bis der Korb wieder voll ist.«

»Wo denn?«, fragte Zora.

»Ich zeige ihn euch.«

In der Nähe des Hauses standen sogar mehrere Aprikosenbäume und die Früchte waren beinahe doppelt so groß wie die, welche in Stjepans Korb lagen.

Nicola kletterte auf einen Baum und Zora und Branko pflückten alle Früchte, die sie von unten erreichen konnten.

Der Korb war schon übervoll und Branko und Nicola wollten ihn gerade zu Stjepan tragen, da hörten sie vom Tor her eine Stimme: »Sie sind noch da.«

Sie sahen hin. Die Gymnasiasten kamen zurück und ein großer Mann mit ihnen.

»Was machen wir jetzt?« Branko blickte sich nach allen Seiten um.

»Wir gehen am besten nach hinten«, meinte Branko »Dort ist eine Mauer, über die nicht jeder kommt, und hinter der Mauer ist der Bach.«

Die Mauer war sehr hoch und sie wussten nicht, wie sie hinaufkommen sollten.

Zora packte Branko an der Schulter. »Am Haus steht eine Leiter. Wir holen sie.«

Zuerst kletterte Nicola mit dem Korb hinauf, dann Zora und als Letzter Branko. Sie zogen die Leiter nach, schoben sie über die Mauer und ließen sie gerade auf der anderen Seite wieder nach unten, da tauchten der junge Ivekovic, Brozovic, der dicke Müller und der Försterssohn hinter ein paar Haselnussbüschen auf.

»Sie sind schon auf der Mauer«, sagte der junge Ivekovic zu dem Mann. Dieser, der groß und hager war, einen Spitzbart hatte und eine Brille trug, kam, so schnell ihn seine Beine trugen, nach.

»Das ist der Bürgermeister selber«, sagte Nicola aufgeregt. »Ich kenne ihn. Ich habe ihn schon einmal gesehen.«

Auch Branko kannte ihn. Ja, er war es. Das lange, bleiche Gesicht, die schmalen, weißen Hände, genau so hatte er vor ein paar Tagen im Hotel ›Zagreb‹ gesessen.

Er japste noch vom schnellen Lauf. »Ihr verdammte Bande!«, schrie er, so laut er schreien konnte. »Wie kommt ihr dazu, meine Aprikosen zu stehlen, noch dazu die besten und größten, die ich in meinem Garten habe!«

Branko sah sich den großen, aufgeregten Mann erst einen Augenblick an, bevor er antwortete. »Weil«, begann er zögernd, aber dann immer mutiger und schneller, »weil Ihr Sohn und die anderen da unseren Freund Stjepan verprügelt haben.«

»Sie haben auch seine Esel auseinander getrieben«, fiel Zora ein.

»Und hier!« Nicola zeigte den Korb.

Da wurde den Gymnasiasten die Sache zu gefährlich. »Glaub ihnen nichts, Vater«, rief der junge Ivekovic.

»Ja, sie lügen!«, sagte Smoljan, der Försterssohn.

»Der große da«, Brozovic zeigte auf Branko, »ist außerdem der Bursche, der neulich dem Begovic davongelaufen ist.«

»Und das Mädchen neben ihm«, stotterte der dicke Müller, »ist die rote Zora, die Begovic auch sucht.«

Der Bürgermeister trat einen Schritt näher. Er sah sich Branko an. »So«, meinte er und zupfte aufgeregt an seinem Bart. »Du bist der Dieb, den Karaman erwischt hat.« »Ich bin kein Dieb«, antwortete Branko. »Ich habe nur einen Fisch aufgehoben, der auf der Straße lag, aber«, sagte er lauter, »Ihr Sohn ist ein Dieb. Er hat mit seiner Bande unserm armen Stjepan diesen Korb, der voller Aprikosen war, gestohlen!« Und er hob den Korb hoch.

»So.« Doktor Ivekovic schien etwas betroffen. »Und«, fuhr er weniger grob fort, »dass du jetzt über meinen Aprikosen warst, ist auch kein Diebstahl?«

»Nein«, sagte Branko. »Wir haben den Korb ja nur wieder gefüllt.«

»Stopft ihm das Maul, dem Lügner«, schrie der junge Ivekovic laut.

»Ja, stopft es ihm.« Der junge Smoljan nahm ein Stück Holz und warf es zu Branko hinauf.

Der Bürgermeister verbot aber den Gymnasiasten das Werfen und trat noch einen Schritt näher an die Mauer heran.

»Wenn du kein Dieb bist, warum bist du dann aus dem Gefängnis davongelaufen?«

»Weil es nicht schön war«, erwiderte Branko ehrlich.

»Er ist doch ein Dieb!«, schrie der kleine Brozovic. »Mein Vater sagt es auch.«

»Sei du nur still!«, schrie Branko dem kleinen Kläffer wütend zurück, »und sage deinem Vater, wenn er den Sohn von Milan Babitsch noch einmal einen Dieb nennt, erzähle ich allen Leuten, dass seine Gewichte nicht stimmen.«

Der kleine Brozovic wurde rot im Gesicht. »Das sage ich aber meinem Vater.«

»Das sollst du auch«, antwortete ihm Branko, »und sag ihm noch, wir werden es in der ganzen Stadt erzählen.«

Der Bürgermeister war noch einen Schritt näher gekommen und stand nun unmittelbar unter der Mauer.

»Wenn es wahr sein sollte, dass mein Sohn und die fünf anderen Buben eurem Stjepan einen Korb Aprikosen weggenommen haben, warum seid ihr dann gerade in meinen Garten eingedrungen und habt den Korb hier gefüllt? Es war ja immerhin nicht einer, sondern sechs, die ihn gestohlen haben.«

»Weil die Spitzbuben mit dem Korb hier hereingelaufen sind«, antwortete Branko, »und wir ihn hier wieder gefunden haben und weil wir ihn so schnell wie möglich wieder füllen mussten. Wenn Stjepan ohne Aprikosen auf den Markt kommt und sie nicht verkauft, schlägt ihn der Bauer, der ihm die Früchte mitgegeben hat, halb tot.«

»Ich finde es noch immer nicht gerecht«, meinte der Bürgermeister. »Wenn sechs gestohlen haben, müsst ihr auch sechs bestrafen und nicht nur einen, und noch dazu seinen unschuldigen Vater.«

Die Kinder, die nicht merkten, dass sie der Bürgermeister mit diesem Gespräch nur hinhalten wollte, antworteten weiter.

Nicola machte sein pfiffigstes Gesicht. »Das werden wir auch, Herr Bürgermeister, aber bei einem mussten wir anfangen.«

»Ja«, sagten auch Branko und Zora, »wir rächen uns noch an allen.«

»Kommt nur«, rief jetzt der junge Smoljan, der inzwischen mit dem jungen Ivekovic zurückgegangen war und Steine zusammengelesen hatte. Er warf den ersten zu Branko hinauf.

Branko wich aus und der Stein flog an ihm vorbei. Der junge Ivekovic warf besser, aber er traf auch nicht Branko, sondern Stjepans Korb.

Branko suchte den Stein, aber er war wieder von der Mauer heruntergefallen. Er packte deswegen eine Aprikose, zielte und traf Smoljan mitten ins Gesicht.

»Au!«, schrie der und rieb sich den süßen Brei aus Nase, Mund und Augen.

Jetzt begann ein richtiges Bombardement und auch der Bürgermeister konnte es nicht mehr aufhalten. Smoljan, Brozovic, der junge Ivekovic und der dicke Müller warfen mit Holzstücken, Grasbüscheln und Steinen und Branko, Zora und Nicola antworteten mit den Aprikosen.

Branko bekam von dem dicken Müller einen Stein gegen die Hand, Zora wurde so stark von einem großen Grasbüschel getroffen, dass sie das Gleichgewicht verlor und beinahe von der Mauer gefallen wäre. Branko konnte sie im letzten Augenblick noch halten. Nicola ritzte ein Stein an der Stirn, aber es war weiter nicht schlimm.

Branko packte die letzte Aprikose, zielte und traf den dicken Müllerssohn mitten auf den Kopf, sodass er heulend davonlief. Als er aber nach der nächsten fassen wollte, merkte er, dass der Korb leer war. Im gleichen Augenblick fiel ihm ein, wie dumm es gewesen war, mit den Aprikosen zu werfen. Statt die Früchte in Sicherheit zu bringen, damit sie Stjepan verkaufen konnte, hatten sie nun nicht nur die gestohlenen, sondern auch die anderen auf die Gymnasiasten geworfen.

Zora dachte im gleichen Augenblick dasselbe und auch den Gymnasiasten fiel es auf, dass die Kinder auf der Mauer auf einmal erschrocken in ihren Korb sahen.

»Ha, ha«, lachte der junge Ivekovic, »jetzt haben wir unsere Aprikosen wenigstens wieder.«

»Wieso denn?«, fragte der kleine Brozovic dumm.

»Sieh doch, was sie für Gesichter machen. Ihr Korb ist sicher leer.«

Die Kinder sollten aber noch einen anderen Schreck bekommen. Der Bürgermeister war während des Bombardements ein wenig zurückgetreten; nun kam er wieder hinter den Bäumen hervor, aber es war noch jemand bei ihm.

Zora sah den Mann zuerst. »Sieh nur«, sie stieß Branko an.

Branko machte erschrockene Augen. Die dicken Beine, die wurstigen Finger und den Knüppel kannte er doch natürlich. Jetzt kamen auch die Hängebacken, der große Bart und die Mütze hinter der Hecke hervor. Es war Begovic.

»Dort oben sind sie, Begovic«, instruierte ihn der Bürgermeister und zeigte auf die Mauer.

Der dicke Begovic ging ein wenig in die Knie und legte die eine Hand über die Augen, als könne er die Kinder noch nicht recht sehen, dann salutierte er vor dem Bürgermeister, schulterte seinen Knüppel und ging mit festen Schritten auf die Mauer zu.

Branko war noch immer bleich vor Schreck, auch Zora machte ein erschrockenes Gesicht. Nur Nicola grinste wie sonst und äugte lustig zu Begovic hinunter.

»Nehmen Sie sie fest, Begovic!«, befahl der Bürgermeister.

160

Auch die Gymnasiasten riefen. »Nimm sie fest, Begovic. Nimm sie fest.«

Begovic stellte sich auf die Zehen, schob den Kopf wie ein Kranich aus dem Kragen heraus, machte sein grimmigstes Gesicht, wedelte mit seinem Knüppel, aber so hoch er ihn auch hob, bis zu den Kindern hinauf konnte er damit nicht kommen. Er verlegte sich deswegen aufs Brüllen: »Im Namen des Gesetzes«, schrie er sie an, »ihr seid verhaftet!«

Branko tropfte der Angstschweiß von der Stirn, auch Zora hielt sich ängstlich an der Mauer fest, aber den kleinen Nicola schreckte auch Begovics Brüllen nicht.

»Wenn Ihr uns verhaften wollt, müsst Ihr schon heraufkommen, Begovic«, krähte er frech hinunter.

Nun wurde auch Zora mutiger. »Ja, kommt nur herauf, Begovic«, sagte sie und zeigte die Zähne. Selbst in Brankos Gesicht kam etwas Farbe. Die hohe Mauer schützte sie ja wirklich vor dem dicken Begovic und seinem Knüppel.

Begovic sah das auch ein. Er drehte sich um, salutierte wieder vor Doktor Ivekovic und sagte: »Sie lassen sich nicht verhaften, Herr Bürgermeister.«

»Dann holt sie doch herunter!«, brüllte ihn Doktor Ivekovic an.

Begovic drehte sich erneut zu der Mauer und versuchte vergebens an den überkalkten Steinen in die Höhe zu klettern. Sie waren zu glatt, der Gendarm rutschte immer wieder auf die Erde.

»Hier muss doch eine Leiter sein«, erinnerte sich der Bürgermeister und rannte mit dem jungen Smoljan und Brozovic zum Haus zurück.

Begovic starrte inzwischen wütend zu den Kindern hinauf, dann, als sähe er das Vergebliche seines Bemühens ein, veränderte sich sein Gesicht auf einmal. »Kommt um Gottes willen herunter, Kinder«, rief er leise zu ihnen hinauf. »Kommt herunter, der arme Begovic verliert sonst Amt und Brot.«

»Wir kommen schon«, meinte Nicola tröstlich. »Aber wir spazieren lieber auf der anderen Seite hinunter.«

Doktor Ivekovic und die beiden Gymnasiasten kamen wieder.

»Die Leiter ist fort.«

»Ich habe sie gesehen«, erinnerte sich der dicke Müller. »Sie sind damit auf die Mauer geklettert und haben sie dann hinübergezogen.«

Nicola lachte noch einmal frech hinunter. »Und nun steigen wir auf ihr wieder hinab«, sagte er und verschwand.

»Ich gehe lieber auch«, lachte Zora, stülpte sich den leeren Korb über den Kopf, zwinkerte Begovic, dem Bürgermeister und den Gymnasiasten noch einmal zu und kletterte die Leiter hinunter.

Jetzt stand nur noch Branko auf der Mauer.

Da drehte sich Begovic entschlossen zu Doktor Ivekovic um. »Ich glaube, ich muss schießen, Herr Bürgermeister«, sagte er und nestelte mit seinen Gurkenfingern an seiner Revolvertasche.

»Ja, schieß, Begovic!«, schrien die Gymnasiasten. »Schieß!«

Bevor Begovic seinen Revolver aus der Tasche herausgenommen und sich wieder umgedreht hatte, war die Mauer ganz leer. Auch Branko war verschwunden.

[Zusammenfassung der fehlenden Kapitel aus der Originalausgabe]

Gorian, der alte Fischer aus Senj, hat Zora und Branko beim Stehlen erwischt. Er merkt, dass er den beiden eine sinnvolle Aufgabe geben muss, und heuert sie als Helfer bei seinem Fischfang an. Die Auseinandersetzungen zwischen Zoras Bande und den Gymnasiasten werden immer heftiger. Als nach einem Streit die Gymnasiasten mit einem Boot über den Teich fliehen wollen, öffnet Duro die Schleuse des Teiches. Dadurch wird der wertvolle Fischbestand des Müllers freigesetzt. Nach diesem Vorfall werden Zora und ihre Bande von den Behörden verfolgt, die die Jugendlichen in Erziehungsheime oder ins Gefängnis bringen will. Die Bande verlässt für ein paar Wochen die Gegend. Da die Fischereigesellschaft alle Fanggründe aufkauft, ist Gorian gezwungen, seine Fische dieser Gesellschaft zu verkaufen. Erst will er sich weigern, muss sich dann aber doch den neuen Bedingungen unterwerfen.

Branko und Zlata, die Tochter des Bürgermeisters, scheinen sich füreinander zu interessieren. Zora empfindet Zlata immer als Konkurrentin bei ihrem heimlichen Werben um Branko. Sie beschließt, eine Entscheidung herbeizuführen ...

Die Uskoken werden reich

Am nächsten Morgen trieb Branko seine Sehnsucht, obwohl er sich dagegen wehrte und er wusste, dass Dordevic und Begovic hinter jeder Ecke auf ihn lauerten, wieder nach Senj zu der jungen Dame.

Er war aber noch vorsichtiger als sonst und äugte erst lange aus allen Toreinfahrten und Türen hinaus, bis er es wagte, eine Straße zu überqueren oder über einen Platz zu huschen.

Es schlug sieben, als er endlich vor dem Hotel »Zagreb« stand, und da hörte er von Ringelnatz, dass Zlata bereits im Bad sei.

Er kletterte wieder über die Höfe zurück und machte einen großen Bogen um die Stadt, bis er bei seiner alten Klippe ans Meer stieg. Wie lange war er nicht hier gewesen? Seit dem Tod seiner Mutter. Und was war seither geschehen? Wie ein Märchen kam ihm alles vor. Die Freundschaft mit Zora, das Leben auf dem Turm. Die Begegnung mit Zlata. Und was würde alles noch kommen?

Er sah auf das Wasser und die Wellen. Ach ja, er wollte sehen, ob er Zlata wieder treffen konnte, und ohne sich lang zu besinnen, glitt er ins Wasser und schwamm immer weiter hinaus.

Branko schwamm diesmal von der Stadt aus auf das Bad zu. Es war nicht so weit, die Wellen gingen auch nicht so hoch und er kam bald näher.

Es war noch früh am Tag und im Bad waren noch nicht viele Leute. Er hatte Glück, das Mädchen war im Wasser.

Der Knabe tauchte unter und kam kurz vor ihr wieder in die Höhe. Er pustete und schüttelte sich.

Als er seine Augen öffnete, sah ihn Zlata erst erstaunt und dann belustigt an.

»Du bist es«, lachte sie. »Ich dachte schon, es sei ein Walfisch oder ein Seehund.«

Er schwamm eine Weile neben ihr her.

»Kannst du rasch schwimmen?«, fragte Zlata.

Branko bejahte.

»Siehst du den Felsen dort draußen?«

Es war ein großer Stein, der bei Ebbe aus dem Wasser ragte, aber wieder verschwand, wenn die Flut gegen das Land strömte.

Branko kannte ihn gut. Er war schon einige Male auf dem felsigen Block gewesen.

»Wir wollen sehen, wer ihn zuerst erreicht.« Zlata warf sich auf die Seite und kraulte auf ihn zu.

Branko versuchte an ihrer Seite zu bleiben. Er stieß seine Hände und seine Füße immer schneller von sich, aber er konnte machen, was er wollte, das Mädchen ließ ihn Meter um Meter zurück. Als er endlich den Stein erreichte, saß sie schon oben.

»Ätsch«, lachte sie. »Springen kann ich zwar nicht so gut wie du, aber schwimmen kann ich besser.«

Er setzte sich neben sie und sah sich um. Das Bad war ganz klein, man konnte es kaum mehr erkennen. Auch Senj war weit entfernt und die breite Mole, die ins Wasser ging, sah wie ein schmaler Bootssteg aus. Sogar die großen Häuser waren zu winzigen Steinwürfeln geworden, und als die Glocken über das Wasser klangen, konnte man meinen, man sei weit, weit fort.

Zlata blickte nach der Insel hinüber. »Hier ist es schön.«

Branko strahlte sie an. »Und so weit fort von den anderen.«

»Ja, hier können dich der Bademeister und die Gymnasiasten nicht fangen.«

»Auch Begovic und Dordevic nicht«, lachte Branko.

Zlata nickte. »Auch die nicht.«

»Und auch Ihr Vater nicht.«

»Sucht er dich immer noch?«

»Und wie«, sagte Branko. »Und seit gestern noch vielmehr.«

»Habt ihr schon wieder etwas angerichtet«, fragte das Mädchen.

Branko nickte und erzählte, was gestern alles auf dem Markt passiert war.

»Ich habe davon gehört. Das wart ihr also?«

»Wir haben es nur getan, weil der alte Gorian unser Freund ist.«

»So, der alte Fischer ist euer Freund.«

»Ja«, bestätigte Branko, »und der beste Mann der Welt.«

»Da kannst du nun aber nicht mehr zu mir in den Pavillon kommen.«

»Wir können uns ja jetzt immer hier treffen«, meinte Branko und zog seine Mundharmonika aus der Tasche.

»Gut«, nickte das Mädchen, »und immer um diese Zeit.«

Branko antwortete aber nicht mehr, er spielte schon.

Zlata legte sich zurück und hörte ihm zu. Branko spielte ein neues Lied, das ihm in den Sinn gekommen war.

Das Mädchen richtete sich auf. »Ist das auch von deinem Vater?«

Branko nickte.

»Wie heißt er eigentlich?«, fragte das Mädchen weiter.

»Milan.«

»Und wie hieß deine Mutter?«

»Anka.«

»Milan und Anka«, flüsterte sie leise. »Zwei schöne Namen.«

Zlata streckte sich wieder aus und Branko spielte weiter. Ein Wind hatte sich erhoben und das Wasser plätscherte leise zu seiner Melodie.

»Willst du immer ein Uskoke bleiben?«, fragte das Mädchen.

»Nein, ich möchte wie mein Vater Geiger werden.«

Zlata lächelte: »Ach, und ich Sängerin.«

Branko klopfte seine Mundharmonika auf dem Schenkel aus.

»Das ist schön. Da können wir später von Schenke zu Schenke gehen. Ich spiele und Sie singen.«

»Nein«, Zlata schüttelte den Kopf, »so eine Sängerin will ich nicht werden. Ich möchte in großen Sälen, im Theater oder in der Kirche singen.«

»Könnte ich da auch spielen?«

»Wenn du ein sehr guter Geiger wirst, bestimmt.«

»Oh«, sagte Branko mit Nachdruck, »das werde ich schon.«

Sie sprachen jetzt eine Weile nichts. Sie sahen über das Wasser und freuten sich an der Sonne, die höher stieg und sie immer besser wärmte.

»Hast du eigentlich schon eine Geige?«, fragte Zlata wieder.

»Nein«, antwortete Branko.

»Ich hätte eine.«

»Sie haben eine?«

»Ich kann sogar darauf spielen.«

»Könnten Sie es mich nicht lehren?« Branko sah sie bittend an.

Zlata überlegte. »Das könnte ich schon, aber dann müsstest du wieder in unsern Pavillon kommen.« Sie überlegte weiter. »Vielleicht in drei oder vier Tagen. Ich sage dir noch Bescheid.«

Sie lagen noch eine gute Stunde auf der Klippe, bis das Wasser immer höher stieg und erst den Stein und dann ihre Körper überschwemmte. Als ihnen die ersten Wellen auch über den Kopf schlugen, sagte das Mädchen: »Nun müssen wir wohl Abschied nehmen«, und sie stieß sich ins Wasser.

Sie schwammen noch ein Stück nebeneinander.

»Bis morgen«, sagte Zlata noch, dann schwamm sie mit großen Stößen wieder zu dem Bad hinüber, während Branko nach rechts in die Bucht des alten Gorian schwamm.

Der Knabe landete an der Spitze der Bucht und ging langsam und verträumt auf die Hütte des Fischers zu.

Am Steintisch schimpfte jemand. Wer war das? Etwa wieder die Gendarmen? Branko schlich sich vorsichtig vorwärts. Er hörte die Stimme Vater Gorians und des alten Orlovic, aber dazwischen waren noch andere Stimmen.

Jetzt sah er die Männer auch. Es waren nicht die Gendarmen, sondern die Söhne des alten Orlovic, die so laut und drohend auf den alten Gorian einsprachen.

Die beiden großen Burschen hatten sich die letzten Tage nur immer mittags zum Füttern der Fische eingefunden. Der alte Gorian zahlte ihnen dann einige Dinare aus, den Teil des Erlöses für den Verkauf der Fische, der den Zwillingen zustand. Heute wollten die Brüder aber mehr.

Branko hörte, wie der Gelbkopf sagte: »Ihr seid ein Starrkopf, Vater Gorian.«

»Ich?«, knurrte der Alte. »Die Gesellschaft ist einer.«

»Die Gesellschaft ist aber stärker als Ihr«, trumpfte der Schwarzkopf auf.

»Das ist sie höchstens, wenn ihr mir in den Rücken fallt.«

»Wir wollen nichts weiter als unser Geld«, sagte der Gelbkopf ungewöhnlich laut.

»Das habt ihr jeden Tag auf Dinar und Para bekommen.«

»Die paar Dinare nennt Ihr unseren Anteil?« Der Schwarzkopf lachte bös.

»Euer Anteil liegt ja noch im Wasser.«

»Dann verkauft ihn also der Gesellschaft«, setzte der Gelbkopf wieder ein.

»Ihr wisst genau, dass die Gesellschaft mir die Fische nur abnimmt, wenn ich meinen Fangplatz und mich mit verkaufe.«

»Das ist uns gleich«, meinte der Schwarzkopf grob, »dann verkauft Euch mit.«

Der alte Gorian sah die Zwillinge böse an. »Ich bin ein freier Fischer.«

Der Gelbkopf lachte dumm auf. »Davon werden wir nicht satt.«

»Ich auch nicht. Aber ich will lieber hungern, als ein Knecht der Gesellschaft zu sein.«

Die Zwillinge blieben starrköpfig. »Dann hungert ruhig, aber wir wollen essen.«

Branko trat jetzt zu den anderen Kindern, die alle dem Gespräch interessiert zuhörten.

Vater Gorian wandte sich an den alten Orlovic, der sich etwas abseits an den Feigenbaum gelehnt hatte.

»Was sagst du eigentlich dazu, Orlovic?«

Der alte Orlovic zog lange an seiner Pfeife.

»Was soll ich gegen die Burschen machen?«, antwortete er ausweichend.

»Gehorchen sie dir nicht mehr?«

Orlovic spuckte aus. »Dazu sind sie zu alt.«

Der alte Gorian ging eine Weile mit großen Schritten vor Orlovic auf und ab.

»Und was rätst du mir?«, fragte er dann.

Vater Orlovic dachte wieder lange nach, dann sagte er leise, aber bestimmt: »Ich würde nachgeben.«

Vater Gorian fuhr zornig herum. »Warum?«

»Weil ich auch glaube, dass die Gesellschaft stärker ist als wir.«

»Äch!«, knurrte Gorian. »Ich glaube das nicht.«

»Sie hat andere klein gemacht vor uns. Denk an die Fischer von hier bis hinauf nach Fiume.«

Der alte Gorian bekam zwei dicke Falten auf der Stirn, dann stampfte er wütend auf. »Ich gebe nicht nach«, drehte sich um und wollte ins Haus gehen.

Die Zwillinge vertraten ihm den Weg. »Wir aber auch nicht!«

»Was soll das heißen?« In die Augen des alten Gorian kam ein zorniges Leuchten.

»Wir haben ein paar Leute von der Gesellschaft bestellt. Sie müssen gleich kommen.«

Der Alte lachte auf. »Was sollen sie hier?«

»Wenn Ihr nicht verkauft«, sagte der Gelbkopf, »verkaufen wir. Unser Anteil gehört ja uns, ob er nun auf dem Lande ist oder noch im Wasser.«

Der Alte blickte sie an. »Und ihr wollt euch auch selber verkaufen?«

Die beiden Burschen verzogen ihre Gesichter zu einem Lachen.

»Wir haben uns schon verkauft. Der Kontrakt ist bereits unterschrieben.«

Der alte Gorian wandte sich noch einmal an Orlovic. »Und du?«, fragte er.

»Blut hält zu Blut, Gorian. Wenn meine Söhne unterschrieben haben, werde ich auch unterschreiben.«

»Dann hätten sie also schon die halbe Bucht«, sagte Vater Gorian langsam und nachdenklich. Plötzlich lachte er auf. »Wenn ich euch nur nicht noch einen Strich durch die Rechnung mache.«

Er blitzte die Zwillinge an, dann ging er endgültig ins Haus.

Kaum war die Tür hinter ihm zugeschlagen, donnerten ein paar Lastwagen den Weg zur Hütte des Alten herunter. Die Kinder sahen hinaus. Es waren drei große Fischwagen der Gesellschaft. Die Wagen hielten unmittelbar vor dem Gartentor und einige Männer sprangen heraus.

Es waren junge Fischer, die im Dienst der Gesellschaft standen, Kukulic, der Direktor der Fischgesellschaft, ein kleiner, dicker, etwas asthmatischer Mann mit einem Klemmer und einem Glatzkopf, und Doktor Frages, der Direktor einer der größten Susaker Konservenfabriken, ein schöner, junger Mann in einem weißen Anzug.

Direktor Kukulic und Doktor Frages kamen auf den alten Orlovic, seine Söhne und die Kinder zu.

»Ihr sollt einen großen Fang gemacht haben?«, sagte Doktor Frages, nachdem er alle begrüßt hatte.

Die Zwillinge und Vater Orlovic nickten.

»Kann man die Fische sehen?«

Orlovic führte die Gesellschaft zum Wasser. Da schwammen sie, die großen, fetten Tiere. Sie schwammen noch immer so dicht nebeneinander, dass das Wasser dunkel von ihrer kobaltfarbenen Schwärze war.

»Was für große Kerle«, entfuhr es dem jungen Mann.

»Hm«, Kukulic klemmte seinen Zwicker auf die Nase, »wirklich ein guter Fang.«

»Der größte, den wir jemals gemacht haben«, sagte Orlovic stolz.

Doktor Frages sah auf.

»Wo geht das Netz zu Ende?«

»Dort drüben an der Esche und auf der anderen Seite am alten Wacholderbaum. Wenn Sie genau hinsehen, sehen Sie auch die beiden Pfähle.«

»Und bis dahinter ist das Wasser voller Fische?«

Der alte Orlovic nickte. »Dabei haben wir schon mindestens zweitausend Kilo verkauft und tausend Kilo verfüttert.« Der junge Mann bot dem alten Orlovic eine Zigarre an. »Und Ihr wollt sie verkaufen?«

»Mit den Fangrechten«, fügte der dicke Kukulic eilig hinzu. »Ja«, antworteten die Zwillinge schnell.

Der alte Orlovic machte nur: »Hm.«

»Was gibt's denn noch?«, fuhr ihn Kukulic an.

»Der alte Gorian will noch nicht«, sagte Vater Orlovic.

»Ihr wollt doch und Eure Söhne wollen auch, das sind schon drei«, antwortete der Dicke schnell.

»Dem alten Gorian gehört aber die Hälfte der Bucht«, erwiderte Orlovic leise.

»Wo ist denn der Mann?« Direktor Frages drehte sich um.

»Er ist vorhin ins Haus gegangen«, sagte Branko.

»Holt ihn her.«

Der alte Gorian war nicht mehr im Haus, er hatte den allgemeinen Wirrwarr benutzt, um sich aus Haus und Garten davonzuschleichen.

»Dort drüben ist er!«, rief Zora und zeigte auf den südlichen Teil der Bucht.

Tatsächlich, der alte Gorian schritt gemächlich vor sich hin. Er ging bis zu dem Pfahl unter dem Eschenbaum, an welchem das große Netz angebunden war, und setzte sich auf einen Stein.

»Der Alte ist ein Dickkopf«, sagte Kukulic und fuhr sich über die Glatze. »Ich glaube, wir müssen zu ihm hinüber.«

Der weiße Mann nickte. Er sah noch einmal auf die Fische. »Für den Fang lohnt es sich ja auch.«

Sie gingen dem Alten nach. Die Fischer und die Kinder gingen mit.

Vater Gorian hatte sich seine Pfeife gestopft. Als der Zug herankam, zündete er sie gerade an.

»Guten Tag«, sagte der dicke Kukulic und schoss wie eine Kugel auf Gorian los. Vater Gorian grüßte zurück.

»Ihr wollt Eure Fische nicht verkaufen«, sagte der Direktor hastig.

Der Alte sog an seiner Pfeife. »Wer das sagt, ist ein Lügner. Ich war sogar selber auf dem Markt damit.«

»Aha« sagte Kukulic spitz, »Ihr wollt also bloß Euer Geld von uns einhamstern und nicht mit Eurem Fangplatz und Eurer Arbeitskraft in unsere Gesellschaft kommen?«

»Nein«, antwortete der Alte, »das will ich nicht.«

»Ja, da ist nichts zu machen«, meinte Kukulic grob, »da holen wir eben nur die Fische der drei Orlovics aus dem Wasser. Eure lassen wir darin, oder«, meckerte er, »wenn wir einen davon mit herausholen, werfen wir ihn wieder hinein.«

Der alte Gorian sah ihn an. »Kein schlechter Plan, Direktor, nur habe ich einen anderen.«

»So?« Der kleine Mann, der sich bereits umdrehte und wieder gehen wollte, schnellte herum. »Und der wäre?«

»Sobald ihr einen Kahn ins Wasser lasst und Fische herausholt, schneide ich hier das Seil durch«, er zeigte auf den festen Strick, der die Netze zusammenhielt, »und lasse meine Fische hinaus.«

Der dicke Kukulic riss seine Augen auf und lief rot an. »Seid Ihr verrückt?«

Auch die Zwillinge machten erschrockene und dann grimmige Gesichter und sogar der alte Orlovic sperrte seinen Mund auf.

»Ich bin genauso wenig verrückt wie Ihr«, lächelte der alte Gorian, »aber hier sitze ich, hier ist mein Messer«, er zog es aus der Tasche, »und Ihr müsst Euern Leuten nur den Auftrag geben in die Boote zu steigen, dann ist der Strick durch.«

Direktor Frages trat näher. Der junge, schöne Mann sah den alten Gorian eine Weile interessiert an.

»Aber, Väterchen«, sagte er, »Ihr vernichtet doch damit Euer Netz. Ihr fügt außerdem Euren Freunden und Euch selber großen Schaden zu. Der ganze Fang flüchtet wieder ins Meer. Das wäre ja beinahe gemein.«

Der alte Gorian hob sein Gesicht. »So, so, das scheint Euch eine Gemeinheit, aber dass ich meinen Fang nicht mehr verkaufen kann wie seit dreißig Jahren, dass mir die Gesellschaft alle Wagen stiehlt, dass sie mir sogar den Verkauf meiner Fische auf dem Markt verbietet, das ist keine, he, junger Mann?«

Der dicke Kukulic hatte seine Sprache wieder gefunden. »Ich muss so handeln«, sagte er, »die Gesellschaft und der Magistrat verlangen es so.«

»Ihr müsst gar nicht so handeln«, erwiderte der alte Gorian grob.

»Ihr wollt so handeln. Ihr wollt uns Kleine alle kaputtmachen. Die Gesellschaft«, fuhr er nach einer Pause fort, »seid Ihr übrigens selber. Nein, Herr Direktor«, der alte Mann richtete sich auf, »Eure Gemeinheit ist viel größer als die meine.«

»Die Sache mit der Lizenz hat der Magistrat beschlossen, begehrte der dicke Kukulic auf.

Der alte Gorian lachte. »Und Ihr seid darin, der Bürgermeister ist auch in Eurer Gesellschaft, Brozovic hat gleichfalls Aktien, auch Radic hat welche. Ha, ha, der Magistrat! Herr Kukulic, die Sache mit der Lizenz und dass wir armen Fischer unsere Fische nicht mehr auf dem Markt verkaufen sollen, stammt gleichfalls aus Eurem Glatzkopf.«

Jetzt wurde Kukulic deutlicher. »Wenn Ihr das alles wisst, wisst Ihr ja auch, dass Ihr nichts gegen die Gesellschaft machen könnt.«

»Das weiß ich. Da ich aber ein freier Fischer bleiben will, lasse ich meine Fische, wenn ich sie nicht ohne mich verkaufen kann, lieber wieder ins Wasser.« Er blinzelte leicht und zeigte auf einige der großen Tiere, die träg und stumm zu den Männern heraufsahen. »Übrigens schade um die Tiere. So große gibt es selten in Senj.« Direktor Frages trat wieder zum alten Gorian.

»Ihr wollt also Ernst machen?«

»So wahr ich hier stehe«, sagte der alte Gorian feierlich.

»Nun gut«, meinte der junge Mann. »Ich mache einen dritten Vorschlag. Ich kaufe Euch Euren Anteil noch einmal ab, ohne dass ihr Euch selber mit Eurem Fangplatz an die Gesellschaft verkaufen müsst, aber …«

»Herr Frages!«, rief der dicke Kukulic entsetzt.

Der junge Mann ließ sich nicht stören, er sprach weiter. »Aber das ist das letzte Mal. Im nächsten Jahr werdet Ihr ja sowieso klein beigeben müssen, denn Euer Nachbar ist bereits der Gesellschaft beigetreten, und entweder tut Ihr es dann auch oder Euer Fangplatz bleibt liegen, denn die Fischrechte in der Bucht gehören dann zur Hälfte der Gesellschaft.«

»Was im nächsten Jahr ist, darüber wollen wir im nächsten Jahr sprechen«, sagte der alte Gorian schlicht. »Ich bin ein alter Mann und vielleicht kann ich bis dahin doch noch als freier Fischer sterben.«

»Mein Vorschlag gilt also?« Doktor Frages reichte Vater Gorian seine Hand. Der alte Gorian wollte gerade einschlagen, da sprang der dicke Kukulic noch einmal dazwischen. »Der Preis, Herr Frages, der Preis, Sie haben den Preis vergessen. Ich zahle nicht mehr als einen Dinar für das Kilo.«

»Ich habe immer einen Dinar und dreißig Para bekommen«, sagte der alte Gorian, »und ich habe nicht gehört, dass die Thunfischer in der letzten Zeit ihre Preise herabgesetzt haben.«

»Ein Dinar zehn ist das Höchste, was ich zahle«, knurrte der Glatzköpfige weiter.

Der alte Gorian blickte ihn an. »Ich bin ein Fischer und kein Händler, Herr Kukulic.«

»Gebt es ihm schon«, drängte der junge Mann. »Ihr bekommt ja die andere Hälfte sowieso halb umsonst und wir brauchen die Fische.« Er wandte sich zum Gehen.

Der dicke Kukulic sah zuerst auf den alten Gorian und dann auf den sich entfernenden Frages. »Na, meinetwegen«, knurrte er und schnaufte hinter dem weißen Mann her.

Die Fischer stellten noch zwei Tische neben den Steintisch, machten die Boote los und nun begann ein Schlagen, Töten und Schlachten, wie es die Bucht noch nie gesehen hatte.

Die Fischer prügelten einfach in das Wasser, fassten nach den getroffenen Fischen und versuchten sie in die Boote zu ziehen. Die Fische bäumten sich auf, manchmal schnellten sie wie Torpedos in die Höhe, überschlugen sich in der Luft und knallten wieder ins Wasser.

Die Kinder waren beim alten Gorian sitzen geblieben und sahen der Schlacht von weitem zu.

Es sah viel schlimmer aus als während der letzten Tage, wo sie selber die Fische betäubt und aus dem Wasser gezogen hatten.

Zora schloss die Augen und drückte sich an den alten Gorian. »Furchtbar«, klagte sie, »die armen Fische.«

Der Alte strich ihr über den Kopf. »Ja«, meinte er, »es ist schlimm. Aber was willst du machen. Die kleinen Fische fressen die Krebse und die Larven. Die großen Fische fressen die kleinen und die großen werden dafür von uns gefressen. Fressen oder gefressen werden, so ist das Leben.«

Es waren noch nicht zehn Minuten vergangen, da waren die Kähne das erste Mal voll. Orlovic und seine Söhne schnitten die Tiere auf, darauf wurden sie gewogen und auf die Lastwagen geschleppt. Zwei Stunden dauerte das schauerliche Schlachten, dann waren alle Wagen voll.

»Kommt!« Der alte Gorian stand auf. »Jetzt wollen wir uns unser Geld geben lassen.«

Der alte Orlovic, Doktor Frages und der dicke Kukulic saßen schon unter dem Feigenbaum und rechneten die Gewichte zusammen.

»Das ist wirklich ein guter Fang.« Der junge Mann nickte dem alten Gorian zu. »So große und schwere Fische habe ich noch nie gesehen. Die meisten sind zwischen dreißig und fünfzig Kilo. Wir haben aber auch einige von siebzig, achtzig und neunzig Kilo darunter.«

»Dabei merkt man noch gar nicht, dass wir schon wieder drei Wagenladungen herausgeholt haben«, sagte der dicke Kukulic etwas freundlicher und fuhr sich vergnügt über die Glatze. »Ja, ich glaube, es sind bestimmt noch einmal drei Wagen darin.«

Der alte Gorian nickte nur, dann sagte er still: »Es ist beinahe so, als wollte mich der Himmel mit meinem letzten Fang noch einmal besonders segnen.«

Die Ziffern waren zusammengerechnet, der dicke Kukulic zog einen großen Beutel aus der Tasche und zählte Scheine, Silber und Nickel ab. Einen Teil schob er dem alten Orlovic und seinen Söhnen zu und den anderen dem alten Gorian.

»So«, sagte er dazu, »das gehört alles Euch, Vater Gorian.«

Der alte Gorian blinzelte nur.

Die Motoren ratterten und die Männer verabschiedeten sich. Der alte Orlovic und die Zwillinge fuhren mit. Sie sollten in Senj beim Umladen helfen.

So blieben der alte Gorian und die Kinder allein. Sie säuberten die Tische, warfen die Abfälle den Möwen zu, die wieder zu Hunderten das Haus und den Garten umflatterten, dann säuberten sie auch die Boote, und als alles fertig war, rief sie der Alte wieder zusammen.

»Nun bekommt ihr auch euren Lohn«, sagte er.

Die Kinder lachten: »Wir?«

»Natürlich.« Der Alte strahlte sie an. »Oder meint ihr, ich hätte nur meinetwegen um das Geld gekämpft? Nein, der alte Gorian könnte auch ohne den dreckigen Mammon leben. Kommt, setzt euch um den Tisch.«

Sie mussten sich ihm gegenüber setzen.

Der Alte teilte nun seinen Haufen in vier gleiche, kleinere Haufen. »Es geht wie bei einer richtigen Fischverteilung zu«, erklärte er. »Den ersten Haufen«, er zog ihn näher, »bekommt der alte Gorian, weil er der Besitzer des Fangplatzes ist und weil ihm das große Netz gehört. Den zweiten Anteil bekommt auch der alte Gorian, das ist sein Anteil an dem Fang. Zwei Kinder zählen immer wie ein Erwachsener.« Er nahm den dritten Haufen und schob ihn Branko und Zora zu. »Ihr müsst das Geld unter euch teilen. Den vierten Haufen bekommen Nicola und Duro, so, und jetzt sind wir fertig.«

Die Kinder starrten ihre Geldhaufen noch immer ungläubig an.

Da sagte Pavle traurig in die Stille hinein: »Und ich bekomme gar nichts?«

Der Alte zuckte mit den Achseln. »Du hast die ganze Zeit im Stroh oder in der Höhle gelegen. Halt«, sagte er dann, »die letzten Tage hast du ja die Fische mitgefüttert und mir den Karren in die Stadt geschoben.«

Er nahm ein paar Dinare von seinem Haufen. »Dafür musst du natürlich etwas bekommen.«

Die Kinder hatten ihr Geld inzwischen geteilt, und Branko, Zora, Nicola und sogar Duro schoben dem traurigen Pavle auch etwas von ihrem Geld zu.

Branko zählte sein Geld. »Ich bin ja ein reicher Mann«, sagte er. »Ich habe vierhundertfünfundachtzig Dinar.«

»Ich auch«, lachte Zora. »Was machen wir nun damit?«

»Ich kaufe mir morgen ein Messer«, sagte Duro. »Ich will schon lange ein richtiges Messer haben.«

»Ich gehe morgen ins Kino«, meinte Nicola. »Das habe ich mir schon immer gewünscht.«

Der Alte schmunzelte: »Für dein Geld kannst du dir fünfzig Messer kaufen«, sagte er zu Duro, »und für das deine kannst du hundertfünfzigmal ins Kino gehen. Ihr müsst euch etwas Besseres ausdenken.«

Branko sagte: »Ich kaufe mir eine Geige.«

Zora blinzelte ihm zu. »Ich weiß auch, was ich mir kaufe.« Aber sie sagte es nicht. Sie behielt es für sich.

Die Kinder setzten sich mit dem Alten noch eine Weile ans Wasser. Zora hatte Sauermilch und Brot geholt, der Alte fetten Ziegenkäse, den sie in Öl und Pfeffer tauchten. Die Sonne war untergegangen und von den Inseln kam ein kühler Wind. Die Kinder kauten mit vollen Backen, fühlten sich reicher denn je und waren voller Freude.

Zora lehnte sich an den Alten. »Vater Gorian«, fragte sie, »warum ist die Welt eigentlich nicht immer so schön wie heute?«

Der Alte sah sie an. »Ja, warum wohl?«

Branko beugte sich vor. »Wisst ihr es nicht, Vater Gorian?«

Der Alte fuhr sich über den Bart. »Ich weiß es schon, aber es ist eine lange Geschichte.«

»Wollt Ihr sie uns nicht erzählen?« Alle fünf Kinder sahen zu ihm auf.

»Wenn ihr still seid, will ich es versuchen.«

»Ja, ja«, riefen die Kinder und rückten näher um ihn zusammen.

Der Alte blickte in die Höhe. »Sucht ihr da oben den Himmel, den Mond und die Sterne?«

Die Kinder nickten.

»Das ist die Mutter Welt, von der will ich euch erzählen.«

Der Alte schwieg wieder einen Augenblick, als müsse er noch einmal alles, was er erzählen wollte, überdenken; dann begann er: »Wie vor vielen Tausenden von Jahren wohnt auch heute noch über der Erde die Mutter Welt. Die Mutter Welt hat zwei Söhne,

der eine ist der geratene und der andere der ungeratene Sohn.
Der eine ist gut und der andere schlecht. Den einen nennt sie
deswegen ihren guten oder Gottessohn und den anderen nennt
sie ihren schlechten oder Teufelssohn, der eine tut auch immer
nur Gutes und der andere immer nur Schlechtes.
Sie spielten den ganzen Tag mit den Sonnen, Monden und Sternen ihrer Mutter. Der gute Sohn sorgte dafür, dass die Monde
erst auftauchten, wenn die Sonnen verschwunden waren, und
er bemühte sich auch darum, dass von den Millionen Sternen
jeder seine Bahn zog und keiner auf den anderen stieß, aber
wenn er einmal von seiner Arbeit aufstand und wegging, kam
Teufelssohn und brachte alles durcheinander. Zwei Sterne stießen zusammen, platzten oder stürzten aus ihrer Bahn, einmal
stand eine Sonne vor dem Mond und einmal ein Mond vor einer
Sonne, einmal fiel sogar ein Stern in die Milchstraße und es gab
ein großes Unglück. Es dauerte immer eine Weile, bis Gottessohn alles in Ordnung gebracht hatte und jedes Gestirn wieder
seinen Weg ging.
Eines Tages sagte der gute Sohn zu seiner Mutter: ›Mutter, warum
sind alle unsere Sterne kalt und tot? Ich möchte sie gerne warm
und lebendig machen.‹
›Tu es, mein guter Sohn, wenn es dir Freude macht‹, sagte die
Mutter Welt.
Gottessohn griff in die Sterne hinein und nahm sich unsere Erde
heraus. Er machte zuerst ein Loch in sie, nahm eine der vielen
kleinen Sonnen seiner Mutter und steckte sie hinein, damit die
Erde warm würde. Dann nahm er eine große Sonne und stellte
sie so auf, dass die Erde auch von außen gewärmt werden konnte, und das nannte er Tag, und damit sie nicht zu warm wurde,
musste sie der Mond wieder abkühlen und das nannte er Nacht.
Als er mit dieser Arbeit fertig war, legte er sich hin und schlief.
Da kam sein Bruder Teufelssohn und sah, was Gottessohn gemacht hatte, und sofort tat er alles, um das Werk seines Bruders
zu zerstören. Zuerst stach er winzige Löcher in den Erdball, dass
die Sonne an vielen Stellen wieder herauskochte. Darauf verstell-

te er die Bahn der Sonne und des Mondes, dass die Sonne über der Erdmitte ihrer Kruste zu nahe kam, das Wasser verdampfte und alles wieder trocken wurde, und an den beiden Seiten war sie dafür so weit von ihr entfernt, dass sich dickes Eis über die Erde zog und sie kälter wurde als je zuvor.

Gottessohn sah zwar, was sein böser Bruder, während er schlief, mit seinem Werk getan hatte, aber er konnte es nicht mehr ändern, er konnte sein Werk nur fortsetzen und so formte er seine Erde weiter. Er schuf Täler und Berge, er ließ Wasser fließen und befruchtete alles und die Erde war schöner anzusehen als die himmlische Welt.

Während er schlief, stand Teufelssohn wieder auf und er streute Sand über die fruchtbarsten Plätze, dass sie Wüste wurden, er warf Felsen in die Täler, dass sich die Wasser stauten und alles überschwemmten. Er zerhackte die Berge mit einem Messer, dass sie auf der einen Seite schön und sanft, auf der anderen Seite aber schroff und gefährlich waren, und in die Meere schüttete er Salz und das salzige Wasser tränkte den Boden nicht mehr, es erstickte ihn.

Gottessohn war zornig, als er sah, wie sich Teufelssohn wieder an seinem Werk versündigt hatte, und er versuchte das zweite Mal die schlechten Taten seines Bruders mit guten zuzudecken. Er streute Samen über die Erde und es wuchsen überall die herrlichsten Bäume und Sträucher, Gräser und Pflanzen, Beeren und Blumen, und wo es zu heiß war für die Blätter und Bäume, machte er anstatt Blätter Stacheln, und wo es zu kalt war, durften die Bäume im Herbst ihre Blätter fallen lassen und bekamen im Frühjahr neue, und wo es ganz kalt war, bekamen sie Nadeln und denen machte auch die schlimmste Kälte nichts.

Teufelssohn sah mit scheelen Augen auf die Felder und Wälder, die Wiesen und die blumigen Hänge und er wartete kaum, bis sein Bruder die Augen geschlossen hatte, da streute er eilig allerlei schlechten Samen zwischen den guten. Efeu und Lianen gingen auf, wanden sich um die Bäume und erdrosselten sie. Moos kroch die Stämme hinauf bis auf die kleinsten Äste, saugte sie aus und das Holz wurde morsch und zerbrach. Hunderte von Giftpflanzen wuchsen zwischen den guten Pflanzen und erstickten sie. Tausenderlei Unkraut schoss neben den guten Kräutern aus der Erde und nahm diesen die Nahrung, die Sonne und das Wasser.

Gottessohn ließ sich aber auch durch diese Tat nicht von seinem guten Werk abbringen. Er schuf nun die ersten Lebewesen. Zuerst schuf er aus Erde und Wasser die Fische und ließ sie im Meer und in den Flüssen schwimmen. Er machte große und ganz große, kleine und ganz kleine. Er machte solche, die mit den Flossen, und solche, die mit den Schwänzen schwammen. Er malte sie bunt an, dass sie schön waren und alle Farben hatten, und die Fische tummelten sich in allen Flüssen und Bächen, in allen Seen und Meeren und er gab ihnen auch verschiedene Mägen, sodass die einen das salzige Wasser und die anderen das süße Wasser vertrugen, ja, er hauchte ihnen so viele Möglichkeiten ein, dass sie selbst aus dem süßen Wasser in das salzige und aus dem salzigen Wasser in das süße schwimmen konnten.

Teufelssohn sah das alles und wurde blass vor Neid. Darauf ging er hin und versuchte auch dieses Werk seines Bruders zu zerstören. Zuerst schärfte er einigen Fischen die Zähne, während er sie den anderen nahm. Den dritten machte er Stacheln auf den Kopf und den vierten auf den Rücken oder den Bauch, einigen machte er sogar das Maul zu einer Säge und anderen gab er die Kraft, dass sie schon durch ihre Berührung ihre größeren und kleineren Brüder töten konnten; dann ging er noch einmal unter sie und flüsterte den großen zu, sie sollten doch nicht nur vom Wasser und von der Luft leben, ihre kleinen Brüder schmeckten viel besser, und den kleinen sagte er, sie sollten sich ja nicht von den größeren einfach fressen lassen, sie sollten sich gegen sie wehren, deshalb habe er ihnen Zähne und Stacheln gegeben.

Als sich Gottessohn das vierte Mal von seinem Lager erhob, sah er sofort, was sein Bruder wieder angerichtet hatte. In allen Gewässern seiner Erde, ob sie nun stillstanden oder dahinflossen, tobte ein Krieg zwischen den Fischen und die großen versuchten die kleinen zu verschlingen und die kleinen versuchten die großen zu töten. Jeder stellte dem anderen nach und statt des fröhlichen Lebens im Wasser herrschte Neid, Feindschaft, Missgunst und Rache.

Gottessohn war traurig, aber er fasste schon wieder nach Erde und Wasser und an diesem Tage schuf er die Vögel. Er machte wieder große und kleine, leichte und schwere Vögel und den großen gab er große Schwingen und die kleinen machte er dafür bunter und bunter und den großen gab er gewaltige Stimmen und den kleinen gab er zartere, aber so schöne, wie man sie noch nie auf der Welt gehört hatte, und die einen lehrte er das Fliegen und die anderen das Laufen und die dritten das Fliegen und das Schwimmen und alles war wohl geraten und alle Vögel freuten sich.

Die meisten erhoben sich auch gleich, um mit ihrer Stimme Gottessohn und seine Mutter, die Welt, zu preisen.

Als Teufelssohn den Gesang hörte, wurde er zum ersten Mal richtig wütend über seinen Bruder und er nahm sich vor, diesmal dessen Werk noch gründlicher zu zerstören als vordem. Einigen Vögeln schnitt er die Flügel ab, dass sie sich nicht mehr erheben konnten, anderen strich er ein schmutziges Grau über ihr buntes Gefieder, den dritten nahm er die schönen Stimmen und ließ sie dafür kreischen, den vierten schärfte er die Schnäbel, dass sie spitz und gefährlich wurden, den fünften gab er Krallen und feste Sporen an die Füße, dann sagte er zu den großen: ›Wisst ihr eigentlich, was die kleinen Vögel singen?‹ – ›Nein‹, antworteten die großen Vögel, ›das wissen wir nicht.‹ – ›Sie beschimpfen euch‹, sagte er ihnen, ›und nennen euch kreischende Missgeburten.‹ Da ergrimmten die großen Vögel, und wo sie einen kleinen singen hörten, stürzten sie sich auf ihn, und wenn sie ihn fingen, fraßen sie ihn oder brachten ihn zu ihren Kindern in ihre Nester, und als Gottessohn von seinem Schlaf erwachte und seine Vögel kaum noch singen hörte, wusste er schon, dass Teufelssohn wieder über seinem Werk gewesen war. Nur die größten und stärksten Vögel waren noch in den Lüften, die kleinen hatten sich in

181

den Wäldern und Büschen versteckt, trauten sich kaum noch aus ihnen hervor und wagten nur noch heimlich ihn zu loben und zu preisen.

Gottessohn setzte aber auch an diesem Tag sein Werk fort und diesmal schuf er die Tiere. Er formte den Wolf und den Bären, den Löwen und den Elefanten, den Hasen und das Rind, das Pferd und den Hund und einen schmückte er mit einem Rüssel und einen anderen mit einem Horn, den dritten mit starken Beinen und den vierten mit einer lauten Stimme und die Tiere tollten über die Berge und Täler, sie jagten sich und spielten miteinander und es war eine Freude, das alles anzusehen.

Sogar Teufelssohn hatte seine Freude daran, aber nur kurze Zeit, dann trieb er wieder sein böses Spiel. Die großen Tiere lehrte er das Brüllen und die kleinen das Zittern, und wenn die großen Tiere den kleinen begegneten, brüllten sie und die kleinen zitterten vor Angst und die großen stürzten sich über sie, zerrissen sie und fraßen sie auf. Das genügte aber Bruder Teufelssohn noch nicht. Er ging das zweite Mal unter sie und sagte zum Löwen: ›Der Wolf behauptet, er sei stärker als du‹, und zum Nashorn sagte er: ›Der Tiger erzählt, er könne dich mit einem Schlag seiner Pranke zu Boden schlagen‹, und es war noch nicht Abend geworden, da bekämpften sich auch die großen Tiere untereinander, brauchten ihre Krallen, ihre Zähne, ihre Hörner und ihre Rüssel und Teufelssohn freute sich.

Da beschloss Gottessohn, wenigstens noch ein Lebewesen auf die Erde zu senden, das sich nicht bekämpfen würde. Er sagte sich: ›Ich werde es nicht nur aus Erde und Wasser machen, wie die andern Lebewesen, ich werde ihm auch etwas von mir geben. So schütze ich es vor meinem Bruder, denn Teufelssohn wird keiner Kreatur etwas von sich schenken‹, und Gottessohn schuf den Menschen. Er machte ihm einen Kopf wie den Tieren, aber er tat auch etwas von seinem Kopf hinein. Er gab ihm ein Herz wie den Tieren, aber er tat auch etwas von seinem Herzen hinein. Er schuf einen Leib, wie er vorher einen Leib für alle Lebewesen geschaffen hatte, aber er gab auch diesem Leib etwas von seinem

Leib, so wurde der Mensch ein Ebenbild von Gottessohn und Gottessohn freute sich und setzte ihn auf die Erde.

Gottessohn täuschte sich aber. Als Teufelssohn das neue Geschöpf über die Erde wandern sah und merkte, wie vollkommen es war und was sein Bruder ihm alles mitgegeben hatte, da tat er dasselbe, was Gottessohn getan hatte. Er nahm etwas aus seinem Kopf und tat es in des Menschen Kopf. Er nahm etwas aus seinem Herzen und tat es in des Menschen Herz, er nahm etwas aus seinem Leib und tat es in des Menschen Leib, damit der Mensch nicht nur seinem guten Bruder, sondern auch ihm ähnlich sei, und als Gottessohn am andern Tag sein letztes Werk betrachtete, sah er, dass auch dieses missraten war.

Die Menschen bekämpften, stritten und töteten einander schon genauso wie die Fische, die Vögel und die anderen Tiere, und wenn Gottessohn den Menschen auch sagte: ›Tut das nicht, das ist böse‹, so sagte Teufelssohn zu ihnen: ›Nein, das ist nicht böse, und selbst wenn es böse wäre, so tut es doch.‹«

Vater Gorian, der, während er seine Geschichte erzählte, immer versonnen über das Meer geblickt hatte, sah jetzt wieder auf die Kinder.

»Deswegen«, fuhr er fort, »ist die Welt nicht immer so schön wie heute, weil sie nicht allein von Gottessohn, sondern auch von Teufelssohn geschaffen wurde. Deswegen ist auch der Mensch nicht immer gut, sondern genauso oft schlecht, weil wir ebenso viel Gutes wie Böses in unserem Kopf und unserem Herzen haben.«

Die Kinder waren eine Weile still und sahen auf das Wasser. Ganz im Osten blitzte es einige Male auf und über Rab fuhr eine Sternschnuppe quer durch den großen Himmel ins Wasser.

»Das war wieder Teufelssohn«, sagte Pavle.

»Ja, er hat mit den Sternen gespielt«, meinte Nicola.

»Ich glaube, ich habe auch ein wenig vom Teufelssohn in mir«, sagte da Zora traurig.

»Ich habe es dir ja erzählt«, antwortete der Alte. »Wir haben alle etwas in uns.«

»Kann man es denn nicht aus sich herausreißen?«, fragte das Mädchen.

»Das kann man nicht. Aber wir können uns Mühe geben, dass der Teufelssohn nicht zu groß in uns wird.«

Zora holte tief Luft. »Ich will es versuchen, Vater Gorian.«

Der alte Gorian sagte wieder: »Wir wollen es alle versuchen.«

»Ja«, meinte auch Branko, »das wollen wir.«

Vater Gorian legte seine Arme um die Kinder: »Und wir wollen von jetzt an noch fester zusammenhalten als in den letzten Tagen, das ist auch schon eine große Hilfe gegen den Teufelssohn in der Welt.«

Der Kampf mit dem Tintenfisch

Branko konnte kaum erwarten, dass es tagte. Am liebsten wäre er noch in der Nacht hinaus auf den Felsen geschwommen, um schon da zu sein, wenn Zlata kam.

Er musste ihr so viel erzählen. Er war reich geworden, konnte sich eine Geige kaufen und sicher bald ein richtiger Geiger werden. Es war noch dunkel, als er das Wasser zerteilte, und der Nebel lag wie eine dicke Mauer auf den Wellen.

Der Stein war bereits aus dem Wasser aufgetaucht und er setzte sich darauf. Es war kalt und ihn fröstelte, er war deshalb froh, als die Sonne kam und ihn und den Stein wärmte.

Langsam tauchten auch die Berge, die Stadt und das Bad aus dem Nebel. Er sah, wie Kukuljevic die Kabinen auskehrte, das Bad öffnete und wie die ersten Leute kamen.

Es waren Tabakarbeiterinnen und Matrosen. Er sah auch ein junges Mädchen, aber Zlata war es nicht.

Von der Kirche des heiligen Franziskus schlug es acht und das Mädchen war noch immer nicht gekommen. Das Bad belebte sich von Minute zu Minute mehr, aber auch um neun erblickte der Knabe noch nirgends ihr grünes Badekostüm oder ihren bunten Bademantel.

Branko machte sich Sorgen. War Zlata krank geworden? War sie plötzlich verreist? Er wartete noch, bis es von allen Kirchen zehn schlug, dann schwamm er zurück.

Wie immer stieg er an der Spitze der Bucht aus dem Wasser und ging langsam auf das Haus des alten Gorian zu. Die Möwen schwebten wie kleine, weiße Wolken über das Dach, der Fischadler war auch wieder zu sehen, im gleichen Augenblick ratterten drei Lastwagen fort. Die Gesellschaft hatte neue Fische geholt.

Sonst war es still in dem kleinen Gehöft. Branko sah auch niemanden von der Bande. Halt, in dem kleinen Boot schaukelte eine Frau oder ein Mädchen.

Branko ging hinunter. Er blieb erstaunt stehen. Es war Zora. Im nächsten Augenblick schwang er sich zu ihr in den Kahn. Er erkannte sie kaum. Über dem brandroten Haar saß ein viel zu großer, mit bunten Blumen bedeckter Hut. Um den schönen, schlanken Hals zogen sich dicke rote, blaue und grüne Ketten. Über dem festen, braunen Körper, der sonst in einem kurzen Hemd und einem bunten Rock steckte, hing wie ein zu großer Sack, in der Mitte gerafft, eine rötliche Fahne, und ihre festen, braunen, muskulösen Beine steckten in hohen Schuhen und dünnen Strümpfen.

Das Mädchen hatte sich auch geschminkt. Ihre Augenbrauen waren mit zwei schwarzen Strichen nachgezogen, auf ihren Backen leuchteten rote Farbkleckse, die wieder mit einem rosa Puder bestäubt waren, und die schmalen Lippen leuchteten so rot, als habe sie das Mädchen mit frischem Ochsenblut bestrichen.

Zora stellte sich vor Branko auf, bog ihren Kopf nach rechts und nach links, blitzte ihn an und sagte: »Jetzt bin ich so schön wie deine Zlata.«

Branko wusste nicht, was er antworten sollte. Weil sie so wie Zlata aussehen wollte, hatte sich Zora diese Fahne umgehängt, so scheußlich bemalt und einen so furchtbaren Hut auf den Kopf gesetzt. Deswegen war es ihr auch gestern so leicht über die Lippen gekommen: »Ich weiß, was ich mir von meinem Geld kaufe.«

Branko erholte sich von seinem Schreck und seinem Staunen. Er schüttelte den Kopf. »Nein«, meinte er unter Lachen, »du hast aus unserer stolzen roten Zora nur eine hässliche Vogelscheuche gemacht.«

Zoras Gesicht verzog sich und wurde hart und bös. »Verspotte mich noch«, sagte sie. »Aber das merke dir, deiner Zlata kratze ich morgen die Augen aus!«

»Was hast du eigentlich gegen sie?«, fragte Branko.

»Sie ist eine Hexe wie deine Großmutter Kata!«

Branko schüttelte den Kopf. »Das ist sie bestimmt nicht.«

»Doch, sie hat dich verhext.«

»Du Schafskopf.« Branko wurde ärgerlich. »Ich glaube, in dich ist der Teufel gefahren.«

»Oder in dich. Sonst würdest du nicht den ganzen Tag herum-
hocken, große Augen machen und auf deiner Mundharmonika
blasen.«

»Oh«, sagte Branko, »sie will mir sogar das Geigenspiel beibrin-
gen.«

»Auch das noch!« Zora stampfte auf. Sie wollte laut schimpfen,
da hörten sie ganz in der Nähe jemanden um Hilfe rufen.

Das Mädchen stellte sofort ihr Schimpfen ein. »Was war das?«,
fragte sie.

»Ich weiß es nicht«, antwortete Branko. »Ich weiß nur, jemand
hat ›Helft mir!‹ gerufen.«

Sie blickten sich um. »Dort, dort!«, rief das Mädchen.

Ungefähr fünfzig Meter vor ihnen tauchte ein zottiger Kopf aus
den Wellen auf und rief wieder um Hilfe.

»Das ist ja Duro!«, rief Zora. Sie stieß eilig das Boot vom Ufer
und griff nach den Rudern.

Auch Branko erkannte Duro. Sein dickes, tückisches Gesicht war
blass und verzerrt, er schlug mit den Händen um sich und rief
immer verzweifelter um Hilfe.

»Fass doch mit zu!«, schrie Zora Branko an.

Branko hatte keine Lust. »Nein, ihm helfe ich nicht. Der Schlei-
cher ist mir sicher wieder nachgeschwommen.«

Die Kinder sahen jetzt auch, womit Duro kämpfte. Einer der Tin-
tenfische, die sich, seitdem die Bucht voller Abfälle und Eingeweide war, in großen Scharen im seichten Wasser herumtrieben, hatte
den Buben gepackt und versuchte ihn nach unten zu ziehen.

Ihr Boot schoss heran. Duro streckte schon seine Hand aus, um
sich in das Boot zu ziehen, da schrie er noch einmal auf und im
gleichen Augenblick zog ihn das Tier in die Tiefe.

Die Kinder konnten den Tintenfisch genau sehen. Wie ein ange-
füllter Sack hing das große, voll gefressene Tier unter dem Knaben, die schwarzen Saugarme hatte es um die Beine und den Leib
des Jungen geschlungen.

»Du hilfst ihm also nicht!« Zora stieß Branko, der noch immer
hinter Duro herstarrte, grob in die Seite.

»Nein«, sagte Branko, der Duro seine Spioniererei nicht verzeihen konnte, noch einmal.

»Bist du überhaupt noch ein Uskoke?«, schrie das Mädchen laut.

»Hast du bei deiner Zlata schon verlernt, dass bei den Uskoken Kameradschaft bis zum Tod herrscht? Bist du schon so ein Schuft geworden, dass du vergessen hast, dass wir dich auf der Straße aufgelesen und aus dem Gefängnis geholt haben? Bist du schon so ein gemeiner Kerl geworden, dass du das alles nicht mehr wahrhaben willst?«

Die Augen des Mädchens blitzten zornig und drohend und im gleichen Augenblick tauchten auch ihre geballten Hände vor Branko auf.

Branko war richtig erschrocken über diesen Angriff, aber er machte noch immer keine Anstalten, um Duro zu helfen.

»Wenn du so falsch und feige geworden bist«, sagte Zora, die Brankos Schweigen falsch verstand, »dann werde ich Duro zu Hilfe kommen!« Und ehe sich Branko versah, riss sie ihren Hut vom Kopf und warf ihn ins Boot, zerrte das teure Kleid vom Leibe, zog Schuhe und Strümpfe aus und jetzt stand sie, nur noch ihr kurzes Hemd über dem braun gebrannten Körper und ihre roten Haare wie eine Feuerlohe über sich, vor ihm und wollte an ihm vorbei.

Branko wachte endlich auf. »Halt! Ich gehe schon. Du wirst höchstens ertrinken.«

»Dann ertrinke ich eben!«, schrie Zora. »Aber ich will lieber mit Duro ertrinken als dich Feigling noch länger sehen!«

Branko sah sich indessen bereits nach einer Waffe um. Im Boot lag ein festes Fischmesser. Der Bub packte es, dann stellte er sich an die Spitze des Bootes.

Wo war der Tintenfisch?

Dort schwamm er. Das große Tier hatte sich einige Meter rechts von ihrem Kahn auf den sandigen Boden niedergelassen. Seine Fangarme schlangen sich immer dichter um Duros Leib und er zog den Jungen weiter und weiter vom Boot ab.

»Rufe inzwischen die anderen!«, sagte Branko noch, steckte das Messer zwischen die Zähne, schlug ein Kreuz, schloss die Augen, schnellte ins Wasser und schwamm hinter Duro und dem Tier her. Der Knabe hatte die Augen im Wasser sofort wieder geöffnet.

Er konnte auch hier unten alles deutlich sehen. Den Buben, das Tier, wenn auch durch die ständige Bewegung des Wassers alles verzerrt und vergrößert wurde.

Branko schwamm mit hastigen Stößen an die beiden heran. Jetzt galt es vor allem, schnell zu sein und sich nicht selber fassen zu lassen.

Das Tier sah ihn kommen. Es starrte ihn mit seinen großen, glasigen Augen an. Wie gräulich es aussah und wie drohend seine schwarzen Fangarme nach allen Seiten tasteten.

Mit einem blitzschnellen Griff zerschnitt er die beiden Arme, die um Duros Körper lagen. Nun fasste er nach den Armen, die um Duros Beine geschlungen waren. Ratsch! Auch die fielen nach unten.

Im gleichen Moment schob er sich mit einem Stoß unter Duros Leib und stieß ihn mit seinem Körper in die Höhe.

Die beiden Knaben schossen hoch und einige Sekunden später spürte Branko, dass es leichter über ihm wurde. Schwamm Duro wieder oder hatte ihn Zora gepackt und ins Boot gezogen? Gleich musste er es sehen. Er schnellte höher und sein Kopf schoss aus dem Wasser.

Aber nur einen Moment, ein paar Sekunden darauf spürte er, dass er selbst festgehalten wurde. Es war, als ob sich ein sehniger, haariger Strick um ihn schlang, zur gleichen Zeit spürte er einen saugenden, scharfen Schmerz. Was war mit ihm geschehen? Im nächsten Augenblick wusste er es, der Tintenfisch hatte Duro freigelassen, dafür hatte er ihn gepackt.

Zuerst durchfuhr ihn ein furchtbarer Schreck, dann brachte er sich mühsam wieder zur Ruhe. Nein, Angst war jetzt das, was er am wenigsten brauchen konnte, er brauchte Schlauheit und Schnelligkeit, denn er war schon eine lange Zeit unter Wasser und fühlte bereits, wie sein Herz gegen die Brust und bis in den

Hals hinauf hämmerte. Er packte sein Messer fester und tastete nach dem Arm, der sich um seine Brust ringelte und sich immer kräftiger am Leib festsaugte; im gleichen Moment sah er, wie noch ein zweiter und ein dritter Arm sich auf ihn zuschlängelte.

5 Branko schnitt rasch zu, aber da waren die anderen Arme schon heran und legten sich um seinen Hals und seine Beine. Du Biest!, dachte er und einige Sekunden war er tatsächlich wie gelähmt. Er sah das Tier auch wieder. Es hockte rund und dick wie eine Teufelsfratze unter ihm und die großen Stielaugen starrten ihm

10 ins Gesicht.

Blitzschnell überlegte er, ob es nicht das Beste sei, sich gar nicht mehr um die einzelnen Arme zu kümmern, sondern sich einfach auf die Fratze zu stürzen und sie mit dem Messer zu zerfleischen. Es schien beinahe so, als ob das Tier Brankos Gedanken erriet,

15 denn es spie eine dicke Flüssigkeit aus, die erst alles bläulich, später dunkel und zuletzt schwarz färbte, und die Fratze war darin verschwunden.

Branko stieß aber doch in die Tiefe und mitten in die dicke, aufgedunsene Fratze hinein. Dann riss er das scharfe Messer einmal

20 von rechts nach links und wieder von links nach rechts und wieder von rechts nach links, immer durch den schwammigen Leib hindurch. Der Druck über der Brust wurde schwächer. Die Fangarme saßen nicht mehr so fest um seinen Hals, auch der saugende Schmerz am Leib ließ nach.

25 Es war dem Knaben aber schon beinahe gleich, denn dafür hämmerte das Herz immer toller in der Brust. Er spürte es wieder im Hals, es sauste ihm in den Ohren und er wurde ganz müde und schlapp. Er besaß gerade noch so viel Kraft, um sich noch einmal abzustoßen, dann verschwamm ihm alles vor den Augen und er

30 wusste nichts mehr.

Er fühlte nur, dass er auf einmal leicht und wie durchsichtig wurde. Er schwamm auch nicht mehr, er schwebte. Er flog über eine Wiese und auf der Wiese waren große bunte Blumen und blühende Sträucher und dann sah er auch das erste Mal seine

35 Mutter wieder. Seine Mutter flog genauso wie er. Sie nahm ihn

an den Händen und sie tanzten auf und ab. Ein Mann geigte dazu und der Mann war sein Vater und er spielte so schön, wie er noch nie gegeigt hatte, dem Knaben kamen dabei die Tränen. Mitten im Tanz merkte er plötzlich, dass er nicht mehr mit seiner Mutter tanzte, sondern die Frau neben ihm war Zlata. Zlata tanzte noch besser, beschwingter und feuriger als seine Mutter, dann sang sie und der Vater geigte und die Mutter sang mit und der Vater spielte noch schöner. Da zog er seine Mundharmonika aus der Tasche und begleitete ihn.

Zora hatte inzwischen, wie es ihr Branko geraten hatte, nach Nicola und Pavle geschrien. Sie kamen auch sofort angerannt, stürzten sich in das zweite Boot und fuhren zu ihr hinaus. »Was ist denn passiert!«, schrien sie.

Das Mädchen zeigte ins Wasser. »Duro ist von einem Tintenfisch gepackt worden und Branko ist mit einem Messer hinuntergetaucht, um ihn zu befreien.«

Die Kinder konnten alles sehen. Sie sahen es sogar recht genau. Branko schwamm auf den Tintenfisch zu, sie verfolgten, wie er mit dem großen Tier kämpfte, sie sahen auch, wie Duro wieder vor ihnen auftauchte, aber es war nicht Zora, wie Branko angenommen hatte, die Duro aus dem Wasser zog, sondern Pavle.

Sie sahen auch Brankos schwarzen Schopf einen Augenblick, auch sein Gesicht, aber ehe Pavle das zweite Mal zufassen konnte, war Branko wieder verschwunden.

Die Kinder starrten angsterfüllt in das Wasser und beobachteten den Kampf weiter.

»Jetzt hat er Branko!«, rief Nicola.

»Ich sehe es.« Pavle zitterte am ganzen Körper vor Aufregung und Wut und wollte sich gleichfalls ins Wasser stürzen.

Zora und Nicola hielten ihn fest. »Du kannst ja gar nicht schwimmen.«

»Jetzt lerne ich es aber«, schwor Pavle laut, »und wenn ich dabei ertrinke.«

Inzwischen umschlang das fürchterliche Tier Branko immer fester und fester.

»Oh!«, stöhnte Zora. Sie wagte kaum noch hinzusehen.

Da schoss Branko auf das Tier zu und im gleichen Augenblick färbte sich das Wasser und die Kinder konnten nichts mehr sehen.

»Was ist geschehen?«, fragte Zora in größter Angst.

»Ich glaube, der Kerl hat das Wasser aufgewühlt.«

»Und Branko?«

»Wir müssen warten.«

Das Wasser wurde noch dunkler und langsam quoll ein dicker, undurchsichtiger, schwarzer Brei aus der Tiefe.

»Das ist doch Blut!«, schrie Zora entsetzt.

Pavle nickte.

»Brankos Blut!«

»Ich glaube nicht«, sagte Nicola. »Es wird wohl eher von dem Tintenfisch sein. Er hat seine Tinte verspritzt.«

Die Kinder starrten immer ängstlicher und verzweifelter in die bläulich schwarzen Wellen.

»Ich fürchte«, sagte Zora, »das Tier lässt ihn nicht wieder los.«

»Ich tauche doch hinunter«, meinte Pavle und streifte sich das Hemd über den Kopf.

»Da ist er ja!«, jauchzte plötzlich Nicola.

Es war so. Direkt neben ihnen schoss Brankos Kopf aus dem Wasser. Pavle und Zora griffen eilig zu und zogen Branko ins Boot.

»Schnell ans Ufer!« Pavle fasste nach dem Ruder auch Nicola ruderte.

Zora beugte sich indessen über Branko.

»Gott«, jammerte sie, »er sieht schon ganz weiß aus.« Auf einmal schrie sie auf, aus Brankos Hemd ringelte sich, schwarz und wie eine Schlange, ein Stück Arm des Tintenfisches.

Da stießen sie bereits ans Ufer.

Am Strand stand der alte Gorian, den das Schreien der Kinder aus dem Haus gelockt hatte, und erwartete sie.

»Was ist denn passiert?«, fragte er aufgeregt.

»Duro ist von einem Tintenfisch angefallen worden und Branko hat ihn befreit«, riefen Pavle und Nicola zur gleichen Zeit.

Gorian sah jetzt die beiden Kinder. Sie lagen weiß und wie tot in der Mitte des Bootes.

»Packt sie an!«, kommandierte er; er hatte Angst bekommen und hob Branko schon in die Höhe.

Erst brachten sie ihn an Land, darauf trugen Pavle und Nicola auch Duro an das Ufer.

Vater Gorian sah Branko einen Augenblick an, dann fasste er mit einem Lappen in seinen Mund und zog die Zunge heraus. Nun drehte er ihn um, legte die Hände unter seinen Leib und hob ihn so hoch, dass der Kopf und die Beine nach unten hingen. Im gleichen Moment schossen Wasser und Schlamm aus Brankos Mund. Der Alte drückte noch einmal leicht gegen den Bauch des Knaben, bis auch das letzte Wasser heraus war, darauf legte er Branko wieder auf den Rücken, packte seine Arme und schlug sie einige Male nach oben und nach unten.

Sein Gesicht erhellte sich. »Ich glaube, mit dem ist es nicht so schlimm«, sagte er und hob und senkte Brankos Arme weiter.

Jetzt kam schon etwas Farbe in Brankos längliches Gesicht und die Brust hob sich leicht.

»Er atmet wieder«, sagte der Alte freudig.

Auch die Kinder sahen es. Brankos Brust hob sich leicht, und im gleichen Augenblick bewegte er die Lippen. »Vater«, stammelte er und nach einer Pause: »Zlata.«

Einige Sekunden später öffnete er die Augen. Sein Vater und seine Mutter waren verschwunden, auch Zlata war nicht mehr da. Über ihn beugten sich das struppige, gute Gesicht des alten Gorian und daneben ängstlich und groß Zoras Gesicht.

»Er atmet wieder«, wiederholte der Alte noch einmal und sein Gesicht strahlte; auch Zoras Augen wurden freudig und hell.

»Wo bin ich?«, fragte Branko erstaunt.

»Noch bei uns«, antwortete der Alte, »aber beinahe wärst du woanders gewesen.«

»Ja, bei meinem Vater und bei meiner Mutter.«

»Oder im Himmel.« Der Alte tätschelte ihm die Wangen, dann überließ er ihn dem Mädchen und wandte sich Duro zu.

Mit Duro war es nicht so leicht wie mit Branko. Der Knabe hatte viel mehr Wasser geschluckt, und erst als ihm der Alte eine ganze Zeit die Arme vor- und zurückgebeugt, das Herz beklopft und immer wieder die Hände dagegengestemmt hatte, kam ein rosiger Hauch auf seine eingefallenen, gelben Backen und ein leichtes Pochen aus seiner Brust.

Es kam aber immer nur für kurze Zeit. Zwischendurch fiel der bleiche Junge von neuem in Ohnmacht. Erst als ihm Vater Gorian außer einem Schnaps noch Kaffee einflößte, den Nicola eilig gekocht hatte, behielt er die Augen länger offen.

»Ein Tintenfisch hat mich gepackt«, flüsterte er leise und wie aus weiter Ferne.

Der Alte lächelte ihm zu. »Er hatte dich gepackt, jetzt ist er tot.«

»Tot?« Duro versuchte sich aufzurichten. »Und wer hat ihn getötet?«

»Branko«, antwortete der Alte und zeigte zu dem Jungen hinüber, der gerade von Zora mit Kaffee und Brot gefüttert wurde.

Vater Gorian, der von der Feindschaft der beiden Buben wusste, sagte: »Es wird manchmal Schlechtes mit Gutem vergolten.«

Duro blickte Vater Gorian nur an, dann schloss er wieder für einige Zeit die Augen, aber diesmal blieben seine Wangen gerötet und bald behielt er die Augen ganz offen.

Er blickte jetzt zu Branko hinüber. »Du hast mich aus dem Wasser gezogen?«

Branko neigte leicht den Kopf.

»Weißt du, dass ich gerade wieder hinter dir her war?«

»Das habe ich mir gedacht.«

Duro fasste in seine Tasche und zog eine silberne Kette mit einem Kreuz heraus. »Ich wollte es eigentlich Zora schenken. Nun sollst du es haben.«

Branko winkte ab. »Ich will es nicht. Denn wenn Zora es nicht verlangt hätte, hätte ich dich bestimmt nicht aus dem Wasser geholt.«

Zora drückte Branko die Kette in die Hand. »Behalte sie nur«, bestimmte das Mädchen, »und wenn du sie siehst, denke immer daran, was uns der Vater Gorian gestern gesagt hat.«

»Was denn?«, fragte Branko.

»Wir sollen uns Mühe geben.«

Branko blickte sie an und das erste Mal lächelte er wieder. »Tust du das auch?«

Zora wurde ernst. Sie sprach aber nicht, sondern nickte nur.

Die beiden Halbertrunkenen bekamen nochmals Kaffee und nach einer weiteren halben Stunde waren sie wieder so weit, dass sie aufstehen und ein paar Schritte gehen konnten.

Sie wollten sich sogar schon ans Wasser setzen, aber der alte Gorian sagte: »Vorerst legt ihr euch ins Stroh und versucht zu schlafen. Durch einen guten Schlaf erholen sich das Herz und der Körper am schnellsten.«

Zora und Pavle führten Branko, der Alte nahm Duro, der noch immer am schwächsten war, auf die Arme.

Die Ziege sah sie erstaunt an, als sie alle in ihren kleinen Stall kamen.

»Da staunst du, Andja«, nickte ihr der Alte zu. »Beinahe wären zwei unserer Freunde ertrunken.«

Die Ziege machte noch immer ein erstauntes Gesicht, dann meckerte sie leise.

»Jaja«, berichtete der alte Gorian weiter, »aber wir haben Glück gehabt und hoffentlich bleibt es uns treu.«

Die Buben wurden sorgsam aufs Stroh gebettet, aber es dauerte lange, bis sie richtig eingeschlafen waren. Duro kämpfte, sobald er die Augen schloss, immer noch mit dem Tintenfisch und Branko war es, als sähe er wieder seinen Vater und seine Mutter, auch Zlata, aber wenn er dann nach ihnen fasste, stand nur die Ziege neben ihm.

Es war schon Mittag, als sie endlich besser schliefen, und dann schlummerten sie tief und fest bis zum Abend.

Branko erwachte durch ein gleichmäßiges, festes Hacken.

Was war das? Er stand auf und ging aus dem Stall. Pavle stand neben dem Feigenbaum, unter dem sie am Abend immer saßen, und hackte ein Loch in die Erde.

Branko trat zu ihm. »Was machst du da?«

Pavle sah erschrocken auf. »Ach, du bist es. Geht es dir besser?«
Branko stieß seine Arme in die Luft und streckte sich. »So gut
wie immer. Aber du hast mir noch nicht gesagt, warum du das
Loch machst.«
Pavle zeigte auf eine Plane, die neben ihm lag. »Der Hund«, sagte
er.
»Leo?«
Pavle nickte zustimmend.
»Ach«, besann sich jetzt auch Branko, »den haben wir ja über
dem Fischfang ganz vergessen.«
Pavle nickte wieder. »Zora dachte plötzlich daran und wir haben
den Karren genommen und ihn geholt.«
Branko hob die Plane in die Höhe. Leo lag groß und steif da-
runter.
»Das arme Tier«, seufzte er.
»Nun«, meinte Nicola, der zu ihnen getreten war, »es ist wohl
besser, dass wir ihn und nicht euch begraben.«
Pavle hackte eifrig weiter. Nachdem er durch die erste Erdschicht
gedrungen war, stieß seine Hacke auf Lehm.
Sie suchten den alten Gorian auf, der mit Zora am Wasser saß
und Netze flickte. »Wieder munter?«, begrüßte ihn der Alte.
Auch Zora sah ihn strahlend an.
Branko lachte. »Und ganz gesund.«
»Und was willst du?«
»Wir brauchen eine Schaufel, um den Hund zu begraben.«
»Hm.« Vater Gorian strich sich über das Gesicht. »Ich habe
keine. Da müsst ihr schon zum alten Orlovic gehen.«
Branko und Nicola schlenderten langsam zu der Hütte des Alten
hinüber.
Der Alte war nicht da, nur der Gelbkopf.
»Vater Gorian schickt mich«, sagte Branko. »Wir sollen uns bei
Euch eine Schaufel borgen.«
»Ho, ho!«, lachte der Gelbkopf und zeigte seine Zähne. »Will der
Alte etwa sein Geld vergraben?«
»Nein«, antwortete Branko, »einen toten Hund.«

»Nimm sie.« Der Gelbkopf gab sie ihnen und sie gingen wieder zurück.

Mit der Schaufel ging es besser und nach einer Stunde war die Grube einen halben Meter tief.

Der alte Gorian schob das Netz auf die Seite. »Nun wollen wir euren Hund begraben.«

Pavle und Branko wickelten ihn noch fester in die Plane, dann legten sie ihn vorsichtig in die Grube hinein.

Zora streute Blumen über ihn.

»Er war ein gutes Tier«, sagte sie.

»Er war ein Kamerad«, bestätigte Branko, »und er hat uns die Treue gehalten wie ein Uskoke.«

»Er soll auch wie ein Uskoke begraben werden«, sagte Zora.

»Und wie?«, fragten die Buben.

»Wir geben ihm alle das, was wir am liebsten hatten, mit ins Grab.«

Die Buben dachten eine Weile nach.

»Ich hole morgen alle meine Bilder«, meinte Pavle, dem nichts weiter einfiel.

»Ich auch!«, rief Nicola eilig.

»Ich gebe ihm meine Mundharmonika«, sagte Branko.

Zora sah ihm erstaunt in die Augen. »Dann gebe ich ihm alles, was ich noch habe.«

Sie wollte die kleine Börse, die sie aus der Tasche zog, in die Grube werfen.

Der alte Gorian nahm sie ihr aus der Hand. »Das wäre Sünde und Dummheit. Nein, denk dir was Besseres aus.«

Inzwischen war auch Duro aufgestanden, und als er sah, dass die anderen Leo begruben und jeder dem toten Hund etwas opferte, sagte er: »Von mir bekommt er meinen schönsten Schmetterling.« Da aber die meisten Geschenke der Kinder noch im Turm waren, schlug Nicola vor, den Hund erst am nächsten Morgen richtig zu begraben.

»Gut«, entschied Zora, »bis morgen weiß auch ich, was ich ihm schenken kann.«

Es war unterdessen Abend geworden. Zora hatte Polenta gekocht und der alte Gorian ein paar große Makrelen gebraten, die ihm am Nachmittag ins Netz gegangen waren.

Als alle satt waren, setzten sie sich ans Wasser.

Es war ein schöner Abend und eine noch schönere Nacht begann. Der Mond ging über ihrer Burg auf und schwebte wie eine große, goldene Scheibe am Himmel. Langsam stieg er höher und höher und die Kinder sahen ihn nun zweimal, einmal mitten in dem großen, von dem gelben Licht erhellten Himmel und einmal auf dem silbrig schimmernden Wasser.

»Ist das schön!«, flüsterte Zora.

Auch Branko fand es schön und er freute sich plötzlich wieder, dass er nicht mehr mit seinem Vater, seiner Mutter und Zlata auf der Wiese war, sondern hier am Meer saß.

Auch Pavle, Nicola und Duro sahen andächtig in die Nacht. Da sagte Pavle:

»Nun müsste uns Vater Gorian wieder eine Geschichte erzählen.«

»Ja!«, riefen auch die anderen.

Vater Gorian strich sich über das verwitterte, haarige Gesicht.

»Aber was für eine?«

»Wisst Ihr keine von den Uskoken?«, fragte Branko.

»Ja«, fragte auch Zora. »Wisst Ihr nichts?«

Der Alte dachte nach. »Vielleicht doch. Wartet einmal.« Und nach einer kurzen Pause: »Ich will euch die Geschichte von den Uskoken Posedaric und Desandic erzählen.«

Er lehnte sich gegen einen der dicken Feigenbäume und begann:

»Es war im sechzehnten Jahrhundert, wenn ich mich recht entsinne, in den Jahren, wo die Türken mit Venedig, damals einer der reichsten und mächtigsten Republiken an der Adria, Krieg führten. Senj war in dieser Zeit eine kleine, aber wehrhafte Hafenstadt. Vom Wasser bis zu den Bergen standen hohe Mauern, viele Wachtürme, befestigte Tore und Kastelle, von denen ihr hie und da noch einige Reste seht, und dahinter wohnte eine tapfere Bürgerschaft. Senj hatte aber auch einen großen Hafen und eine

berüchtigte Flotte, dazu eine zu allen Streichen geschulte Schiffsmannschaft, die von Ragusa bis hinauf nach Venedig gefürchtet
war. Das alles unterstand dem Rat der alten Männer, der seiner-
seits wieder die Befehlsgewalt an Oberkapitäne abgab, die während vielen Jahren Uskoken und immer wieder Uskoken waren.
In jenen Jahren waren die Uskoken Posedaric und Desandic die
Oberkapitäne von Senj. Gewöhnlich machte es der Rat der Alten
so, dass einmal der eine und dann wieder der andere den Oberbefehl über die Streitkräfte bekam, je nachdem der Rat die beiden für die zu erledigenden Aufgaben befähigt hielt. Dabei geschah es meistens, dass man schwierige Aufgaben dem besonne-
neren Posedaric übergab, während einfache Streifzüge, Kämpfe
und Räubereien dem draufgängerischen Desandic überlassen
wurden. Der Rat der Alten wechselte die Kommandogewalt aber
auch, damit sich keiner der beiden eine zu große Macht über
die Truppe sichern konnte und dann dem Rat und der Stadt dadurch gefährlich wurde. Ja, durch die leichte Rivalität der beiden,
die man außerdem noch geschickt verstärken oder vermindern
konnte, blieben die beiden Kapitäne nichts weiter als die Heer-
führer der Stadt und der Rat der Alten hatte auf diese weise Art
viele Jahre dafür gesorgt, dass ihnen keiner der Oberkapitäne
über den Kopf wachsen konnte. Nun waren in diesem Jahre die
Kämpfe besonders zahlreich und hart. Die Türkei und die Republik Venedig bekämpften sich auf das Erbitterste und fast täglich fuhren die schweren Vollschiffe der Venezianer nach Süden,
während die leichteren Schiffe der Türken nach Norden vorzu-
dringen versuchten. Beinahe wöchentlich kam es auch zu kleineren und größeren Gefechten. Einmal siegten die schnelleren Ruderboote der Paschas, das andere Mal die schönen, vielfarbigen,
goldprotzenden Schiffe der venezianischen Dogen.
Senj war in diesem großen Kampf mit seinem gesamten Hinterland eigentlich neutral, aber wie es immer ist, wenn zwei sich
ernsthaft schlagen, kommen auch andere und wollen sich an der
Beute beteiligen. Die Beute der Senjer bestand darin, dass sie
einmal über die türkischen und einmal über die venezianischen

Schiffe herfielen, die einzeln oder in Geschwadern ihre Gewässer kreuzten.

Der Rat hatte zu diesem Zweck auf den Inseln Rab und Krk Beobachtungsposten aufgestellt, und wenn diese Feuer anzündeten, was man von der Burg Nehajgrad leicht sehen konnte, wussten die Senjer, dass jetzt entweder eines der türkischen Schiffe von Venedig zurückkam oder eines der venezianischen Schiffe wieder in seinen Heimathafen fuhr. Dabei war es meistens so, dass es sich bei den Türken um Schnellruderer handelte, die Beute nach Istanbul brachten, während die Venezianer havarierte Schiffe waren, die zur Reparatur in die Lagunen zurücksegelten. Die Senjer stießen ungemein überraschend gegen die Schiffe vor und es war meistens ein Leichtes, die nichts ahnende Besatzung zu überfallen, die Schiffe zu entern und zu berauben. Am Abend kehrten die Uskoken, mit reicher Beute beladen und die eroberten Schiffe im Schlepptau, in die Stadt zurück und unter dem Jubel der Bevölkerung wurden die Beutestücke auf dem Markt oder am Quai verteilt.

Die meisten dieser oft nur kleinen Überfälle führte Desandic aus, weil er sich besonders gut dafür eignete. Er hatte auch fast immer Glück dabei. Natürlich stieg sein Ruhm mit diesen Siegen, da jeder die Bevölkerung reicher machte. Desandic, der noch ein junger, aufbrausender Tollkopf war, stiegen diese Erfolge zu Kopf und er bildete sich mehr darauf ein, als für einen guten Kriegsmann nötig war. Er zeigte das auch öffentlich, indem er sich immer auffälliger kleidete, mit seinen Matrosen wie ein kleiner König durch die Stadt zog und sich bald den ›großen‹ Desandic und später den ›Sieger‹ nennen ließ. Der Rat der Alten lachte erst darüber; als man aber merkte, dass sich Desandic durch das Verschleudern der Beute und durch öffentliche Feste einer immer größeren Beliebtheit erfreute, begannen sie ihn zu fürchten, wurden vorsichtiger und ließen ihn weniger oft als Oberkapitän ausfahren.

Nun geschah es, dass gerade in diesen Tagen sowohl die Türken als auch die Venezianer dahinter kamen, was für lose Geier hinter Krk und Rab saßen und welchen Schaden diese unter ihren Schiffen anrichteten. Sie wurden vorsichtiger, kreuzten nicht mehr allein an den gefährlichen Inseln vorbei, ja, sie legten auch allerlei Fallen. Posedaric hatte das Pech, dass er auf die erste dieser Fallen stieß.

Ein venezianisches Schiff war gemeldet worden und dem Rauch und Feuersignalen entnahm man in Senj, dass es sich um ein schwer beschädigtes, großes Vollschiff handelte. Posedaric ließ vier Schnellruderer bemannen und lief sofort aus. Das große Schiff fuhr langsam in der Nähe der Insel dahin. Die Segel hingen schlaff herab, der Mast war gebrochen, es sah auch so aus, als ob die Takelage überall zerrissen sei, und vor allem sah man auch nur wenig Ruderer auf den Ruderbänken. Das schöne Schiff erschien allen wie eine gute, leichte Prise, allerdings wie eine zu leichte, wie sich der vorsichtige Posedaric vernehmen ließ. Desandic, der mit auf dem Schiff war – denn das war das Wichtigste bei dem ständigen Wechsel des Kommandos zwischen den beiden Oberkapitänen, dass abwechselnd immer der eine unter dem anderen diente –, lachte über die Vorsicht Posedarics, sprach von der leichtesten Beute, die er jemals gesehen habe, und nannte schon jetzt jeden, der sie nicht nehmen würde, einen Feigling.

Posedaric blieb trotzdem vorsichtig. Er ließ das Vollschiff nur durch zwei Ruderer einkreisen und hielt sich mit den beiden anderen Schiffen im Hintergrund. Die Ruderer hatten kaum an dem Vollschiff angelegt, ihre Enterhaken in die Brüstung gehauen und waren an Bord gesprungen, als das ganze Schiff von Bewaffneten wimmelte, die die überraschten Senjer niedermachten. Zur gleichen Zeit tauchten auch alle Ruderer auf ihren Bänken auf, die schlappen Segel gingen hoch und aus dem schwer havarierten Schiff war in wenigen Minuten ein gefechtsbereites Kriegsschiff geworden, neben dem sich die Senjer Boote wie Nussschalen ausnahmen. Das Schiff stieß sofort auf das eine Boot zu, bohrte es in den Grund und das zweite konnte sich nur dadurch vor der Vernichtung retten, dass es auf eine der großen Sanddünen lief, die der Insel Krk vorgelagert sind und auf die das große Schiff nicht folgen konnte. Posedarics erste Ausfahrt nach längerer Zeit endete so mit einer Niederlage, und wenn sie auch der kühne Desandic durch seine aufreizenden Reden mit verursacht hatte, war nicht dieser, sondern Posedaric der Schuldige. Desandic nahm auch kein Blatt vor den Mund und beschuldigte Posedaric offen dieser Niederlage. Ja, er ließ sogar durch seine Freunde verbreiten, dass, wenn er den Oberbefehl gehabt hätte, diese Schlappe unmöglich gewesen wäre. Desandic hätte gleich mit allen vier Schiffen den Venezianer angegriffen, ihn überwältigt und als gute Prise heimgebracht. Trotzdem musste Desandic erleben, dass auch bei der nächsten Ausfahrt Posedaric wieder zum Oberkapitän ernannt wurde. Diesmal waren drei größere türkische Schiffe gemeldet worden und die Senjer fuhren mit sechs kleineren aus. Wie die Spähboote mitteilten, waren die Türken vor einem kleinen Dorf auf der Insel Rab gelandet, hatten das Dorf ausgeplündert und waren im Begriff mit der Beute und den weiblichen Einwohnern wieder abzufahren. Posedaric teilte seine Macht. Während er selber mit drei Schiffen die Türken von vorn angreifen wollte, sollte Desandic die Insel umschiffen und den Türken in den Rücken fallen.

Dies war der einzig mögliche Gefechtsplan: die Türken nicht nur anzugreifen, sondern ihnen ihre Beute wieder abzujagen. Desandic hieß das Manöver seines Oberkapitäns gut, aber in Wirklichkeit dachte er gar nicht daran, Posedaric einen so einfachen Sieg zu ermöglichen. Während Posedaric also kühn die Türken angriff, auch eines der türkischen Schiffe sofort überrannte, segelte Desandic erst ein Stück nach der Küste zurück, dann wieder ein Stück geradeaus, was er später mit Windflauten entschuldigte, und als seine Schiffe endlich im Rücken der Türken erschienen, war der Kampf schon beendet. Es war allerdings diesmal keine Niederlage geworden, wie Desandic gehofft hatte. Außer einem türkischen Schiff, das gerammt worden war, war ein zweites beschädigt, aber das größte und gerade das mit der Beute schwamm schon weit draußen auf dem Meer und es war unmöglich, ihm die Beute wieder abzunehmen; auch das zweite entrann und so mussten sich die Senjer mit dem gerammten begnügen, dessen Mannschaft sich aber fast vollständig auf das erste gerettet hatte. Posedaric, der nicht ahnte, dass ihn Desandic im Stich gelassen, ja um seines persönlichen Ehrgeizes willen verraten hatte, kehrte so wieder ohne Beute nach Senj zurück. Der Empfang war noch lauer als das erste Mal, und da Desandic und seine Freunde wieder das Feuer gegen ihn schürten und sogar im Rat der Alten als Ankläger gegen ihn auftraten, wäre es beinahe geschehen, dass man dem tapferen Posedaric den Rang eines Oberkapitäns genommen und ihn wieder zum einfachen Uskoken degradiert hätte. Aber einer der ganz Alten sprach so warm für ihn, dass man ihm auch ein drittes Mal das Kommando über die Senjer Flotte übergab.

Ungefähr zwanzig Fahrstunden von der Stadt entfernt war ein ummauerter Flecken, der Senj untertan war. Er lag so günstig vor einer größeren Bucht, dass er diese und das Hinterland völlig beherrschte. Die Venezianer, die an dieser Seite der Adria schon lange einen geschützten Platz suchten, wo ihre Schiffe auf der langen Reise von Venedig nach Korfu Unterschlupf und Schutz, auch eine Verproviantierungsmöglichkeit hätten, griffen ihn unverhofft an und blockierten ihn von der Seeseite her. Die gesamte Senjer Flotte lief diesmal aus, zwei Vollschiffe, ein ehemals türkisches und ein ehemals genuesisches, zwölf Ruderschiffe und viele kleinere Fahrzeuge.

Die venezianische Flotte, die vor dem Flecken lag, war viel kleiner. Posedaric, der das durch Späher erfahren hatte, wollte sie einschließen, ganz in die Bucht hineindrängen und dort vernichten. Der Plan war ungemein klug und auch gar nicht schwer auszuführen, wenn Posedarics Befehle alle befolgt wurden. Auch Desandic anerkannte sofort die überlegene Strategie des alten Seemannes, aber statt sie zu unterstützen, beschloss er sie wieder zu durchkreuzen, denn er gönnte Posedaric keine Siege, sondern nur Niederlagen.

Der Alte, der ein steigendes Misstrauen gegen seinen Nebenbuhler hatte, war diesmal vorsichtiger. Er gab Desandic nur das

Kommando über zwei Ruderboote, die sich zwischen zwei Inseln legen sollten, um einen Durchbruch der venezianischen Flotte zu verhindern, während er selber mit der Hauptmacht kühn auf die Venezianer zusegelte. Diese waren auch sehr erschrocken, als sie sich unversehens dieser stattlichen Flotte gegenübersahen, und es blieb ihnen tatsächlich nichts weiter übrig, als sich nach einem schweren und verlustreichen Kampf in die Bucht zurückzuziehen. Der Kommandant dieser kleinen Flotte vergaß aber nicht, zweien von den kleinen Schnellseglern, die seine Schiffe begleiteten, den Befehl zu geben, unter allen Umständen die Schiffskette der Senjer zu durchbrechen, das Meer zu gewinnen und Hilfe zu holen, denn er wusste, dass eine weit größere Flotte als die seine nach Korfu unterwegs war und in den nächsten Tagen oder sogar schon Stunden an der Bucht vorbeifahren musste.

Einen der beiden Schnellsegler bohrte Posedaric mit dem ehemals genuesischen Vollschiff in den Grund, der andere schoss gegen die Inselgruppe vor, hinter der Desandic mit seinen beiden Ruderbooten lauerte. Was nun geschah, ließ sich nie genau ermitteln. Jedenfalls stießen die beiden Ruderboote zusammen, zwei Ruderreihen zerbrachen, und bevor die Boote wieder manövrierfähig waren, hatte der Schnellsegler das Meer erreicht und war am Horizont verschwunden.

Posedaric war wütend auf Desandic, aber er konnte auch diesmal nicht glauben, dass der Jüngere aus Tücke und um seines Ehrgeizes willen ein so frevelhaftes Spiel trieb. Es war ja auch noch nichts verloren. Man musste jetzt nur mit doppelter Kühnheit die venezianischen Schiffe tiefer in die Bucht treiben und sie dort entern, auf Grund setzen oder in Brand stecken. Um dabei vor allen Überraschungen gesichert zu sein, schickte er die kleineren Schiffe, wieder unter dem Befehl von Desandic, auf das offene Meer mit dem ausdrücklichen Befehl nichts weiter zu machen, als nach allfälligen venezianischen Schiffen Ausschau zu halten, sie ihm zu melden, während er selber mit den beiden Vollschiffen und dem Rest der anderen Segel- und Ruderboote der eingeschlossenen Flotte das zweite Gefecht liefern wollte.

Es gelang ihm in einem trefflich geleiteten Kampf, der den tapferen Posedaric noch einmal auf der Höhe seiner Kriegskunst zeigte, zwei der venezianischen Schiffe zu entern, während die anderen auf den Strand aufliefen und von ihren Besatzungen verlassen wurden. Gerade als der Oberkapitän auf dem letzten dieser
Schiffe die Flagge von Senj hochziehen ließ, sah er, dass Desandic auch diesmal seinem Befehl nicht Folge geleistet hatte. Seine
Boote und ihre Mannschaften beteiligten sich an dem Kampf.
Er stellte Desandic zur Rede, aber Desandic hatte wirklich den
Befehl des Alten nicht einfach missachtet, er, vor allem aber die
Mannschaften seiner Boote, wollten sich nur mit an dem allgemeinen Kampf und natürlich auch an der großen Beute beteiligen.
Er sagte das Posedaric offen, nicht ohne noch mit einem gewissen Spott hinzuzufügen: ›Ich habe es einfach lächerlich gefunden,
dass der Oberkapitän die halbe Streitmacht auf einen Beobachtungsposten stellt, während sich doch mein jüngster Schiffsjunge
ausrechnen kann, dass selbst der schnellste Schnellsegler wenigstens vier Tage braucht, bis er nach Venedig kommt, und auch die
schnellste Flotte wiederum wenigstens vier Tage um den eingeschlossenen Schiffen zu Hilfe zu eilen und sie zu entsetzen.‹
Das war allerdings die Wahrheit und Posedaric wollte Desandic schon verzeihen, da hörte er plötzlich vom Mast die Stimme eines Matrosen: ›Schiffe! Von See her kommen Schiffe!‹ Er
erbleichte; was er aber danach selber sah, machte seinen Schrecken noch größer. Der Schnellsegler war gleich nach seiner Ab-
fahrt auf die venezianische Flottenmacht gestoßen, die zur Ab-
lösung in die griechischen Gewässer fuhr. Die mächtigen Schiffe,
die sonst, wenn sie der Schnellsegler nicht gesichtet hätte, wahrscheinlich ohne die kleine Bucht zu beachten an ihr vorüberge-
segelt wären, steuerten nun mit allen Segeln auf sie zu, und ehe
sich der bestürzte Posedaric dessen versah, saß er mit all seinen
Schiffen in der Falle.
Er beschloss trotz der beinahe zehnfachen Übermacht wie ein
echter Uskoke den Kampf mit den großen venezianischen Schif-

fen aufzunehmen. Wie kleine, bissige Kläffer stürzten sich die spitzen Uskokenschiffe auf die edlen venezianischen Doggen, und wenn sie auch bald, eines nach dem anderen, versanken, so konnten sie doch den großen Schiffen manche Schramme und manchen Riss zufügen. Posedaric gelang es sogar, mit einigen seiner besten Kämpfer auf dem größten der überaus prächtig geschmückten und gezielten Schiffe der Venezianer Fuß zu fassen und dieses, es war, wie sich später herausstellte, das Admiralsschiff, mit einer Lunte in Brand zu stecken. Wie eine riesige Fackel lohte das gewaltige Schiff auf und verkündete aller Welt, dass ein Uskoke noch immer zu sterben verstand. Allerdings konnte auch diese Tollkühnheit nicht verhindern, dass bereits nach zwei Stunden Senj weder eine Flotte noch eine Schiffsmannschaft mehr besaß, sie waren alle mit wehenden Fahnen untergegangen.

Halt, ein kleines Beiboot, in dem sich Desandic mit einigen Freunden gerettet hatte, war davongekommen. Er war es auch, der die Kunde von der schweren Niederlage nach Senj brachte ohne natürlich von seiner doppelten Schuld zu sprechen. Er und seine Gefährten besaßen sogar die Dreistigkeit und Frechheit den Rat der Alten zu beschimpfen. ›Ja‹, sagte er, ›ihr seid genauso am Untergang der Flotte schuld wie Posedaric, denn ihr habt ihn trotz meiner Warnung das dritte Mal zum Oberkapitän gewählt. Hättet ihr mich gewählt, so müsstet ihr jetzt nicht trauern, denn ich habe die Flagge von Senj immer nur von Sieg zu Sieg geführt.‹ Das Volk unterstützte Desandic bei seinen Angriffen und diesmal erreichte er wirklich, was er sich gewünscht hatte, er wurde der alleinige Oberkapitän von Senj und seinen gesamten Wasser- und Landstreitkräften. Das Schlimme war nur, dass er sie schon alle seinem Ehrgeiz, seiner Tücke und seiner Ruhmsucht geopfert hatte.

Es zeigte sich bald, wie gefährlich das gewesen war. Schon nach zehn Tagen erschien die große Flotte der Venezianer vor der Stadt. Sie erzwang, da man ihr keinerlei Schiffe mehr entgegenschicken konnte, die Einfahrt in den Hafen und noch am glei-

chen Tage drangen sie in die Stadt selber ein. Den Senjern gelang
es zwar, da der Feind keine Truppen im Rücken der Stadt gelandet hatte, durch die hinteren Tore auf die Berge zu fliehen, aber
die Venezianer steckten die Stadt an allen vier Ecken in Brand,
zerstörten die Mauern und Kastelle und es dauerte viele Jahre, 5
bis die Bürger und die Uskoken die alte Feste Senj in der ehema-
ligen Größe und Stärke wieder aufgebaut hatten.«
Der alte Gorian hatte seine Geschichte langsam und mit größeren Pausen erzählt, jetzt griff er wieder nach seiner Pfeife und sah
die Kinder an. Diese hatten ihm mit immer erregteren Gesich- 10
tern auf den Mund gestarrt, und als er nun schwieg, fielen sie mit
allerlei Fragen über ihn her.
»Was ist aus Desandic geworden?«, fragte Branko.
»Hat man von seinem Verrat erfahren?«, wollte Zora wissen.
»Hat er seine Strafe bekommen?«, fragte Pavle. 15
»Hat der Rat der Alten ihm den Prozess gemacht?«, fragte Nicola.
»Ja, erzählt es, erzählt es!«, bettelten alle.
»Die Geschichte von dem Verrat des Desandic«, begann der Alte
wieder, »hat man erst lange nach seinem Tod durch einen seiner
Unterkapitäne erfahren. Aber wenn ihn der Rat von Senj auch 20
nicht mehr bestrafen konnte, so hat er doch seine Strafe erhalten.
Er war bei den Kämpfen um die Stadt verwundet worden, seine
Gesellen brachten ihn zwar aus der brennenden Stadt, aber dann
ließen sie ihn liegen. Er schleppte sich noch mehrere Tage siech
und wund durch das Land, bis er eines Morgens elend und unter 25
Schmerzen an der Straße nach Fiume starb.«
»Das ist ihm ganz recht geschehen«, meinte Pavle. »So soll es
auch jedem von uns gehen, der die Sache der Uskoken verrät«,
rief Nicola.
»Das möchte ich euch damit sagen, Kinder. Wenn ihr wirklich 30
gute Uskoken bleiben wollt, begrabt eure großen und kleinen
Fehden und seid einig untereinander.«
Er blickte sie alle noch einmal an. »Wollt ihr das?«
Die Kinder wollten es und reichten einander die Hand. Auch
Duro und Branko gaben sie sich zum ersten Male. 35

»Die stolze Stadt am schönen Meer ist auf den Hund gekommen«

Die Kinder erwachten davon, dass die schweren Lastwagen der Gesellschaft vor das Haus ratterten. Sogleich waren der Garten und der Strand wieder von Fischern und Fahrern überfüllt. Direktor Kukulic, der Glatzkopf, war auch mitgekommen.

Die Kinder ließen sich heute von dem Lärm nicht stören. Duro, Pavle und Nicola schliefen weiter. Zora molk unterdessen die Ziege, mit der sie sich angefreundet hatte, dann deckte sie mit Vater Gorian den Tisch.

Die vollen Wagen waren abgefahren, leer wiedergekommen und wurden das zweite Mal gefüllt. Der Fischreichtum wollte einfach kein Ende nehmen.

Da entstand ein großes Geschrei im Wasser.

Der alte Orlovic und seine beiden Söhne hatten das große Netz immer näher an das Ufer gezogen, damit die Fischer die Fische besser fangen konnten. Jetzt sahen sie einen wahren Riesenthunfisch, der in dem kleinen Raum zwischen dem Netz und dem sandigen Strand wütend hin und her schoss.

»Ich glaube, das ist ein Hunderter!«, schrie einer der Fischer.

»Der ist ja größer als ein ausgewachsener Hai!«, staunte ein zweiter. Der alte Gorian, der gleichfalls ans Wasser getreten war, schätzte den schweren, schwarzen Gesellen auch ab. »Der kann sogar noch mehr als hundert Kilo wiegen.«

Auch der dicke Kukulic stürzte eilig herbei, machte Froschaugen und strich sich erregt über die Glatze, dann wandte er sich an den alten Gorian. »Habt Ihr ein großes Netz?«

Der Alte nickte. »Warum?«, fragte er.

Der kleine Mann rieb sich geschäftig die dicken Hände. »Wir fangen ihn lebendig und schenken ihn dem Bürgermeister.«

»Dem Bürgermeister?«, wiederholte der Alte erstaunt.

Der Dicke sah Gorian von unten an. »Warum nicht? Er hat sich so um das Gedeihen der Gesellschaft bemüht. Er verdient den Fisch.«

»Hahaha!« Der Alte lachte bitter auf. »Sagt einfach, er hat Euch so gut dabei unterstützt, uns arme Fischer rechtlos zu machen, dass es Euch nicht schwer fällt, ihm aus unserem Fell auch noch ein Geschenk zu schneiden.« Und etwas patzig fügte er hinzu: »Nein, dazu bekommt Ihr mein Netz nicht.«

»Wir haben auch eins«, sagte da einer der Zwillinge und der andere sprang schon, um es zu holen.

Der Glatzköpfige nickte den beiden nun zu; er war so begeistert von seiner Idee, dass er immer aufgeregter hin und her ging. Als er wieder an dem alten Gorian vorbeimusste, schlug er ihm sogar auf die Schulter. »Weißt du, Gorian, wir machen eine große Sache daraus. Die Fischer müssen dem Bürgermeister den Fisch öffentlich überreichen.«

»Einen Dreck werden sie«, antwortete der alte Gorian grob, er spuckte aus und drehte sich wütend um.

Zora, die in der Nähe war, hängte sich an seinen Arm. »Was habt Ihr, Vater Gorian?«, fragte sie.

»Der Glatzköpfige will dem Bürgermeister einen unserer größten Fische schenken.«

»Dem Doktor Ivekovic?«

»Ja, so ist das, Kind«, fuhr der alte Gorian fort, »eine Krähe hackt der anderen die Augen nicht aus. Haha, und den größten Fisch«, er lachte wieder, »einen toten Hund sollten wir ihm schenken.«

»Warum einen toten Hund?«

»Weil man das früher mit jedem Bürgermeister gemacht hat, in dessen Stadt etwas faul war.«

Es war aber alles nicht so einfach, wie es sich der Glatzköpfige vorstellte. Zuerst musste man den Fisch fangen und dann brauchte man einen großen Bottich, um das Tier hineinzusetzen.

»Hm«, machte der alte Orlovic, »einen Bottich haben wir«, und er schickte seine Söhne, die gerade das Netz brachten, noch einmal zurück, um auch den Bottich zu holen.

Die anderen Fischer breiteten indessen mit dem alten Orlovic das Netz aus und rückten dem Fisch zu Leibe.

Der Fisch merkte wohl, dass man ihn fangen wollte. Erst ließ er sich immer in eine Ecke drängen, aber sobald er nicht mehr weiter konnte, peitschte er das Wasser auf, tauchte und schoss unter den Fischern hindurch.

Gewöhnlich schoss er dabei einem der Männer so zwischen die Beine, dass dieser umgeworfen wurde und ins Wasser plumpste, und es dauerte eine Weile, bis der Unglückliche wieder stand.

Der alte Orlovic, der seine langen Beine nicht mehr weit genug spreizen konnte, saß sogar plötzlich rücklings auf dem gewaltigen Tier und fuhr mit ihm nach rechts und nach links, bis es wie ein wütender Esel in die Höhe schnellte und den armen Vater Orlovic abwarf.

Der alte Gorian, der wieder am Wasser stand, lachte: »Hoffentlich nimmt das Tier morgen unsern Bürgermeister ebenso auf den Rücken und fährt mit ihm eine Weile über den Markt.«

Endlich hatten sie ihn wenigstens so weit, dass das Netz über ihm lag. Der große Kerl war aber noch im Netz gefährlich. Er schlug wütend um sich, zeigte den Männern seinen scharfen Schwanz oder seine festen Zähne und sie konnten ihn nicht bändigen.

Den alten Gorian, der im Grunde gutmütig war, dauerten mit der Zeit die schwitzenden, stöhnenden Männer. »Hebt doch das Netz hoch!«, schrie er.

Sie versuchten es. Jetzt merkten sie erst, wie schwer das Tier war. Vier Männer und der alte Orlovic brachten es kaum aus dem Wasser.

»Es ist wirklich ein Koloss«, ächzte der alte Orlovic und auch Vater Gorian sagte: »So einen großen Thunfisch habe ich noch nie gesehen.«

Die Zwillinge brachten inzwischen den Bottich, einen großen, länglichen Kübel, in dem Vater Orlovic seine Fische aufbewahrte, bevor er sie auf den Markt brachte.

»Schöpft schnell Wasser hinein!«, schrie der alte Orlovic. »Der Kerl drückt uns sonst tot.«

Die Kinder halfen den Zwillingen und der Kübel war bald voll. Nun stiegen alle ins Wasser und schleppten das Netz mit dem

210

Fisch heraus. Das Tier schlug wild um sich. Als es ohne das Netz in dem Bottich lag, wurde es noch wilder. Das Wasser spritzte nach allen Seiten und einmal war der Kopf des Fisches und gleich darauf sein Schwanz über dem Bottichrand zu sehen.

»Den Deckel darüber!«, schrie der Glatzkopf aufgeregt.

Die Zwillinge brachten ihn. Aber auch der Deckel brachte das Tier nicht zur Ruhe. Die Männer mussten noch Seile um den Bottich binden und Steine auf den Deckel legen. Der Glatzkopf wischte sich den Schweiß von der Stirn. »Das war eine Arbeit.« Auch den Fischern tropfte das Wasser von den Stirnen.

Nun wurden die Wagen gefüllt und der Erste ratterte davon.

»Wollt Ihr nicht mitkommen?«, fragte Kukulic den alten Gorian.

»Ich? Warum denn?«

»Es gibt noch allerlei zu besprechen wegen der Sache mit dem Fisch.«

Der Alte wurde wieder borstig wie ein Igel. »Ich habe Euch doch schon gesagt, Ihr sollt mich damit in Frieden lassen.«

Der Glatzköpfige ließ nicht locker. »Kommt nur mit. Ich stifte einen Extraschnaps. Außerdem muss ich Euch doch das Geld für den letzten Fang geben.«

»Das lässt sich eher hören.« Vater Gorian zog die Mütze über den Kopf und stieg in den letzten Wagen.

Der Wagen war kaum aus dem Hof gefahren, da tauchte Branko auf. Er sah enttäuscht aus.

Zora sah ihn an. »Warst du wieder bei deinem Mädchen?«

»Sie war nicht da«, sagte Branko.

»Sie will wahrscheinlich nichts mehr von dir wissen«, lachte Zora.

Branko hatte sich schon an Nicola gewandt.

»Was ist in dem Kübel?«

»Der größte Thunfisch, den es je gegeben hat«, antwortete Nicola und er berichtete Branko, was am Morgen geschehen war, auch was der Glatzköpfige mit dem Fisch machen wollte.

»Dem Bürgermeister will man ihn schenken?«, sagte Branko ungläubig. »Was sagt denn Vater Gorian dazu?«

»Er ist wütend darüber«, meinte Pavle.

»Er hat gesagt, man solle dem Bürgermeister lieber einen toten Hund schenken als den größten Thunfisch«, sagte Zora.

Die Kinder wollten gleichfalls wissen, warum. »Weil man früher Bürgermeistern wie dem unseren einen toten Hund geschenkt hat«, wiederholte Zora die Antwort des alten Gorian.

»He!«, lachte Nicola spitzbübisch auf. »Nehmen wir doch den Fisch heraus und tun einen Hund hinein.«

Branko und Zora blickten Nicola an. »Wo sollen wir einen toten Hund hernehmen?«

»Wir haben doch Leo noch nicht begraben«, sagte der Kleine.

»Unseren Leo!« Branko schüttelte den Kopf. Auch Zora sagte: »Nein. Leo bleibt unter seiner Plane.«

Die anderen bestürmten aber die beiden weiter.

»Ach, lasst ihn uns doch nehmen«, bat Pavle.

»Ob wir ihn einen Tag früher oder später begraben, ist doch gleich«, meinte Duro.

»Ich weiß überhaupt nicht, was ihr dagegen habt«, sagte Nicola. »Glaubt mir, wenn Leo noch lebte, würde er mit Freude dem Bürgermeister einen Streich spielen.«

»Auch der Tote würde ja sagen, wenn er noch sprechen könnte«, fügte Pavle hinzu.

»Meinetwegen macht es«, lachte Branko jetzt.

»Ich will es aber wenigstens nicht sehen«, sagte Zora, die noch immer nicht ja sagen konnte, und trollte sich davon.

Ehe die Kinder den Hund aus der Grube holten, machten sie sich an den Bottich. Es war nicht leicht, den Fisch aus dem schweren Holzfass herauszubringen.

Branko band die Seile los und Pavle und Duro hoben den Deckel in die Höhe. Das große Tier lag gekrümmt in der länglichen Wanne.

Es sah die Kinder aus seinen kleinen Augen bissig, ja giftig an.

»Dieser Satan!«, zischte Nicola.

»Man könnte sich beinahe fürchten«, sagte Branko.

Die Kinder wollten den Bottich mit dem Tier ans Wasser tragen, aber sie konnten ihn nicht einmal hochheben. Der Fisch war in-

zwischen lebendiger geworden und schlug um sich, dass ihnen
das Wasser über Kopf und Körper spritzte.

Pavle holte zwei Stangen. Sie schoben sie unter den Bottich und
rollten und stießen ihn langsam vorwärts. Am Wasser kippten
sie ihn einfach um.

Das große, schwarze Ungetüm lag einen Augenblick erstaunt
und wie erschrocken auf dem heißen, körnigen Sand, öffnete
sein großes Maul und schloss es wieder. Dabei roch es wohl das
Wasser und spürte auch, wo es war, denn gleich darauf schnellte
es in die Höhe, und ehe sich die Kinder versahen, plumpste sein
schwerer, unförmiger Körper in die Fluten und schoss davon.

Leer war der Bottich leichter zu tragen. Branko und Nicola füll-
ten ihn wieder mit Wasser, während Pavle und Duro Leo holten
und ihn hineinlegten.

Pavle lüpfte den Bottich. »Da muss noch mehr hinein«, erklärte
er, »sonst merken sie den Schwindel.«

Nicola brachte zwei Steine. Auch Duro und Branko schleppten
welche herbei.

Pavle probierte weiter. Er konnte den Kübel nicht mehr heben.
»So«, meinte er, »jetzt ist es besser.«

Sie drückten den Deckel auf den Bottich und banden die Seile
darum.

»Lasst mich sie knüpfen«, sagte Zora, die zurückgekommen war.
»Der alte Gorian hat es mich gelehrt«, und sie knüpfte die Seile
kunstgerecht zusammen.

Die Kinder waren kaum mit der Arbeit fertig, da tauchte Vater
Gorian wieder auf. Sein Gesicht war grimmiger als am Morgen
und seine Augen blitzten wie kleine Feuer.

»Sie wollen ein richtiges Fest machen«, knurrte er. »Die Gesellschaft hat alle ihre Fischer aufgeboten, auch ein paar Mädchen
aus der Tabakfabrik und die Kapelle aus dem Hotel ›Zagreb‹.
Haha. Sie bauen sogar eine Tribüne. Der Glatzkopf will dem Bürgermeister den großen Fisch auf dem Markt überreichen.«

Den Kindern wurde es jetzt etwas Angst bei dem Gedanken, dass
an Stelle des Fisches ihr braver Leo in dem Bottich lag.

»Sollen wir es Vater Gorian nicht lieber sagen?«, fragte Pavle leise.
Branko schüttelte den Kopf. »Nein, es ist besser, er weiß es nicht.«

Da kamen auch schon die Fischer der Gesellschaft mit dem alten Orlovic, um den Fisch mit dem Bottich zu holen. Der Glatzkopf hatte die Fischer in weiße Marineblusen und feste, schwarze Hosen gesteckt, dass sie aussahen wie Matrosen.

Die Fischer kamen aber nicht mit einem Auto, sondern mit einem leeren Karren. Vor dem Karren gingen zwei stämmige Ochsen und ein dicker Knecht führte sie.

Zora stieß Branko an. »Das ist doch ein Knecht vom reichen Karaman.«

Einer der verkleideten Fischer drehte sich um. »Das sind auch seine Ochsen.« Er blinzelte den Kindern zu. »Der reiche Karaman hat ihnen zur Feier des Tages freigegeben.«

Unterdessen waren die anderen an den Kübel herangetreten. Der eine versuchte ihn hochzustemmen.

»Ist der schwer«, stöhnte der junge Mann.

Der alte Orlovic, der neben dem Kutscher stand, sagte: »Sechs Mann haben das Vieh kaum aus dem Wasser gebracht.«

Der junge Mann wollte den Bottich aufbinden.

»Bist du verrückt«, sagte der Gelbkopf, der auch unter den Matrosen war, »sei froh, dass das Tier nicht mehr heraus kann.«

Die Matrosen stießen breite Stangen unter den Kübel und wollten ihn hochstemmen, aber erst als auch der alte Orlovic, der dicke Knecht und der alte Gorian mit unter die Stangen fassten, brachten sie den schweren Kübel samt seinem Inhalt auf den Karren. Der Knecht hob seine Peitsche und knallte. Die Ochsen zogen an. Zora musste wieder lachen. »Wenn der Alte wüsste, wen seine Ochsen ziehen müssen.«

Die Ochsen mussten dreimal ansetzen, bis sie den Karren aus dem Sand und dem Steinschutt brachten. Einen Augenblick später rumpelte er auf die staubige Straße.

Der alte Gorian hatte sich eine Jacke geholt und ging hinter dem Karren her.

»Ihr geht mit?«, fragte Branko.

Der Alte machte ein grimmiges Gesicht. »Die Gesellschaft will, dass der alte Orlovic und ich dem Bürgermeister den Fisch überreichen.«

»Und das tut Ihr?«, fragten Branko und Zora zur gleichen Zeit.

Jetzt lachte der Alte. »Sogar gern. Ich will ihm nämlich dabei ein Sprüchlein sagen, an dem er seine Freude haben wird.«

Die Kinder gingen ein Stück mit.

Der Wagen rumpelte langsam durch den gelben Sand, die Sonne brannte wie eine riesige Fackel und das ganze Land glühte wie ein großer Backofen.

An der Stadtgrenze warteten die Tabakarbeiterinnen, die Kapelle und der Glatzköpfige.

Die Mädchen sahen wie ein großer Blumenstrauß aus. Sie waren blass und mehlig betupft, lange, einfarbige Kleider hingen bis zu ihren Füßen, ihr Haar fiel offen über Hals und Schultern, Blumen und Muschelkränze rahmten es ein und auch um die Hüften schlangen sich Blumen und Muschelketten.

Genauso fantastisch war die Kapelle des Hotels »Zagreb« angezogen. Um die braunen, verklebten und verschwitzten Gesichter wanden sich hohe, weiße Kragen, um die Leiber gelbe, etwas verschossene Fräcke, die Hosenbeine waren wieder grün wie die Zylinder, die Strümpfe rot, während die Füße in übergroßen, platschigen, froschzehenähnlichen Schuhen steckten.

Der Wagen hielt an. Ein kleiner Maler, der neben dem Glatzköpfigen stand, schmückte nun auch die Ochsen, den Kutscher, die acht Matrosen, den alten Orlovic und Vater Gorian.

Den Ochsen versilberte der Maler die Hörner und über den Wagen wurde ein silberner Glanz gestrichen. Die Mädchen banden unterdessen bunte Girlanden und glitzernde, in allen Farben schillernde Glasperlen um alles, während der Kutscher in ein silbriges Gewand gesteckt wurde und an Stelle seiner Peitsche einen Dreizack bekam.

Der alte Gorian und Vater Orlovic sträubten sich erst gegen den Firlefanz, aber als sie sahen, dass sich die Matrosen große Bärte ankleben ließen, spitze rote und blaue Nasen über ihre Nasen steckten und Schilf und Blumen über ihre Kleider hängten, ließen sie sich auch putzen, färben, umziehen und anstreichen.

Vater Gorian wurde von den Mädchen und dem Maler zu einem richtigen Wassermann gemacht. Man stülpte ihm eine rote Perücke über das weiße Haar, zog ihm auch eine spitze, lange, grüne Nase über seinen klumpigen, kleinen Knollen. Die Augen umränderte man mit einem dicken, knalligen Rot und dann streifte man ihm über den ganzen Leib bis hinauf zum Hals einen schlauchartigen grünen Anzug, der unten in zwei Flossenteile auseinander ging, sodass der alte Gorian, wenn er die Beine nebeneinander stellte, wie ein vorsintflutliches Seeungeheuer aussah.

Der alte Orlovic wurde ähnlich ausstaffiert. Nur war alles, was er anhatte, im Gegensatz zum Vater Gorian blau und außerdem klebte man ihm noch einen langen, aus Hanffasern geflochtenen Bart unter das Kinn, der beinahe bis zu den Knien reichte.

Der Glatzköpfige rannte während der ganzen Zeit auf und ab und trieb die Mädchen und den Maler zur Eile an; hie und da verbesserte er auch etwas, riss es aber nach ein paar Minuten wieder ab und rannte weiter hin und her.

Endlich sagten die Mädchen: »Wir sind fertig.«

Auch der Maler war fertig und strich den Ochsen nur noch die Hufe mit Goldfarbe an.

Nun stellte Kukulic alle auf. Die Musikanten kamen an die Spitze, hinter sie die Hälfte der Mädchen, nach den Mädchen kamen die Ochsen, der Wagen und die Matrosen, der Rest der Mädchen bildete den Schluss.

Kukulic strich sich über seine Glatze und schrie zu den beiden Alten hinauf: »Wisst Ihr noch, was lhr dem Bürgermeister sagen sollt?« Vater Orlovic verzog nur seinen übermalten Mund. Vater Gorian sagte: »Nein.«

»Den größten Fisch unserem Wohltäter, dem Bürgermeister Doktor Ivekovic.«

»Gut, gut.« Der alte Gorian nickte.

»Vergesst es aber nicht und nichts anderes dürft Ihr sagen.«

»Jaja«, bestätigte der alte Gorian noch einmal und blinzelte zu den Kindern hinüber.

»Hü!«, schrie da der Kutscher laut und schwang seinen Dreizack.

Im gleichen Augenblick stimmten die Musikanten einen Marsch an und der Zug setzte sich in Bewegung.

Der Nachmittag ging zu Ende. Die Sonne stach nicht mehr so heiß, das Meer kräuselte sich leise und von den Inseln wehte ein leichter Wind. Die Musikanten spielten immer lauter, die Ochsen schoben ihre schweren, geschmückten Leiber schneller vorwärts, die Matrosen gingen gravitätisch und stolz neben den Ochsen einher. Die Mädchen machten kleine Tanzschritte, lächelten und ließen ihre Schleier wehen.

Die Kinder trotteten bis zum Quai einmal hinter und einmal vor dem Zug.

Am Quai verschwanden sie in eine Nebenstraße und sahen nur noch verstohlen aus Toreinfahrten und Kellerlöchern nach dem festlichen Ereignis.

Am Quai flanierten wie sonst Bürger, Soldaten, Matrosen, einige Holzarbeiter, Tabakarbeiterinnen, ein paar Fremde, die mit dem Dampfer gekommen waren, Handwerker, Bauern und Gymnasiasten.

Alle blieben stehen und horchten auf, als sie die Musik hörten. Als sie gar den Mummenschanz sahen, stürzten sie dem Zug entgegen.

»Ein Festzug!«, schrie der junge Skalec und schnaufte heran.

»Ja«, sagte der bleiche Karaman, der es von seinem Vater wusste, »eine Überraschung für den Bürgermeister.«

»Ho, ho«, sagten ein paar Seeleute, die auch herangekommen waren, »das sieht ja aus, als wäre der alte Poseidon höchstpersönlich nach Senj gekommen.«

»Und sieh nur«, lachte sein Nachbar, »seine Meerjungfrauen schminken sich auch bereits.«

Die Menschen bildeten eine Gasse und der Zug zog durch sie hindurch hinauf auf den Markt.

Die alte Marija, das Hökerweib, humpelte hinter ihrem Stand hervor und krähte: »Herrje! Jetzt bemalen sie sogar schon die Ochsen.«

»Warum denn nicht«, antwortete einer der Matrosen, »du lässt dir ja auch einen Bart stehen.«

Radic und seine Frau, die noch hinter ihrem Stand weilten, schlossen sich dem Zug an, auch einige Bauern und Bauersfrauen, die gerade ihre letzten Früchte verkauft hatten, gingen hinter den Mädchen her.

Vor dem Hotel »Adria« war das Gedränge bereits so stark, dass der Zug eine Weile stehen bleiben musste.

»Einen Schnaps gefällig, Herr Neptun!«, schrie der dicke Marculin und hob Glas und Flasche den beiden Alten entgegen.

»Wenn er gut ist«, brummte Vater Gorian, »dann gib ein Glas her.«

»Ein Glas!«, rief der Kutscher übermütig. »Die ganze Flasche. Wir kommen nur einmal im Jahr und auch das ist nicht ganz sicher«, und ehe sich der arme Wirt von seinem Schrecken erholte, hatte ihm der Kutscher Glas und Flasche weggenommen.

Brozovic steckte sein fuchsiges Gesicht aus dem Laden. Als er den Glatzkopf an der Spitze des Zuges sah, ließ er sich seine Jacke geben und folgte ihm.

Curcin stand, die Kappe in der Hand, die hochgestreiften Hemdsärmel über den schwammigen, weißen Armen, vor seinem Geschäft und rieb sich, erstaunt über den lustigen Aufmarsch, die Augen, dann fuhr er in seine Holzpantoffeln und marschierte mit.

Der Schuster, der Schmied, der alte Pletnic, Susic in seinem Kaftan, der alte Dragan, der alte Jossip, Pacic und sein Geselle, alle kamen sie aus ihren Werkstätten, Kneipen, Läden und Häusern und der Zug wurde immer größer.

Zu den Gymnasiasten waren der junge Smoljan, der junge Marculin und der dicke Müller gestoßen, auch der kleine Brozovic kam hinter seinem Vater angerannt. Die Knaben bildeten eine Kette und gingen vor dem Zug her.

218

Die Musikkapelle bog auf den großen Platz ein. Vor dem Hotel »Zagreb«, aus dessen Fenstern einige Fahnen hingen, stand Ringelnatz. Er hatte zur Feier des Tages eine weiße Jacke an und eine neue Mütze auf, sonst aber blinzelte er wie alle Tage mit seinen kleinen, hellen Augen lustig unter dem großen Mützenschild hervor.

Der Platz lag im letzten Sonnenlicht und die leuchtenden, viereckigen Platten und der weiße Bewurf der Häuser strahlten das Licht hell und überweiß zurück.

Hinter dem großen Brunnen, direkt vor dem bischöflichen Palast, ragte die Tribüne empor. Auf den schwankenden Brettern stand lächelnd und jugendlich, wieder ganz in Weiß, Direktor Frages. Der Bürgermeister stand blass und überlang neben ihm. Um die beiden gruppierten sich, dick und beleibt, die Hände in den weißen Westenausschnitten, Doktor Skalec, Brozovic, der Apotheker, der große, aufgedunsene Karaman und jetzt stellte sich auch Pletnic zu ihnen.

Rechts und links von den Honoratioren hatten sich die beiden Gendarmen aufgestellt. Begovic trug eine neue Jacke, die noch einen sauberen Eindruck machte. Der dicke, rote Gendarm schwitzte auch nicht so wie sonst und sah ernst und feierlich aus. Dordevic sah aus wie immer, er schwang seinen Gummiknüppel in der Hand und blickte mit kleinen Augen auf die Musikanten. Um die Tribüne drängte sich bereits allerlei Volk. Bunt bemützte Bauern, die sonst um diese Zeit auf dem Weg nach ihren Dörfern waren, Holzarbeiter, die noch vor dem Abendessen das Fest sehen wollten, Bürger mit ihren Frauen, barmherzige Schwestern, ein paar Offiziere, eine Gruppe Fremder, die mit einem Autobus gekommen waren, denn es hatte sich in der Stadt herumgesprochen, was der alte Gorian für einen großen Fang gemacht und dass heute die Fischereigesellschaft dem Bürgermeister den größten Thunfisch, der seit Jahrzehnten in der Adria gefangen worden war, öffentlich überreichen wollte.

Der Zug marschierte langsam auf die Tribüne zu. Die Gymnasiasten, die bunten Mützen keck über dem Ohr, gingen noch an der Spitze. Die Musikanten posaunten, als müssten sie den letzten

Ton aus ihren Trompeten blasen, die Mädchen hoben ihre Schleier und drehten sich dabei, die als Matrosen verkleideten Fischer versuchten trotz ihrer großen Schuhe den Takt zu halten, der Kutscher hob seinen Dreizack, als sei er ein Zepter, und der alte Orlovic und der alte Gorian waren auf einen Wink von Direktor Kukulic aufgestanden. Immer neue Menschen strömten mit und hinter dem Zug auf den Platz. Alle Handwerker aus den benachbarten Gassen klapperten mit ihren Holzschuhen über das Pflaster. Die Gäste aus dem Hotel »Adria«, das Volk, das am Quai gewesen war, alles rannte den Musikanten und den Mädchen nach.

Vor dem bischöflichen Palast drängten sich sogar einige Priester und Novizen und dazwischen stießen die Kinder von Senj durch die Reihen, um auch etwas von der Narretei zu sehen.

Der Glatzköpfige, dem der Schweiß in Strömen über das Gesicht rann, hob die Hand und der Zug teilte sich. Die Mädchen mussten sich wie eine Ehrenwache vor die Tribüne stellen. Die Musikanten trennte er, die einen beorderte er rechts, die anderen links neben den Wagen. Nun kamen auf sein Kommando die Matrosen an den Trog und versuchten ihn zu heben.

»Da ist er drin!«, schrien die Kinder, die den Ring der Erwachsenen unterbrochen hatten.

»Ja, in dem Kübel.«

»Gott, muss der schwer sein«, sagte Pacic, der sah, wie die Matrosen stöhnten.

Endlich hatten sie ihn auf den Schultern und trugen ihn langsam auf die Tribüne zu.

Die Erwachsenen drängten den Kindern nach. Auch sie waren neugierig geworden. Begovic und Dordevic mussten immer wieder ihre Knüppel schwingen, damit wenigstens so viel Platz frei blieb, dass die Matrosen den Kübel niederstellen konnten.

Nun schoben sich die Menschen heran und bildeten mit den Gendarmen einen Halbkreis um die Tribüne.

Der alte Gorian und der alte Orlovic in ihren bunten Gewändern waren dem Trog nachgegangen. Jetzt bückten sie sich, um die dicken Seile zu lösen.

Das erste war schon aufgeknüpft. Das zweite band Vater Gorian gerade auseinander. Der alte Orlovic hob den Deckel.

»Langsam«, warnte ihn der alte Gorian, »sonst springt er uns womöglich heraus.«

Der Glatzköpfige rief »Zurück!« und wollte die Menschen noch weiter zurückdrängen, aber obgleich ihn die Matrosen und die beiden Gendarmen unterstützten, die Neugierde der Menge war auf dem Höhepunkt gestiegen, sie wichen keinen Schritt, im Gegenteil, sie stießen noch stärker gegen die Matrosen vor.

»Er hebt sich«, sagte der alte Orlovic und tatsächlich, der schwere Deckel hob sich.

»Tusch!«, schrie der Glatzköpfige den Musikanten zu. Sie bliesen die Backen auf, im gleichen Moment sprang der Deckel ganz auf. Wie hoch die Menschen jetzt auch ihre Köpfe reckten, sie sahen nichts weiter, als dass die beiden Alten recht erstaunte Gesichter machten und dem Glatzköpfigen, der sich gleichermaßen über den Trog bog, beinahe die Augen aus dem Kopf sprangen.

Auch der Bürgermeister bekam große, zornige Augen und Direktor Frages und die anderen Honoratioren machten womöglich noch verblüfftere und verwundertere Gesichter. Nur die beiden Alten fanden langsam ihre Ruhe wieder. Ja, Vater Gorian blinzelte sogar leicht und der alte Orlovic unterdrückte ein Lachen.

Was da unter ihnen im Kübel lag, war alles andere, nur nicht der große, gefährliche und noch am Morgen quicklebendige Thunfisch. Es war irgendeine Tierleiche. Sie streiften ihre Gewänder hoch, fassten in den Bottich hinein und zogen sie heraus, erst kam der Kopf, darauf der Leib, dann die Beine und zuletzt der buschige, nasse Schwanz.

»Ein Hund«, sagte der alte Gorian leise, der Vater Orlovic das Tier abgenommen hatte, und breitete es vor dem Bürgermeister aus.

»Ein Hund!«, schrie auch schon ein Kind laut, das dem alten Gorian am nächsten stand.

Auch auf der Tribüne flüsterten sie: »Ein Hund.« Brozovic zischte es und sein fuchsiges, böses Gesicht wurde noch spitzer. Karaman knurrte und wurde rot wie ein Krebs.

Obwohl die Musik noch immer spielte, pflanzte sich der Ruf über den Platz fort.

»Ein Hund«, echote der dicke Curcin und er wusste noch nicht, ob er über diesen Frevel lachen oder weinen sollte.

»Ein Hund«, sagten die Holzarbeiter hinter ihm. »Sie haben dem Bürgermeister einen Hund geschenkt.«

»Ein toter Köter!«, kicherten die Mädchen und alles drängte wieder stärker gegen die Matrosen und die Gendarmen, denn jeder wollte das Tier sehen.

»Haha!« Einige lachten auf. »Haha!« Die Kinder trugen das Lachen fort, die Mädchen verstärkten es mit ihrem Kichern, Curcin und Pacic fielen mit ihren Bässen ein, der alte Jossip meckerte wie eine Ziege, der alte Tomislav, der Schmied, trompetete sein Lachen wie eine Posaune heraus, von ihm sprang es auf die Holzarbeiter über, die Bauern nahmen es auf und nun schepperte und donnerte es über den ganzen Platz. »Ein Hund!«, schrien die Leute immer wieder. »Ein Hund! Sie haben unserem Bürgermeister einen toten Hund geschenkt!«

Der Glatzköpfige war durch das Lachen totenbleich geworden und der alte Neptun mit seinem Dreizack musste ihn stützen. Auch Direktor Frages sah beinahe so weiß wie sein Anzug aus. Aber das schlimmste Gesicht machte der Bürgermeister. Seine großen Augen blitzten wie Funken unter den Brillengläsern, sein Gesicht war noch länger und kalkiger geworden, er knirschte mit den Zähnen und sein spitzer Bart tanzte, als wäre er lebendig geworden, auf und ab. Er schien es noch immer nicht recht zu glauben, dass man ihm einen so bösen Streich gespielt hatte, und er trat ein paar Schritte auf den Kübel zu.

Der alte Gorian hob die Leiche höher. »Es ist wirklich ein Hund.«

Unterdessen schrie die Menge lauter und lauter. Jetzt wussten es schon die Hintersten und nun sprang es auch zu den Fenstern hinauf und hinüber zu dem bischöflichen Palais und das Rufen und Lachen pflanzten sich derart fort, dass es sogar die Musik übertönte.

Dem Bürgermeister nahm das den letzten Rest seiner Ruhe.

»Aufhören!«, schrie er zu den Musikanten hinüber.

»Ja, aus!«, echote der Glatzköpfige, der sich etwas erholt hatte.

Doktor Ivekovic kommandierte weiter: »Begovic!«

Begovic sprang vor: »Ja, Herr Bürgermeister!«

»Du nimmst fünf Matrosen und drängst die Leute nach dem Quai hinunter.«

»Zu Befehl!« Begovic salutierte mit seinem dicken Knüppel und schlug schon auf die Leute ein.

»Dordevic!« Auch Dordevic sprang vor.

»Du nimmst den Rest der Matrosen und treibst die übrigen Leute in die Allee hinein. In fünf Minuten muss der Platz leer sein.«

»Zu Befehl!« Auch Dordevic entfernte sich.

Die Leute wichen langsam zurück, aber noch immer klang ihr Lachen, Johlen und Pfeifen über den Platz.

Der Bürgermeister wandte sich inzwischen an Gorian und Orlovic. Er zitterte wie Espenlaub, so aufgeregt war er.

»Wer war das?«, keuchte er und blitzte die beiden Alten an.

»Ja«, echote der Glatzköpfige, »wer war das? Sicher niemand anders als Ihr.«

Die beiden Alten zuckten die Achseln. »Nein«, brummte der alte Gorian, »der Streich ist leider nicht von uns.«

Der Platz war leer und die Matrosen und Gendarmen kamen zurück. Der Bürgermeister fuhr auch die Matrosen an. »Ihr oder einer von den beiden Alten habt es getan. Kein anderer kann es gewesen sein.« Die Matrosen beteuerten gleichfalls ihre Unschuld.

»Vielleicht weiß ich's«, sagte der Gelbkopf.

»Du?« Der Bürgermeister und Kukulic fuhren auf ihn zu.

»Ich glaube, ›sie‹ könnten es gewesen sein.«

»Wer? Wer? Sprecht doch endlich!«

»Die Kinder, die beim alten Gorian sind.«

»Welche? Welche?«

»Die rote Zora und Branko Babitsch, die die Polizei seit beinahe einer Woche sucht.«

»Die!« Der Spitzbart des Bürgermeisters tanzte wieder bedenklich auf und ab.

223

Der Gelbkopf nickte eifrig. »Branko war heute Morgen bei uns und wollte eine Schaufel haben. Ich habe ihn gefragt, wozu, denn ich dachte, der alte Gorian wolle sein Geld damit vergraben, der Junge antwortete aber: ›Nein, wir begraben nur einen Hund.‹«

»Und Ihr meint, das ist er?« Doktor Ivekovic zeigte auf die Leiche, die wieder im Kübel lag.

»Bestimmt«, nickte der Gelbkopf weiter.

»Es ist mein Leo«, sagte da der reiche Karaman, der sich den Hund auch angesehen hatte. »Ich habe ihn vor zwei Tagen erschossen.«

»Wie kommen die Kinder aber gerade zu dem Hund?«, mischte sich Direktor Frages ein.

»Ich habe ihn erschossen, weil er sich mit diesem Pack eingelassen hat, und einen Hund, der es mit Spitzbuben hält, kann der alte Karaman nicht brauchen.«

»Die rote Zora und ihre Bande«, ächzte der Bürgermeister. Er schien nachzudenken.

»Natürlich«, sagte er dann. »Sie müssen es gewesen sein. Sie wollten sich wegen des Strafbefehls und wegen der Verfolgung rächen. »Jetzt«, sein Gesicht zog sich wütend zusammen, er ballte die Fäuste und sein Bärtchen tanzte wieder, »jetzt sollen sie mich kennen lernen! Jetzt ist es mit ihnen vorbei. Begovic! Dordevic!«

Er rief die Gendarmen nochmals heran. Die beiden rannten herbei. Der Bürgermeister ging noch eine Weile aufgeregt vor ihnen hin und her, dann sagte er schnell: »Es bestehen genügend Beweise, dass auch diese Schandtat von der Bande der roten Zora verübt worden ist. Ihr gebt morgen ein Plakat heraus, dass wir die Belohnung von hundert auf zweihundert Dinar hinaufsetzen. Auch jeder, der weiß, wo sich die Kinder aufhalten, soll sich melden. Dann werde ich in die Kreisstadt telefonieren, es sollen noch zwei Gendarmen kommen. Wir werden jeden Schlupfwinkel in der Stadt und in der Umgebung untersuchen, und wenn wir die Kerle bis übermorgen Abend nicht haben, will ich nicht mehr Bürgermeister von Senj heißen. Wenn wir sie aber haben«, fuhr er lauter fort, »dann werden sie eingelocht, alle miteinan-

der, und sie sollen es büßen, und wenn ich sie selber ins Gefängnis oder ins Zuchthaus bringen muss.« Doktor Ivekovic sagte das alles sehr schnell; sein Bart hüpfte dabei immer wütender auf und ab, der Schweiß lief ihm von der Stirn und auch seine Brille tanzte. Jetzt drehte er sich rasch um, sagte noch kurz »Guten Abend, meine Herren«, und stürmte über den leeren Platz in sein Haus. Brozovic sah ihm nach. »Der arme Mann.«
Auch Karaman, der immer noch mit großen Augen auf seinen Hund starrte, bedauerte ihn. Direktor Frages musste den Glatzköpfigen trösten, der noch wie erschlagen war. »Kommen Sie, Kukulic«, sagte er. »Trinken wir einen, da vergessen wir die verdammte Hundegeschichte am schnellsten.«
Aber so schnell konnten sie es nicht vergessen. Ganz Senj lachte noch darüber und die Menge, die man vom Markt abgedrängt hatte, zog nun durch die Gassen und pfiff und sang, johlte und lachte weiter. Ja, wenn sich Begovic und Dordevic auch viel Mühe gaben, jeden, der lachte oder pfiff, mit ihren Knüppeln zu verprügeln, eine Stunde später hatte der bucklige Schuster schon ein Lied auf die Geschichte gemacht und alle Leute sangen es.
Der alte Gorian, Vater Orlovic, Curcin und Pacic hatten sich gerade mit dem alten Jossip und dem dicken Schmied bei Marculin zu einem Roten niedergesetzt, da zogen die Seeleute, die Holzarbeiter, die Tabakarbeiterinnen und eine ganze Schar Kinder singend am Hotel »Adria« vorbei. Der Schuster sang die einzelnen Verse immer vor:

>»Poseidon kam in unsre Stadt
> mit einem großen Wagen
> und einem Bottich zentnerschwer,
> zehn konnten ihn kaum tragen.

>Er wollte Stadt und Bürgerschaft,
> damit wir an ihn denken,
> und auch dem hohen Magistrat
> den schweren Bottich schenken.

Man riet auf einen großen Fisch
und schloss schon viele Wetten,
die Kühnsten auch auf pures Gold
und lange Perlenketten.

Der Bürgermeister hat den Gott
mit seinem Rat empfangen,
mit Musik und mit Jüngferchen,
die alle lieblich sangen.

Da öffnet man das große Fass.
Tusch! Die Trompeten blasen.
Doch Groß und Klein, sie schnüffeln nur
und schließen ihre Nasen.

Erst kommt ein Kopf, darauf ein Schwanz
und alles kugelrund,
und plötzlich sagt ein kleines Kind:
›Es ist ein toter Hund!‹

Der Bürgermeister ist schockiert,
der Magistrat voll Schrecken
und nur das arme Volk, das lacht,
als sie den Hund entdecken.

Poseidon habe schönen Dank.
Wir haben es vernommen,
die stolze Stadt am schönen Meer
ist auf den Hund gekommen.«

Alles bog sich vor Lachen, und als die Sänger und Sängerinnen
nach einer halben Stunde vorbeizogen, sangen die Gäste schon
mit:
»Die stolze Stadt am schönen Meer
ist auf den Hund gekommen.«

»Ein Hoch auf den Dichter«, sagte Curcin und reichte dem buckligen Schuster sein Glas.

Der alte Orlovic aber flüsterte Vater Gorian zu: »Nun sind wir doch noch gerächt worden.«

Der alte Gorian nickte zurück: »Ja, das haben die Kinder gut gemacht. Besser, als wenn ich meine Rede gehalten hätte.«

Der dicke Wirt, der auch mit seinem Glas an ihrem Tisch hockte, war etwas bedenklicher. »Ist das nicht zu viel des Guten?«, meinte er, als sich das Volk wieder singend in Bewegung setzte.

Der alte Jossip schüttelte sein greises Haupt. »Lasst sie nur, Marculin. Lasst sie nur. Volkes Stimme ist Gottes Stimme und es ist schon recht, wenn die oben einmal hören, wie Gott und das Volk über sie denken.«

Branko kommt zum zweiten Male
beinahe ins Gefängnis

Die Kinder hielten sich während des Festes in Toreinfahrten, kleinen Gassen und Kellerlöchern versteckt.
Als die Festlichkeit auf ihrem Höhepunkt war, die Matrosen den schweren Kübel zur Tribüne schleppten, die Musik ihren Tusch blies, wagten sie sich sogar aus ihren Verstecken heraus und mischten sich unter die Menge.
Branko und Nicola standen in allernächster Nähe des geschmückten Wagens.
Der kleine Nicola zitterte vor Aufregung und Freude: »Gleich werden sie es merken.«
Auch Branko schaute mit großen Augen auf den Bürgermeister, die Tribüne und die beiden alten Fischer.
Da entdeckte der Bub noch jemanden. Neben Doktor Ivekovic stand nicht nur sein Sohn, sondern auch Zlata.
Die junge Dame war also nicht krank oder verreist, wie Branko gedacht hatte, und während sich alle Augen gespannt auf den Kübel richteten und der alte Gorian gerade »Ein Hund« sagte und alle »Ein Hund! Ein Hund?« wiederholten, sah Branko nur das Mädchen.
Die Buben sahen und hörten auch, wie der Bürgermeister und der Glatzköpfige die beiden Alten anschrien, die Gendarmen und die Matrosen auf die lachende, johlende und pfeifende Menge hetzten und wie die Leute in die nächsten Gassen und Straßen flohen.
Branko und Nicola wurden dabei zu Boden geworfen. Branko konnte gleich wieder aufspringen und an Ringelnatz vorbei ins Hotel »Zagreb«, flüchten. Nicola war weniger glücklich, er rettete sich aber über einen der vielen Tische, die vor dem Hotel standen, und war so gleichfalls vor den Gendarmen und den Matrosen in Sicherheit.
Der Bub hörte von seinem Versteck aus, wie der Bürgermeister die beiden Alten andonnerte, wie die Gendarmen und die Ma-

trosen neue Befehle bekamen und mit den Gymnasiasten davon-
rannten.

War man hinter ihren Streich gekommen? Hatte sie jemand verraten?

Nicola vernahm jedenfalls, dass die Gymnasiasten immerzu von
ihnen sprachen.

Er wartete noch, bis die Menge in der Richtung nach dem Quai
verschwand, dann verschwand er.

Das Wichtigste für ihn war die anderen zu finden und sie zu
warnen. Es war nicht so leicht. Duro und Zora zogen mit den
Tabakarbeiterinnen und einigen Holzarbeitern durch die Straßen und schrien und pfiffen, auch Pavle vergnügte sich auf diese
Weise und es dauerte eine gute Stunde, bis Nicola alle zusammen hatte. Er berichtete ihnen: »Der Bürgermeister ist wütend
auf uns, und die Gendarmen und die Gymnasiasten sind wieder
hinter uns her.«

»Aber wer soll es ihnen erzählt haben?«, fragte Duro.

»Ja, wer?«, fragte auch Pavle.

»Vielleicht haben sie nur einen Verdacht«, sagte Nicola.

»Wir müssen vor allem Branko warnen«, meinte Zora, die jetzt
erst merkte, dass Branko noch nicht da war.

Aber wo steckte Branko? Die Buben hatten ihn seit dem Fest
nicht mehr gesehen.

»Ich weiß nur«, sagte Nicola, »dass er vor den Gendarmen ins
Hotel ›Zagreb‹ geflüchtet ist.«

»Ins Hotel ›Zagreb‹?«, wiederholte Zora.

Nicola nickte: »Ringelnatz hat ihn hineingelassen.«

»Da wird er sicher noch bei Ringelnatz sein«, sagte das Mädchen.

»Schleicht euch in die Bucht zu Vater Gorian und versteckt euch
in der Höhle. Ich werde im Hotel ›Zagreb‹ nachsehen.«

Sie nickte den anderen zu und machte sich auf den Weg nach
dem Hotel.

Branko war wirklich zuerst nur an Ringelnatz vorbei ins Hotel
geflüchtet. Nun stand er im Hof und horchte auf das Geschrei
der Menge.

Nach einer Weile wurde es stiller und er wollte wieder hinausgehen, da sah er, dass Zlata über den Platz kam und auf ihr Haus
zuging.

Wie sah das Mädchen aber aus! Ihr Gesicht war weiß und verzerrt,
ihre Augen gerötet und ihre Hände zu Fäusten geballt, als wolle
sie im nächsten Augenblick auf jemanden losschlagen. Sie lief an
dem Buben vorbei, der hinter dem Tor stand, riss die Tür zur Bürgermeisterei auf und knallte sie wieder zu. Branko schlich auf den
Hof zurück. Vielleicht ging sie in den Pavillon, dann konnte er sie
sprechen und fragen, was sie hatte. Er musste aber lange warten,
bis sie aus dem Haus kam und in ihren Pavillon stürmte.

Sie sah ganz verzweifelt aus und jagte, wie von Hunden gehetzt,
an ihm vorbei.

Branko folgte ihr leise.

Zlata hatte die Tür zum Pavillon aufgerissen, war hineingestürzt,
und nun sah und hörte der Bub nichts mehr von ihr.

Er schlich ans Fenster. Im Zwielicht sah er, dass das Mädchen
auf einem Stuhl saß; ihre Hände lagen vor dem Gesicht und sie
schluchzte.

Branko schlich vorsichtig zur Tür und trat ein. »Zlata«, flüsterte er. Das Mädchen fuhr herum und die beiden blickten sich in
die Augen.

Branko erschrak. Das war nicht mehr die Zlata, die er kannte,
auch nicht mehr das Mädchen, das eben noch verzweifelt geweint und geschluchzt hatte, das war eine andere. Eine Zlata, die
wüten, schreien, schlagen konnte, und sie starrte ihm mit einem
solchen Hass ins Gesicht, dass Branko am liebsten geflüchtet
oder in die Erde gesunken wäre.

»Du!«, zischte sie mit hasserfüllter Stimme. »Du, ausgerechnet
du!«

»Ja, ich«, stotterte er.

»Was willst du hier?«

»Ich wollte Sie wieder sehen.«

»Mich!« Sie lachte gellend auf. »Mich, nachdem ihr meinen Vater
vor der ganzen Stadt lächerlich gemacht habt! Mich, nachdem

ich mich nach all der Schande, die ihr unserem Haus zugefügt habt, nicht mehr auf der Straße sehen lassen kann!«

»Wir?«, begann Branko wieder.

»Willst du es etwa leugnen?«

Branko war ganz verwirrt. »Was sollen wir denn gemacht haben?«

Zlata trat einen Schritt auf ihn zu. »Habt ihr den Hund in den Trog gelegt oder nicht?«

Unterdessen war Zora am Hotel »Zagreb« angekommen. Ringelnatz stand wie immer auf seinem Posten und sah nach rechts und links.

»Habt Ihr Branko gesehen?«, fragte das Mädchen.

Ringelnatz nahm seine Pfeife aus dem Mund. »Vor ungefähr einer Stunde ist er hier hineingeflitzt.«

»Und noch nicht wieder herausgekommen?«, fragte Zora weiter.

»Ich glaube nicht. Aber du kannst ja selber nachsehen.«

»Wo denn?«

»Bei seiner Freundin von nebenan. Wenn er nicht wieder herausgekommen ist, ist er sicher in ihrem Pavillon.«

Zora runzelte die Stirn. »Bei Zlata?«

»Ja«, meinte Ringelnatz, »sie will ihn doch die Geige spielen lehren. Branko hat es mir wenigstens erzählt.«

Zora stockte einen Augenblick das Herz. Es war diesmal keine Eifersucht, die sich in ihr regte, auch keine Wut gegen dieses Mädchen. Nein, sie war nur verzweifelt und wütend auf Branko. Gestern hatten sie geschworen zusammenzuhalten, nichts über ihre Gemeinschaft zu setzen und einander gelobt stets treu und immer gute Uskoken zu bleiben und heute ging Branko von neuem zu diesem Mädchen. Sie wollte es einfach nicht glauben.

»Wo ist denn der Pavillon?«, fragte sie.

Ringelnatz zeigte nach hinten. »Wenn du in den Hof gehst, kannst du in Doktor Ivekovics Garten sehen, und wenn du über den Zaun springst, bist du schon darin. Der Pavillon ist an der Mauer.«

Zora dankte Ringelnatz und schlüpfte an ihm vorbei.

Da war der Hof, dort drüben war der Garten und am Ende des Gartens das rundliche, kleine Haus war sicher der Pavillon.

In den hohen Fenstern spiegelten sich noch zwei Sonnenstrahlen. Das Mädchen erblickte auch zwei Schatten, aber sie musste erst über die Mauer klettern, wenn sie sehen wollte, ob es Branko und Zlata waren.

Sie waren es.

Branko stand klein und verängstigt in der Nähe der Tür. Das Fräulein stand groß und wütend vor ihm und drohte ihm mit den Fäusten.

Zora schlich noch näher.

Das große Mädchen stampfte auf, schrie Branko an, schalt ihn, schimpfte ihn, und Branko sah verstört und ängstlich aus.

Jetzt hörte Zora auch, was sie sagte.

»Ich will nur noch einmal von dir hören«, rief Zlata und blitzte Branko an, »habt ihr den Hund in den Trog gelegt oder nicht?«

»Den Hund ... «, stotterte Branko.

»Sag Ja oder Nein. Nichts weiter.«

Branko richtete sich auf. Sein Gesicht wurde fester. »Ja«, sagte er dann, »ja.«

Zora hielt den Atem an. Sie hörte nicht mehr, was Zlata darauf antwortete. Sie hörte nur dieses »Ja«. Ihr schwindelte. Die Beine versagten ihr, der ganze Körper.

Branko war nicht nur zu diesem Mädchen gegangen. Er hatte sich auch verraten. Nein, nicht nur sich, alle, die Bande, seine Uskoken. Er brach seinen Schwur und die Treue und zerbrach damit alles, was zwischen ihm und ihr war.

Zora empfand diesen Verrat so heftig, dass sie sich halten musste, erst an der Mauer, dann an einem Baum, aber sobald sie etwas Kraft hatte, sprang sie wieder auf, jagte durch den Garten, kletterte über die Mauer und rannte davon. Ihr Herz schlug wie eine Trommel. Tränen stürzten aus ihren Augen. Ihre Hände krallten sich ineinander. Oh, dieser Branko – sie hatte ihn gern gehabt, ihn geliebt wie einen Bruder. Ja, vielleicht noch mehr. Sie hatte ihn allen vorgezogen, sie war auch bereit gewesen, ihm alles Vergangene zu verzeihen. Seine Liebe zu diesem Mädchen. Dass er diese Liebe über die Bande und ihre Gemeinschaft stellte. Aber dass er jetzt hinging und alle verriet wie der schlimmste Verräter, das konnte sie ihm nie verzeihen.

Sie lief immer schneller, sie stürmte immer verzweifelter durch die Straßen.

Das Mädchen sah auch nicht mehr, wohin sie rannte. Sie erkannte keinen Menschen, hörte nicht, dass die Menge das »Hundelied« noch lauter sang und weiter vom Quai zum Markt und wieder vom Markt zum Quai zog, sie hörte und sah überhaupt nichts mehr, sie rannte nur.

Da sprang jemand auf sie zu. »Die rote Zora!«, schrie eine spitze, hohe Stimme und eine Hand krallte sich in ihre Schulter.

Sie schüttelte die Hand ab und rannte weiter. Der Rufer ließ aber nicht von ihr. »Die rote Zora! Die rote Zora!« Er schrie lauter und lauter und versuchte das Mädchen wieder zu fassen. Dabei sah sie sein Gesicht. Es war das spitze Mausegesicht des kleinen Brozovic. Sie stieß den Buben in die Seite und riss sich das zweite Mal los. Brozovic hatte aber erreicht, was er wollte. Schon schrien zwei hinter dem Mädchen her, ein dritter, der dicke Müllersjunge, der kleine Skalec und ein anderer Gymnasiast.

Ein paar Minuten später versperrte ihr auch schon jemand von vorn den Weg. Es war der junge Karaman.

Er legte seine Hände um sie. »Habe ich dich endlich, du Feuerteufel!«, triumphierte er und sein pickliges Gesicht wurde rot vor Freude. Zora setzte sich noch einmal zur Wehr. Sie fuhr dem Jungen ins Gesicht, kratzte ihn, stieß ihn gegen die Brust, aber da fielen bereits die anderen über sie her.

Ein Matrose hieb sie auseinander. »Lasst ihr das Mädchen gleich los, ihr Lauseband!«, schrie er.

»Es ist die Liebste von Branko Babitsch, den die Polizei sucht!«, japste der kleine Brozovic und stieß sein Fuchsgesicht vor.

»Lasst uns das Mädchen!«, bat auch der kleine Skalec. »Sie gehört zur Bande, die dem Bürgermeister den Hund in den Bottich gelegt hat.«

»Ach, ist es eine von denen!«, lachte der Matrose, der noch immer nicht wusste, ob er dem Mädchen helfen oder sie wenigstens wieder laufen lassen sollte.

»Ja!«, schrie der dicke Müllersbursche. »Und wir wollen sie auf die Wache bringen.«

Inzwischen hatte sich Zora wieder gefasst. Ihr war jetzt alles gleich. Wenn Branko sie verraten hatte, was blieb ihr und den anderen noch übrig, als sich in ihr Geschick zu fügen. Sie wollte sich aber wenigstens noch an ihm rächen. Wie er sie, so wollte sie ihn verraten. Begovic sollte erfahren, wo er war, und die Gendarmen sollten auch wissen, dass er mit Zlata unter einer Decke steckte.

»Ich will ja selber auf die Wache«, sagte das Mädchen deshalb und riss sich wieder von den Buben los.

»Du!«, schrien die Gymnasiasten und starrten sie erstaunt an.

»Ich, und wenn ihr mir nicht glaubt, könnt ihr mitgehen.«

»Das tun wir sowieso«, meinte der junge Karaman und wischte sich das Blut aus dem Gesicht.

»Ja, komm!«, kommandierte auch Brozovic und stieß ihr die Faust in den Rücken.

Zora ging schon. Sie ging wie durch einen Nebel, eine Wand, eine Mauer. Wo wollte sie hin? Auf die Polizeiwache. Was wollte sie dort? Branko verraten. War sie verstört? War sie von allen guten Geistern verlassen? War sie verrückt geworden?

Der Zug hatte sich in der Zwischenzeit vergrößert. Zu dem jungen Karaman, dem dicken Müllerssohn, diesem winzigen Brozovic und dem krummbeinigen Skalec waren noch der junge Marculin, Smoljan und ein halbes Dutzend andere Gymnasiasten gekommen. Die Knaben brüllten laut und waren noch ausgelassener als vorher. »Wir haben die rote Zora!«, schrien sie. »Wir haben die größte Diebin von Senj! Wir bringen sie auf die Wache! Sie kommt ins Gefängnis! Der Magistrat soll sie hängen!«

Durch das Geschrei und Gejohle der Gymnasiasten schlossen sich noch mehr Leute dem Zug an, und als sie vor der Polizeiwache ankamen, waren sie schon ein halbes Hundert.

Dordevic stand unter dem roten Licht.

»Wen bringt ihr denn da?«, fragte er und schob seinen Kopf vor.

»Die rote Zora!«, schrien die Buben wieder.

»Was!« Dordevic rieb sich die Hände.

»Ich habe sie gefangen!«, schrie Brozovic.

»Du!« Karaman stieß ihn in die Seite. »Ich!«

»Nein. Ich! Ich! Ich!« Alle schrien durcheinander.

Zora machte sich wieder frei. »Sie lügen. Ich bin freiwillig gekommen.«

Dordevic war noch erstaunter. »Du kommst freiwillig?«

Zora nickte tapfer. »Ich habe Euch etwas zu erzählen.«

»Gut.« Dordevic machte die Tür auf. »Komm herein.« Als aber auch die Gymnasiasten nachdrängen wollten, sagte er: »Halt. Ihr bleibt draußen. Euch kann ich nicht in meiner Amtsstube brauchen.«

»Lasst sie aber nicht wieder ausreißen!«, riefen Brozovic und der junge Karaman.

»Ihr müsst nur vor dieser Tür bleiben«, beruhigte sie Dordevic. »Alle anderen Türen in diesem Haus gehen ins Gefängnis.«

Er schob Zora in seine Amtsstube, dann stellte er sich hinter das kleine Pult, nahm sich erst eine Prise, schnupfte, sah dabei unaufhörlich auf das schlanke Mädchen mit den roten Haaren, darauf sagte er: »Nun, beginne.«

Während dieser ganzen Zeit standen sich Branko und Zlata weiter gegenüber.

»Ihr wart es also«, antwortete Zlata auf Brankos tapferes ja und ihre Augen glühten in die seinen, als wolle sie ihn verbrennen.

»Wir wollten aber nichts weiter als den alten Gorian rächen«, fuhr Branko fort.

»Das wolltet ihr?«

»Die Gesellschaft hat ihm keine Fische abgenommen«, berichtete der Knabe schneller. »Dann verbot ihm die Stadt sogar seine Fische zu verkaufen. Nun wollte die Gesellschaft für all diese Schlechtigkeit dem Magistrat und dem Bürgermeister noch den größten Fisch schenken und Sie wissen ja, der alte Gorian ist unser Freund.«

»Ich weiß nur«, schrie Zlata, »dass der Bürgermeister mein Vater ist, dass nun die ganze Stadt über ihn lacht, der Schuster bereits ein Hundelied gedichtet hat, dass sie überall singen, und die Schande, die damit über unser Haus und unsere Familie gekommen ist, ist noch gar nicht abzusehen.«

Branko begriff jetzt die Wut und die Verzweiflung des Mädchens, obwohl er noch nicht fassen konnte, dass sie ein Unrecht begangen haben sollten. »Ich werde ... «, fing er an.

»Nichts wirst du mehr tun«, fuhr ihm Zlata über den Mund. »Gar nichts. Auch deine Bande wird nichts mehr tun, sondern ich werde etwas tun und weißt du, was ich tue?« Sie trat wieder unmittelbar auf Branko zu, sodass der Knabe erschrocken einen Schritt zurückwich.

»Ich gehe sofort auf die Polizeiwache und benachrichtige Begovic oder Dordevic, dass du hier bist, und damit du mir inzwischen nicht davonläufst, sperre ich dich ein.« Branko wollte noch etwas antworten, aber Zlata war schon zur Tür gegangen. Die Tür wurde aufgerissen, wieder zugeschlagen, Branko hörte das Schloss knacken, und als er auf die Tür zusprang, war sie tatsächlich verschlossen und er gefangen.

Der Knabe drückte einen Augenblick verzweifelt auf die Klinke, aber das Schloss saß fest, dann drehte er sich um und blickte nach den Fenstern.

Zlata presste aber gerade feste Eisengitter, die außerdem noch durch Draht verstärkt waren, vor die Scheiben, riegelte sie zu, sodass er auch hier nicht mehr hinauskonnte.

Er trat zurück.

Nun war er das zweite Mal gefangen und ausgerechnet von Zlata und bald würde er wahrscheinlich das dritte Mal eingesperrt werden und sicher für sehr, sehr lange.

Eigentlich war ihm recht geschehen. Zora hatte ihn vor dem Mädchen gewarnt. Der alte Gorian hatte ihn gewarnt. Die ganze Bande war gegen die Freundschaft mit Zlata gewesen, aber seine Sehnsucht war größer und größer geworden und nun saß er wie ein Gimpel in der Falle.

Branko konnte Zlata nicht einmal böse sein. Sie musste tun, was sie getan hatte. Er fand aber auch noch immer keine Schuld bei sich. Es war ihre Pflicht gewesen, den alten Gorian, dem Unrecht über Unrecht geschehen war, zu rächen, und der Bürgermeister sowie der Magistrat verdienten den toten Hund, auch wenn der Bürgermeister Zlatas Vater war.

Jetzt war sie sicher bereits aus dem Haus. In diesem Augenblick jagte das große Mädchen bei Curcin um die Ecke. Nun stürzte sie an der Kneipe des alten Pletnic vorbei. In diesem Moment kreuzte sie den Platz an der Kirche des heiligen Franziskus und schon waren es nur noch wenige Schritte bis zur Polizeiwache.

Ob der dicke, versoffene Begovic da war oder der junge, lustige Dordevic? Dordevic wäre ihr lieber gewesen.

Dieser, das dichte Haar nach hinten gestrichen, den kleinen Schnauzbart leicht nach oben gedreht, stand noch immer hinter seinem Pult.

»Nun, beginne«, sagte er zum zweiten Male.

»Ich ... « Zora stockte schon. Was wollte sie Dordevic eigentlich erzählen? Ach ja, wo Branko war, dass er bei Zlata steckte, dass er dieses Mädchen liebte, dass er ... »Weiter, weiter«, ermunterte sie Dordevic und trommelte mit seinen großen Fingern auf dem Pult.

»Ich weiß, wo Branko ist!« Zora schoss es beinahe heraus.

»Aha«, machte Dordevic. »Euer Anführer.«

»Das ist er nicht«, schrie Zora auf. »Im Gegenteil. Er ist ein Verräter!«

»Hm.« Dordevic trommelte schneller, dann sah er sie an. »Vorläufig scheinst nur du einer zu sein.«

»Ich?« Zora kam ins Stottern. Dabei hatte Dordevic Recht, aber bevor sie weitersprechen konnte, drang wieder der Lärm der Gymnasiasten zu ihnen. Plötzlich wurde das große Tor aufgerissen. Zora und Dordevic dachten schon, die Gymnasiasten wollten aufs Neue herein.

Es war aber Zlata, die ins Zimmer stürzte. Erhitzt vom schnellen Laufen, schwer atmend, sah sie sich eilig um. Das barfüßige Mädchen beachtete sie gar nicht, sie sah nur Dordevic.

»Ich muss Sie sofort sprechen, Dordevic«, sprudelte sie heraus.
Dordevic, der sie kannte, kam eilig hinter seinem Pult hervor.
»Bitte, Fräulein Zlata.«
Zlata atmete noch heftiger. »Wo sind wir hier ungestört?«
Dordevic öffnete eine Tür. »Hier.« Er komplimentierte sie hinein. Zora war in ihrer Ecke beinahe erstarrt. Dieses schöne
Mädchen war Zlata. Zora hatte sie nur einmal flüchtig bei jener
Prügelei am Turm gesehen und vorhin durchs Fenster. Zlata sah
ja wie eine richtige junge Dame aus und es war lächerlich von ihr,
auf sie eifersüchtig zu sein. Aber was wollte sie hier, und warum
war sie so aufgeregt und eilig, aufgeregter noch als vor einigen
Minuten im Pavillon? Zora schlich zur Tür und horchte.
»Sie wissen sicher bereits«, sagte Zlata so laut, dass es Zora hören
konnte, »dass mein Vater durch den jungen Orlovic erfuhr, dass
die Bande der Uskoken den Hund in den Kübel gesteckt hat?«
»Ich weiß es«, antwortete Dordevic.
»Sie wissen sicher auch, dass mein Vater deswegen die Belohnung, die auf die Bande gesetzt ist, verdoppelt hat?«
Dordevic bejahte wieder: »Auf zweihundert Dinar. Ich wollte gerade die Mitteilung aushängen.«
»Sie können sich die zweihundert Dinar verdienen, Dordevic.«
»Ich, Fräulein Zlata?«
»Ja. Ich habe den Haupttäter in unserem Pavillon eingesperrt.«
»Den Branko?«
»Ja.«
»In Ihrem Pavillon?«
»Ja.«
Es entstand eine kleine Pause.
»Ich weiß nicht, wie ich Ihnen das erklären soll«, fuhr das Mädchen etwas verlegen fort. »Ich kannte diesen Jungen. Ich hatte
sogar meine Freude an ihm. Er ist ein begabter Junge und ich
wollte ihn Geige spielen lehren. Nun hörte ich durch den jungen
Fischer, dass er der Anstifter der Hundegeschichte ist. Sie können
sich meine Aufregung und meinen Schmerz vorstellen. Er besaß
zudem noch die Frechheit sofort nach dem Skandal zu mir zu

kommen. Ich habe ihm auf den Kopf zugesagt, dass er der Täter
sei. Er wollte erst leugnen, hat aber dann gestanden. Ich habe ihn
in unserem Pavillon eingesperrt. Sie brauchen den Pavillon nur
aufzuschließen und ihn festzunehmen.«

Zora lauschte atemlos. Nicht Branko, sondern einer der Zwillinge hatte sie verraten und Branko hatte die Tat nur eingestanden.
Das Mädchen war wie erlöst. Alles, was sie in der letzten Stunde
über Branko gedacht hatte, war damit wie ausgelöscht. Sie wusste nur, Branko war in höchster Gefahr, ein Uskoke schwebte in
höchster Gefahr und sie hatte die Pflicht ihn zu retten. Aber wie?
Sie war ja selber in dieser kleinen, muffigen Amtsstube eine halbe
Gefangene.

Drinnen hörte sie, dass Dordevic telefonierte. Er gab Zlatas Mel-
dung an Begovic und zwei andere Gendarmen weiter, dann hängte er sich wohl seine Revolvertasche um und jetzt kam er auf die
Tür zu. Im nächsten Augenblick musste er wieder in der Amtsstube sein.

Das Mädchen sah sich verzweifelt um. Auf die Straße stürzen und
sich durch die Buben schlagen war unmöglich. Durch ein Fenster
konnte sie auch nicht, aber dort hinten war ja noch eine Tür.

Dordevic trat gerade aus der einen Tür herein, da schoss sie
durch die andere hinaus.

Sie führte in einen schmalen, langen Korridor. In großen Sätzen sprang Zora weiter. Der Korridor machte einen Bogen. Zwei
Meter dahinter stieß sie auf ein festes Tor mit einer runden Öffnung. Sie starrte hindurch. Der Korridor setzte sich hinter der
Pforte fort. Nach den vielen Türen zu schließen, die alle nach
einer Seite gingen, war es das Gefängnis.

Dort konnte sie nicht hinein. Direkt vor ihr war noch eine kleine Tür. Mehr ein Schlupf. Er war mit schweren Eisen verriegelt.
Das Mädchen versuchte die Riegel zurückzustoßen. Die Riegel
waren eingerostet. Sie versuchte es wieder und wieder. Endlich
– sie hatte schon den Mut verloren – wichen sie zurück.

Nun drückte sie die Tür auf. Sie führte in den kleinen Hof, von
dem aus sie vor einigen Wochen Branko befreit hatte. Sie jauchz-

te beinahe. Jetzt musste sie nur versuchen schneller als Dordevic zum Pavillon zu kommen, dann konnte sie Branko noch retten.

Sie stürmte davon, setzte wie ein Hund über Mauern und Büsche, kletterte wie eine Katze über Zäune und Stakete, schoss wie eine Ratte durch Keller und Abfalllöcher und es dauerte kaum ein paar Minuten, da war sie am Hotel »Zagreb«.

Waren die Verfolger auch schon da? Sie schaute um die Ecke. Nein! Aber sie hörte Lärm und Geschrei. Gleich müssten sie auftauchen. Es kam jetzt noch einmal darauf an, wer schneller war. Mit einem Satz sprang sie in den Hof des Hotels hinein und gleich danach in den Garten.

Branko war noch immer ein Gefangener. Er ging im kleinen Pavillon auf und ab und dachte weiter dauernd an Zlata. Jetzt hatte das Mädchen den Gendarmen sicher schon erzählt, dass sie ihn gefangen hielt. Einer von den beiden oder beide schnallten bereits die Revolvertaschen um, nahmen ihre Knüppel, setzten die Mützen auf und kamen mit dem Mädchen zurück.

Er glaubte die Gendarmen zu sehen. Begovic öffnete im Laufen die Jacke. Sein Gesicht wurde erst rot und dann dunkel wie eine Herzkirsche. Der Schweiß lief ihm über die Backen. Der dicke Gummiknüppel baumelte hin und her. Er keuchte und schnaufte und riss sich die Jacke noch weiter auf.

Dordevic ging langsamer, vermutlich lief er neben Zlata her, zwirbelte sein Bärtchen und ließ sich die ganze Geschichte noch einmal erzählen.

Jetzt waren sie sicher schon vorn am Haus, jetzt kamen sie durch den Flur in den Garten, jetzt jagten sie den Garten herauf zu dem Pavillon, jetzt ...

Der Schlüssel drehte sich im Schloss, Branko atmete schwer, da waren sie also.

Der Schlüssel drehte sich, aber nicht hart und knarrend, sondern vorsichtig und leise. Die Klinke ging herunter, sie wurde aber nicht hastig und mit Wucht nach unten gedrückt, sondern bedächtig und leicht. Eine Hand erschien zwischen Tür und Pfosten, es waren aber nicht die Wurstfinger von Begovic und auch nicht die Hand von Dordevic, sondern eine feingliedrige Hand. Darauf wurde ein Kopf sichtbar, aber es war weder der dicke, aufgedunsene Kopf Begovics noch der schmale, immer etwas nach Pomade riechende von Dordevic. Es war auch nicht der Kopf Zlatas.

»Zora!«, rief Branko und er wusste nicht, ob er vor Freude lachen oder weinen sollte.

»Ja«, sagte das rothaarige Mädchen, »aber mach schnell, gleich sind die Gendarmen und die Gymnasiasten im Garten.«

Branko hörte sie schon. Im Haus krachten Tor und Türen. Mit einem Sprung war er neben Zora, mit einem zweiten war er im Garten, mit einem dritten über der Mauer und sie verschwanden im dunklen Hof des Hotels »Zagreb«.

Die Kinder wollten schnell durch den Torbogen auf die Straße, aber da sahen sie, dass sich die Verfolger nicht nur vor dem Haus des Bürgermeisters drängten, sondern auch vor dem breiten Torbogen des Hotels. Es waren nicht nur die Gendarmen und Gymnasiasten; Tabakarbeiterinnen und Matrosen waren hinzugekommen, Handwerker und Holzarbeiter. Auch der alte Karaman war dabei, ebenso der Förster, der dicke Müller, der Glatzköpfige und Doktor Frages. Sie hatten alle im Hotel »Nehaj« gesessen und sich den Gendarmen angeschlossen. Da kamen auch Doktor Skalec und der Bürgermeister, ja, es schien, als ob sich alle Feinde der Kinder versammelt hätten.

Zora sah Branko an. »Was machen wir?«

Branko überlegte einen Augenblick.

»Ich weiß ein Versteck, komm.« Er fasste Zora bei der Hand und führte sie leise wieder in den Hof zurück.

Zlata und die beiden Gendarmen waren die Ersten, die durch das Haus in den Garten drangen.

Zlata zeigte auf den Pavillon. »Da drin ist er.«

»Wir wollen nur hoffen, dass er wirklich noch drin ist«, keuchte Begovic und schwang seinen Knüppel.

Die drei kamen beim Pavillon an.

»Gott!«, schrie das Mädchen. »Er steht ja offen!«

»Da haben wir's«, knurrte Begovic und wischte sich den Schweiß
von der Stirn, »wieder entwischt.«

Dordevic stieß die Tür auf. »Seht doch erst einmal hinein.«

Der Pavillon war aber leer, und wo die Gendarmen auch hinsa-
hen, unter den Tisch, unter die Stühle, unter das Sofa, Branko
war und blieb verschwunden.

»Pfff!« Begovic warf sich erschöpft in einen Stuhl und keuchte.
Auch Dordevic setzte sich.

Da stürmten der Glatzköpfige und Doktor Ivekovic herein: »Habt
ihr ihn?«

Die beiden Gendarmen sprangen auf. »Er ist wieder davon.«

»Ich hatte ihn eingeschlossen, stammelte Zlata. »Jemand muss
die Tür geöffnet haben.«

»Aber wie ist denn dieser jemand hineingekommen? Er kann
doch nicht durch unser Haus marschiert sein?« Der Bürgermeister und auch die Gendarmen sahen sich um.

Begovic zeigte auf die Mauer. »Hier kann jedes Kind herüber.«

Dordevic bestätigte es. »Ja, dieser jemand ist aus dem Hotel ›Zagreb‹ gekommen.«

»Vielleicht sind die beiden noch dort«, sagte der Bürgermeister.
»Fragt überall, ob man zwei Buben gesehen hat.«

Begovic und Dordevic sprangen über die Mauer und stürmten
über den Hof auf die Straße.

Vor der Schmiede saß der alte Tomislav und strählte sich seinen
Bart.

»He!«, knurrten ihn die Gendarmen an, »habt Ihr zwei Buben aus
dem Tor kommen sehen?« Sie zeigten auf die hohe Toreinfahrt.

»Heraus nicht«, sagte der Schmied und blinzelte sie an. »Außerdem waren es ein Bub und ein Mädchen.«

»Ja«, sagte Begovic, »ein Bub und ein Mädchen können es auch
gewesen sein. Aber wieso nicht heraus?«

»Sie sind nur hineingegangen.«

»Ein großer Junge?«

»Sagen wir mal mittel. Ich glaube, ich kenne ihn sogar. Es war der
Sohn Milans und der schönen Anka.«

»Und hatte das Mädchen rote Haare?«

»Wie Feuer, so rot«, bestätigte Tomislav.

»Und sie sind nicht wieder herausgekommen?«

»So wahr ich hier sitze. Sie müssten denn geflogen sein.«

Begovic schwang seinen Knüppel und bekam glänzende Augen.

»Dann sind sie noch darin.«

Der Bürgermeister und der Glatzköpfige kamen über die Straße.

»Was habt ihr erfahren?«, fragte der Bürgermeister.

Begovic lächelte schlau. »Die Kinder sind hineingegangen, aber nicht wieder heraus.«

»Pff«, pfiff Doktor Ivekovic laut. »Dann wollen wir gründlicher suchen.«

»Ich glaube, am besten ist es«, sagte Direktor Frages, der als Dritter aus dem Tor gekommen war, »wir umstellen erst einmal Ihr Haus und das Hotel ›Zagreb‹.«

Begovic kratzte sich. »Da müssen wir schon das ganze Viertel umstellen.«

Direktor Frages sah auf die Gymnasiasten. »Genügend Leute haben wir ja. Macht ihr mit?«

»Natürlich!«, schrien die Knaben.

Der Bürgermeister und der junge, weiß gekleidete Mann verteilten sie. An jede Ecke kamen zwei und zwei andere patrouillierten zwischen den Posten hin und her.

»Wir anderen gehen jetzt langsam durch die Bürgermeisterei«, kommandierte Doktor Ivekovic weiter, »und wenn sie wirklich noch nicht heraus sind, werden wir sie schon finden.«

Branko und Zora waren aber weder im Keller noch in den Wohnstuben des Hauses noch auf dem Boden zu entdecken.

»Jetzt«, sagte Doktor Ivekovic, »müssen wir noch im Hotel ›Zagreb‹ nachsehen.«

»Ob es uns die Wirtin erlaubt?«, meinte der Glatzköpfige.

»Das wird sie schon«, sagte Direktor Frages. »Gehen wir.«

Ringelnatz sah sie kommen. Er ahnte, was sie wollten, und schob sich hinter die Kellertür.

Die Gendarmen polterten zuerst herein. »Habt Ihr einen jungen Strolch und ein rothaariges Mädchen gesehen?«, fragten sie die beiden Mägde, die hinter dem Schanktisch standen. Die Mägde schüttelten den Kopf.

Die Wirtsfrau hatte auch niemanden gesehen. Auch keiner der Gäste.

Inzwischen war der Bürgermeister in die Schankstube getreten.

»Frau Wirtin«, sagte er, »wir müssen Ihr Haus durchsuchen.«

»Mein Haus?«, fragte die Frau erstaunt. »Warum?«

Doktor Ivekovic und der Glatzkopf erklärten es ihr.

»Gut«, meinte sie, durchsuchen Sie es. Ich gebe Ihnen den Ringelnatz mit«, und sie rief nach ihm.

Ringelnatz blieb nichts anderes übrig, er musste kommen.

»Führe die Herren durchs Haus«, sagte sie. »Sie suchen zwei junge Spitzbuben, die sich bei uns versteckt haben sollen.«

Ringelnatz nahm seine Pfeife aus dem Mund. »Das mache ich nicht. Ich bin Hausdiener und kein Detektiv.«

»Wenn ich Ihnen fünf Dinar gebe?« Doktor Ivekovic zog sie bereits aus der Tasche.

»Nicht für zehn. Nicht für hundert. Die Polizei soll ihre Spitzbuben allein suchen. Ich bleibe, was ich bin.«

»Lassen Sie ihn«, sagte die Wirtsfrau. »Ich gehe selber mit.«

Sie begannen auch hier im Keller.

Ringelnatz stieg inzwischen in sein Zimmer hinauf, um sich Tabak zu holen. Seine Pfeife war ausgegangen.

Er stieß die Tür auf. Da sah er Branko und Zora auf seinem Bett sitzen.

Seine Augen wurden groß wie Froschaugen. »Das kann ja gut werden.«

»Ich wusste keinen anderen Ausweg, Ringelnatz«, stotterte Branko. »Da sind wir hier heraufgeflüchtet.«

Ringelnatz antwortete nichts, er stopfte nur umständlich seine Pfeife.

»Suchen sie uns denn noch immer?«, fragte Zora, die das Schweigen bedrückte.

Ringelnatz war endlich mit seiner Pfeife fertig. »Im ganzen Haus, und in fünf Minuten sind sie sicher hier, dann kommt nicht nur ihr, sondern auch ich ins Gefängnis.«

»Kann man nirgends mehr hinaus?«, fragte Zora weiter.

Ringelnatz zog an seiner großen Nase. »Selbst nicht, wenn ihr euch in Mäuse verwandelt. Sie haben das ganze Viertel umstellt.«

»Verdammt«, stöhnte Branko, aber Zora ließ den Mut nicht sinken. »Vielleicht gibt es doch einen Weg.«

Die Kinder traten vorsichtig an das kleine Fenster.

»Sieh nur«, Branko zeigte hinab, »sie stehen überall.«

»Ihr könnt nicht einmal über die Zäune, ohne dass sie euch sehen«, meinte Ringelnatz.

Die Gendarmen waren im Keller fertig geworden und stiegen in die Küche und in die großen Gasträume hinauf. Auf der Treppe stießen sie auf Curcin, der mit seinem Brot ins Hotel kam.

»Wen sucht ihr denn hier?«, fragte der Bäcker.

Begovic sah Curcin von der Seite an. »Die Kerle, die dem Bürgermeister den Hund in den Trog getan haben.«

»Haha!« Curcin lachte sein dröhnendes Lachen. »Ihr solltet lieber danach forschen, warum der Hund in den Trog gekommen ist.«

Begovic starrte den Bäcker an, aber er antwortete nicht. Die Kinder hatten den Bäcker auch gehört.

»Das ist Curcin«, sagte Branko.

Ringelnatz nickte. »Er bringt immer um diese Zeit das Brot ins Haus.«

Auf einmal kam Ringelnatz ein Gedanke. »Ist Curcin nicht euer Freund?«

Die Kinder sagten: »Ja.«

Ringelnatz strahlte. »Wenn euch einer noch helfen kann, so kann es Curcin.« Er ging nach der Tür. »Ich will ihn holen.«

Einen Augenblick später klapperten Curcins Holzschuhe zu ihnen herauf. Ringelnatz schob den Bäcker in die Kammer. »Da sind die Attentäter.«

Curcin schaute die Kinder an. »Welche Attentäter?«

»Die sie unten suchen.«

»Das seid ihr gewesen?« Curcin schüttelte sich plötzlich vor Lachen. »Dafür backe ich euch morgen einen Extrawecken.«

»Vorläufig werden sie morgen wohl bei Wasser und Brot sitzen, wenn wir ihnen nicht hinaushelfen«, meinte Ringelnatz skeptisch.

»Hinaus?« Curcin kratzte sich den Kopf. »Ach, Ihr meint, an diesem stinkenden Begovic vorbei.«

»Und an Doktor Ivekovic und den Gymnasiasten.«

Curcin kratzte sich wieder, dann sah er auf seinen Korb. »Einen kann ich mitnehmen.«

Den Kindern war der Blick nicht entgangen. Ihre Gesichter leuchteten auf. »Könnt Ihr das wirklich?«

Curcin wurde lebhafter. »Aber nur einen.«

»Ihr nehmt das Mädchen«, bestimmte Branko.

»Nein, Branko«, sagte Zora.

»Ich gehe nicht vor dir.« Branko stampfte auf.

»Du gehst.«

»Wenn ihr euch nicht einigen könnt«, sagte Curcin, »ich nehme das Mädchen«, und bevor sich Zora wehren konnte, packte er sie und steckte sie in den Korb. Darauf deckte er noch ein Tuch darüber und hob den Korb hoch.

»Nein!« Zora schoss noch einmal aus dem hohen Korb heraus.

»Sei jetzt still«, knurrte der Bäcker bös. »Ich habe die Tür schon geöffnet und sie können dich hören.« Zora schwieg und der Bäcker ging mit schweren Schritten die Treppe wieder hinunter. Die Gendarmen waren bereits im ersten Stock.

Curcin blieb stehen. »Habt Ihr sie schon?«, fragte er Begovic.

»Noch nicht, aber wir werden sie schon noch finden.« Begovic stürmte an ihm vorbei.

»Such nur auch unter deiner Kappe«, äffte Curcin noch hinter ihm her, »vielleicht sitzen sie da.«

Curcin kam mit seinem Korb auch unbeschadet am Bürgermeister und am Glatzköpfigen vorbei, die noch immer vor dem

Hotel standen, und nun musste er nur noch an den Gymnasiasten vorüber.

Ringelnatz und Branko beobachteten ihn.

»Ob er gut vorbeikommt?«, meinte Branko.

Da klapperte er schon an ihnen vorüber und bog in die Hauptstraße ein.

Branko atmete auf. Einer war gerettet.

»Nun wollen wir dich noch aus dem Haus bringen«, sagte Ringelnatz.

Branko schnellte herum: »Wie denn?«

»Das wirst du gleich sehen.«

Ringelnatz schleppte aus einer der benachbarten Bodenkammern einen großen Koffer herbei und öffnete ihn.

»Kriech da hinein.«

»In diese Kiste?«

»Jaja. Mach schnell. Begovic ist schon in der zweiten Etage.«

Branko kroch hinein. Ringelnatz klappte sie zu und machte noch zwei breite Riemen darum, dann hob er sich den schweren Kasten auf den Rücken.

Begovic und Dordevic durchschnüffelten noch immer die Zimmer in der zweiten Etage. Ringelnatz kümmerte sich aber nicht um sie, er schleppte seine Kiste auf den Hof und lud sie auf einen Karren. Auf einmal stand die Wirtin neben ihm. »Wo wollt ihr mit dem Koffer hin?«, fragte sie.

Ringelnatz stopfte erst wieder eine Weile an seiner Pfeife. »Er gehört dem Engländer im ersten Stock. Er will sich einen neuen Riemen darum machen lassen. Ich bringe ihn zu Pacic.«

»Bleibt aber nicht zu lange«, sagte die Frau. »Ich brauche Euch heute Abend noch.«

Ringelnatz Pfeife brannte endlich. »Nicht länger, als es dauert.«

Er legte sich das Zugseil um die Schulter und rumpelte mit dem Karren aus dem Hof. Er kam auch ohne Schwierigkeiten am Bürgermeister und am Glatzköpfigen vorbei. Nur der reiche Karaman sah ihn einen Augenblick neugierig, ja beinahe misstrauisch aus seinen kleinen Augen an.

Ringelnatz blieb stehen. »Was gibt's?«

»Man wird Euch doch noch ansehen dürfen«, sagte der Bauer.

»Ach so.« Ringelnatz zog wieder an. »Ich dachte, Ihr wolltet mir einen Dinar geben.«

»Bin ich Euch etwa einen schuldig?«, brauste Karaman auf.

»Nein, aber man erzählt allgemein, Ihr wäret in der letzten Zeit so freigebig geworden.« Ringelnatz lächelte. »Und heute, wo aus lebendigen Fischen tote Hunde werden, ist ja alles möglich.«

Karaman wurde puterrot. »Dieses Pack wird immer frecher!«, brüllte er laut, aber da ratterten Ringelnatz und sein Wagen schon um die nächste Ecke.

Hinter dem Quai hielt er an, schloss die Kiste auf und sagte: »So, nun lauf heim.« Branko schüttelte dem Nussknacker beide Hände. »Vielen, vielen Dank. Das werde ich Euch nie vergessen.«

Ringelnatz wehrte verlegen ab. »Vergesst lieber nicht, dem alten Gorian zu sagen, er soll euch nach diesem Streich in ein Fass stecken und da, wo das Meer am tiefsten ist, eine Weile versenken. Denn nach allem, was ich heute gehört habe, sucht morgen die halbe Stadt nach euch, und der Bürgermeister wird nicht eher Ruhe geben, bis er euch hat.«

»Ich werde es ihm ausrichten, Ringelnatz.«

Ringelnatz nahm seine Leine über die Schulter. »Vergiss es wirklich nicht«, betonte er noch einmal, dann ratterte sein Karren in die Stadt zurück.

Branko war noch nicht hundert Schritte gegangen, da trat Zora aus einem Busch.

Die Kinder fielen einander vor Freude um den Hals.

Zora machte sich langsam wieder frei. »Ich wusste, dass du kommst«, sagte sie.

»Woher?«

»Curcin hat mich in seinen Laden gebracht und ich war kaum aus dem Korb heraus, da sah ich Ringelnatz mit seinem Karren die Straße hinunterfahren. Ich wusste gleich, dass du in dem Koffer bist, bin durch den Kamin gekrochen und habe hier auf dich gewartet.«

»Ich habe dir noch gar nicht gedankt«, sagte Branko mit Wärme.

»Wofür?«

»Dass du mich heute zum zweiten Male gerettet hast.«

»Du musst mir nicht danken«, antwortete Zora ernst. »Ich wollte dich eigentlich gar nicht retten. Ich wollte dich sogar verraten.«

»Du?« Branko blickte sie verwundert an.

Zora nickte. »Ich war heute schon einmal vor dem Pavillon. Da hörte ich, wie du diesem Mädchen sagtest: ›Ja, wir waren es.‹ Da bin ich fortgelaufen und dachte, jetzt ist alles aus, Branko hat uns verraten, und dann wollte ich hingehen und wollte auch dich an Begovic oder Dordevic verraten und sagen, dass du im Pavillon bist.«

»Zlata wusste es doch schon vom Gelbkopf, dass wir die Täter waren.«

»Aber ich wusste das nicht, und auf einmal war ich in den Händen der Gymnasiasten und einen Augenblick später war ich auf der Polizeiwache und Dordevic fragte mich aus und ich hatte schon gesagt: ›Ich weiß, wo Branko ist‹, da trat Zlata ein und sagte es.«

»Dann bist du zurückgekommen?«

»Ja, über die Zäune«, sagte Zora und begann plötzlich zu schluchzen.

Branko fasste sie wieder um die Schulter. »Nun ist ja alles gut. Wir sind gerettet und ich bin dir doppelt dankbar.«

»Du bist mir nicht böse deswegen?«

Branko lachte. »Nein. Wir wollen aber darüber schweigen und auch den anderen nichts erzählen.«

»Gut.« Zora trocknete ihre Tränen. »Das wollen wir. Aber komm, jetzt müssen wir weiter.«

Nicola, Pavle und Duro waren noch auf, auch der alte Gorian und Vater Orlovic saßen am Steintisch. Sie hatten alle ängstlich auf Branko und Zora gewartet.

»Da seid ihr ja endlich«, begrüßte sie der alte Gorian. »Wir glaubten schon, die Gendarmen hätten euch festgenommen.«

»Bei einem Haar, aber Ringelnatz und Curcin haben uns gerettet«, und die beiden erzählten die ganze Geschichte.

Alle lachten und freuten sich, besonders über Curcin.

»Wisst ihr übrigens schon«, sagte der Alte noch, »dass der Bürgermeister die Belohnung auf eure Köpfe erhöht hat?«

»Auf zweihundert Dinar«, nickte Branko.

»Was wollt ihr nun machen?«

»Ringelnatz lässt Euch sagen, Ihr sollt uns in ein Fass stecken und für eine Weile im Meer versenken.«

Der Alte lachte. »Das wäre das Beste. Aber warten wir ab. Vielleicht sieht morgen die Welt schon wieder freundlicher aus.«

Der hohe Magistrat hat eine Sitzung

Der alte Gorian erwartete, dass die Gendarmen am nächsten
Morgen die Kinder in seinem Haus suchen würden. Er steckte
sie deswegen beim ersten Morgengrauen in die kleine Höhle und
sagte ihnen, sie sollten sich still verhalten.

Die Gendarmen kamen aber weder am Morgen noch im Laufe
des Vormittags. Erst gegen elf Uhr kam der alte Jossip ange-
keucht, der außer Mesner der Kirche zum heiligen Franziskus
auch Magistratsbote war. Er lüftete mit einem verlegenen Grinsen seine Amtsmütze und brachte einen Brief darunter hervor.
Vater Gorian sah sich den Brief an. »An den Fischer A. Gorian«
stand darauf. Er brach das Kuvert auf und hielt das Schreiben an
seine Augen. »Sie sind für heute Punkt drei Uhr in das Rathaus
vorgeladen. Für den Magistrat, der Bürgermeister: Doktor Ivekovic.«

Der alte Gorian sah noch einmal auf den Brief, strich sich dann
mehrere Male aber das Gesicht und bemerkte nachdenklich:
»Versuchen sie es jetzt so?«

Der alte Jossip tippte ihn an: »Handelt es sich um die rote Zora
und um Branko?«

Vater Gorian nickte.

»Dann behaltet nur den Kopf oben. Die halbe Stadt steht hinter ihnen.«

»Den behalte ich schon oben«, meinte der alte Gorian, »aber
wenn ich nur wüsste, was aus ihnen werden soll.«

»Kommt Zeit, kommt Rat«, tröstete der alte Jossip, dann humpelte er wieder davon.

Vater Gorian aber ging zu seiner Ziege. Er setzte sich neben sie
und blickte sie an.

»Hm«, machte er erst nur und ließ das große Tier näher kommen. Andja schob wie immer ihren Kopf in seinen Schoß und
schielte zu ihm herauf.

»Sie haben mich aufs Rathaus geladen, Andja«, begann der Alte
nach einer Weile.

Die Ziege tat, als wüsste sie es schon, und schob ihren Kopf näher an den seinen heran.

»Heißt das, dass ich gehen soll?« Gorian packte Andja bei den Hörnern und zog sie zu sich herauf.

Das kluge Tier meckerte leise.

»Ich soll also. Vielleicht hast du Recht. Der alte Jossip will ja auch, dass ich gehe. Zwei so alten Freunden soll man folgen.«

Er schob das Tier wieder zurück, brachte ihm noch Wasser, ein paar Büschel Heu, gab ihm einen leichten Klaps und ging zurück ins Haus.

Er begann eine lange Wäsche. Wenn sie ihn durchaus im Rathaus haben wollten, wollte er sich wenigstens schön machen. Er wusch sich den Kopf und kämmte sein dichtes, weißes Haar. Er wusch sich den Hals, die Arme, die Hände, sogar die Füße steckte er in die dicke Seifenlauge.

Darauf suchte er sich ein weißes, besticktes Hemd aus einer Schublade, zog seine beste Hose an, sie hatte breite rote Streifen, auch seine Sonntagskappe setzte er auf und nun war er fertig. Bevor er das Zimmer verließ, betrachtete er sich noch einmal in einem Spiegelscherben. Er war zufrieden. »Es wird schon gehen«, murmelte er und strich sich über seinen rundlichen Bart.

Der Alte war bereits an der Tür, da fiel ihm ein, dass er den Kindern noch Bescheid sagen musste. Er machte einen Kahn los und ruderte vor ihr Versteck. »Hallo!«, rief er. Zoras Kopf tauchte auf.

»Ich muss aufs Rathaus, bleibt in eurem Loch, bis ich zurückkomme. Ich rufe euch dann!«

Zora winkte, dann verschwand sie wieder.

In der Stadt ging alles seinen alten, geregelten Gang. Die Geschichte mit dem Fest und dem Hund schien schon begraben und vergessen zu sein.

Am Quai kam das Schiff von Krk an. Die Hausdiener stürmten an die Landebrücke, die man auf den Quai geschoben hatte; auch Ringelnatz war dabei.

Zwei Matrosen rollten von einem andern Schiff Fässer ans Land, Säcke wurden abgeladen, große Kisten mit Obst schwebten, von einem kleinen Kran gehoben, herunter, die ersten Reisenden betraten den Quai und dazwischen trieben sich Hunde und ein gutes Dutzend Kinder herum.

Gegenüber auf dem kleinen Markt waren, wie immer um diese Zeit, einige Stände. Stjepan war mit seinen Eseln da. Die Frau von Radic mit Bergen von Makrelen und Anschovis. Ein paar Bauern priesen ihre Gemüse an, ein kleiner Händler verkaufte Tücher, Mützen und Strümpfe und auch die alte Marija streckte ihr dickes, bärtiges Gesicht neugierig aus ihrer Zuckerbude heraus, als der alte Gorian in seinem Sonntagsstaat vorbeiging.

Käufer waren auch verschiedene da. Die Frau von Curcin schleppte ihren dicken Leib von Bude zu Bude. Die Köchin des Bürgermeisters erhandelte ein Kilo Makrelen, der bucklige Schuster schnupperte wie ein Hund um einen Gemüsestand herum, Susics Kaftan schleifte über das Pflaster und der dicke Doktor Skalec – seine weiße Weste leuchtete wie ein Schild – stob wie ein Wirbelwind zur alten Marija hinüber, um sich wie jeden Morgen eine Tüte Kandis zu kaufen.

Der alte Gorian grüßte den einen und dankte dem anderen für seinen Gruß. Mit dem Schuster machte er sogar einen Schwatz und von einem der Bauern ließ er sich einige Pfirsiche geben, dann bog er hinauf zum Rathaus.

Das lang gestreckte, äußerlich wenig schöne Gebäude bestand aus einem älteren, versteckteren und einem neueren Bau. Unten waren die Anmeldung, die Steuerkassen, die Registratur und noch einige andere zivile Büros untergebracht, oben, im alten Teil, die Bürgermeisterei und der Sitzungssaal.

Vater Gorian stieg langsam die Treppe hinauf, fragte einen Ratsdiener, wo er sich zu melden habe, und der Diener zeigte auf eine große Tür. Der Alte putzte sorgfältig die Schuhe ab, obwohl er das unten schon getan hatte, er nahm auch die Kappe vom Kopf, dann hob er den schweren Klopfer, der an der Tür hing, ließ ihn zweimal nach unten fallen und trat ein.

Der Raum, in den er trat, war fast ein Saal. Es herrschte eine eigenartige, vielfarbig schimmernde Dämmerung darin, denn das

Licht kam nicht durch helle Fensterscheiben, sondern durch Hunderte von kleinen, runden, roten, gelben, blauen, grünen und orangefarbigen Butzenscheiben. Die Wände wuchsen steil in die Höhe und waren mit schwärzlichem Holz beschlagen, was die Dämmerung noch verstärkte.

Es dauerte eine Weile, bis sich der Alte in dem Halbdunkel zurechtfand. Das Nächste, was er entdeckte, war ein großer Leuchter, der, in der Form eines gewaltigen Vollschiffes mit geblähten Segeln, über einem schweren, eichenen Tisch hing. Um diese feierliche Tafel standen dreizehn Stühle. Dem Alten wurde vor so viel Feierlichkeit und Ernst zuerst etwas seltsam, aber als er sah, dass die Stühle besetzt waren, und er langsam auch die Gesichter wahrnahm und erkannte, wurde ihm leichter, ja sogar vergnügt zumute. In dem größten Stuhl, der mit einer hohen Lehne die ganze Hinterseite des Tisches umrahmte, saß wie auf einem Thron, schmal, dünn und blass der Bürgermeister. Neben ihm leuchtete, klein und halb verdeckt, die Glatze von Direktor Kukulic. Diesem gegenüber, gewaltig, aufgedunsen, die Fäuste wie Schmiedehämmer vor sich auf dem Tisch, der reiche Karaman. Dann kam das runde, freundliche Gesicht von Doktor Skalec, der eifrig seinen Kandis kaute, und das feierliche, schöne Gesicht von Hochwürden Lasinovic. Gegenüber traf er den fuchsigen und feindlichen Blick Brozovics, gleich daneben blinzelte ihn aber der dicke, gutmütige Curcin an. Ferner waren noch da Danicic, der Müller, der Apotheker, Direktor Frages in seinem weißen Anzug, der hart, ja böse aussehende Förster Smoljan, Pletnic mit seinen Zahnstummeln und endlich fiel ihm noch das gutmütige Gesicht Marculins, des Wirtes vom Hotel »Adria«, auf.

Der alte Gorian strich sich verlegen über den Bart. Da war ja der ganze Magistrat versammelt.

Die Männer hatten alle leise miteinander gesprochen, jetzt schlug Doktor Ivekovic mit einem Hammer auf den Tisch und sagte zu Gorian gewandt: »Wir haben nur noch auf Sie gewartet, Gorian, setzen Sie sich dort unten an den Tisch.«

Der alte Gorian ging auf den angewiesenen Platz zu. Ein winziger Stuhl stand an dieser Seite des Tisches, der sich unter all den Riesen wie ein Zwerg ausnahm. Der Alte zog ihn näher, prüfte erst, ob es wirklich ein Stuhl war, dann setzte er sich.

Der Bürgermeister richtete sich auf und fuhr fort: »Wir sind heute zusammengekommen, um eine Sache zu regeln, welche die ganze Stadt angeht. Ich will keine langen Worte machen. Sie wissen alle, dass uns gestern die Fischeinkaufsgesellschaft, die unter unserer behördlichen Kontrolle steht, feierlich auf dem Markt einen großen Thunfisch überreichen wollte. An Stelle des Fisches lag aber ein toter Hund im Trog. Der gesamte Magistrat ist der Meinung, dass die Sache streng geahndet werden muss, und der Magistrat und ich werden auch nicht ruhen, bis die Täter hinter Schloss und Riegel sitzen.«

Er machte eine Pause, wahrscheinlich um seinen Worten den nötigen Nachdruck zu verleihen, dann sagte er lauter: »Wir kennen die Täter bereits. Wir wissen auch, wo sie sich aufhalten.« Er riss sein Gesicht plötzlich scharf herum und sah auf den alten Gorian. »Bei Ihnen, Gorian, und wir haben Sie deswegen geladen, um Sie zu fragen, ob Sie bereit und gewillt sind uns die ›Bande‹, denn um eine solche handelt es sich, auszuliefern. Sollten Sie dazu nicht bereit sein, so müssen wir Sie als Mitschuldigen betrachten, Sie hier behalten, bis auch das letzte Glied dieser Bande gefangen ist, und dann würde natürlich nicht nur der Bande, sondern auch Ihnen, Gorian, der Prozess gemacht.«

Der Bürgermeister schwieg und lehnte sich wie nach einer schweren Anstrengung tief in seinem Stuhl zurück. Die anderen nickten ihm beifällig zu und blickten dann auf den alten Gorian und warteten auf seine Antwort.

Gorian war einen Augenblick recht betreten.

Da war er in seiner Dummheit direkt in eine Falle gegangen und saß nun darin wie die Maus vor der Speckschwarte und konnte nicht heraus.

»Hm«, begann er nach einer Weile, sich direkt an den Bürgermeister wendend, »das habt Ihr tatsächlich fein gemacht, aber wenn ich auch nicht hier wäre«, sprach er weiter, »gehörte ich mit auf die Anklagebank. Denn was die ›Kinder‹, ich sage nicht ›Bande‹, auch getan haben, ich trage eigentlich die Schuld daran und die Kinder begreifen heute noch nicht, dass sie nach Ihrer Ansicht, Herr Bürgermeister, ein großes Verbrechen begangen haben.«

»Wollt Ihr uns nicht erklären, wie Ihr das meint, Vater Gorian?«, sagte statt des Bürgermeisters Hochwürden Lasinovic freundlich.

»Gern.« Der Alte strich sich über den Bart. »Den Kampf zwischen der Gesellschaft und den freien Fischern kennen Sie, meine Herren. Sie wissen wohl auch, dass ich als einer der Letzten klein beigegeben habe. Gestern wurde nun unter den Thunfischen in meinem Netz einer der größten Thunfische entdeckt, der jemals in der Adria gefangen wurde. Herr Direktor Kukulic kam auf den Gedanken, den Fisch Doktor Ivekovic zu schenken, also dem, der im Grunde genommen den Kampf der Gesellschaft gegen uns kleine Fischer am meisten begünstigte.«

»Zum Wohle des Fischfangs und der Stadt«, wandte der Bürgermeister ein und auch Direktor Kukulic konnte sich nicht enthalten »Jawohl« zu sagen.

»Gut, das glauben Sie. Wir kleinen Fischer glauben das nicht. Mir entfielen deswegen auch in der ersten Erregung über den Vorschlag von Direktor Kukulic die Worte, man sollte dem Bürgermeister und diesem Magistrat lieber einen toten Hund als den größten Thunfisch schenken. Das haben die Kinder gehört, und während wir Alten in der Stadt waren, um das Fest vorzubereiten, haben sie den Fisch ins Wasser gelassen und Karamans Hund, den sie am Tag vorher beigesetzt hatten, wieder ausgegraben und in den Trog gelegt. Die Kinder haben sich sicher nichts Schlimmes dabei gedacht, und wenn, wie Doktor Ivekovic behauptet, ein ›so großes Verbrechen‹ daraus geworden ist, so müssen Sie nicht die Kinder, sondern vor allem mich vor den Richter stellen, denn die Kinder sind unschuldig.«

Der alte Gorian hatte das alles ganz schlicht und einfach vorgetragen und auf Curcin, Hochwürden Lasinovic, Doktor Skalec und Pletnic schien seine Rede auch Eindruck gemacht zu haben; die anderen fuhren aber auf.

»Unschuldig! Die Spitzbuben! Verbrecher! Tagediebe!«

Der Bürgermeister schlug mit dem Hammer auf den Tisch und unterbrach den Lärm. »Ich finde es wirklich merkwürdig, dass Sie es wagen, hier von jungen Strolchen, die nicht nur seit gestern unsere Stadt heimsuchen, sondern sie schon seit Wochen plündern, bestehlen und berauben, von ›Unschuldigen‹ zu sprechen. Ich kann hier nur ›Schuldige‹ sehen.«

»Hm.« Der alte Gorian räusperte sich wieder, aber diesmal schon lauter, und als er antwortete, sprach er noch fester und blickte dabei direkt auf das Gesicht des Bürgermeisters. »Ich gebe Ihnen Recht«, meinte er, »dass es hier nicht nur Unschuldige, sondern auch Schuldige gibt. Aber die Schuldigen sind nicht die Kinder. Die Schuldigen sind wir.«

»Wir!« Der gesamte Magistrat schoss plötzlich in die Höhe, als habe der alte Gorian eine Bombe unter den Tisch geworfen.

»Wir?«, betonten auch der Pfarrer und Doktor Skalec und sahen den alten Gorian an.

»Wir«, wiederholte der Alte mit Festigkeit. »Mich interessiert nämlich nicht, ob die Kinder stehlen oder nicht, sondern mich interessiert, warum die Kinder stehlen. Ich kenne die meisten nicht erst seit gestern. Ich kenne sie schon lange und kann Ihnen deswegen auch darauf die beste Antwort geben.«

Er zog seine Tabaksdose aus der Tasche, nahm eine Prise, dann fuhr er fort:

»Nehmen wir zuerst Branko, den Haupttäter. Die Mehrzahl von Ihnen kennt ihn. Er ist der Sohn von Milan Babitsch, dem Geiger, und von Anka, der Tabakarbeiterin. Es gibt verschiedene von Ihnen, meine Herren, die Milan nicht nur oberflächlich, sondern sogar gut kennen und sich seine Freunde nennen. Ich weiß auch, dass viele von Ihnen stolz auf ihn sind, denn immerhin ist er der beste Geiger an der Adria und unser Bürgermeister hat sich sogar einmal mit ihm fotografieren lassen. Milan, ›unser großer Sohn‹, ist wieder mit seiner Geige unterwegs, seine Frau stirbt in der

Zwischenzeit an der Schwindsucht. Es ist eine Schande für uns, dass sich niemand außer der alten Stojana fand, der sie pflegte. Es ist noch eine größere Schande für uns, dass sich die Stadt nicht um die Tote gekümmert hat und arme Tabakarbeiterinnen die Bretter für den Sarg spenden mussten und der ärmste Tischler von Senj ohne Lohn aus den Brettern einen Sarg gemacht hat. Als die arme Frau unter der Erde lag, war sie erst recht tot und begraben für unsere Stadt und es gab auch für Sie im gleichen Augenblick keinen Milan und keinen Branko mehr. Ja, die ›verehrten‹ Bürger dieser Stadt wussten keinen besseren Rat, als den mutterlosen Knaben zur alten Kata, der Hexe, zu schicken, und die hat ihn schon am nächsten Morgen aus ihrer Hütte geworfen mit dem Rat: ›Geh stehlen, wenn du hungrig bist.‹«

Der alte Gorian hatte sich in Wut geredet und sah die Männer böse an. »Was sollte der arme Knabe nun anderes machen?«, sagte er erbittert. »Er musste stehlen gehen.«

»Ich will Sie nicht mit den Schicksalen der anderen Kinder aufhalten«, fuhr er nach längerer Pause fort, »es sind fünf im Ganzen. Das Mädchen hat weder Vater noch Mutter. Dem kleinsten, einem Fischersbuben, ist der Vater, der«, Gorian sah zu dem Direktor Frages hinüber, »bei Ihrer Gesellschaft angestellt war, tödlich verunglückt. Seitdem hat er keinen Menschen mehr, der für ihn sorgt. Den dritten hat der Vater, ein betrunkener Schuster, aus dem Haus gejagt, er sei jetzt alt genug und möge sich gefälligst selber ernähren, und der vierte ist daheim davongelaufen, weil sein Vater schon seit Monaten keine Arbeit hatte und er sonst vor Hunger gestorben wäre. Aus diesen Gründen sind sie Spitzbuben geworden. Oder meinen Sie, meine Herren, es hat ihnen Freude gemacht, zu stehlen und vom Stehlen zu leben? Branko ist beinahe vor Scham gestorben, als er den ersten Fisch aus der Gosse hob. Die rote Zora hat mir ein Huhn, das sie gestohlen hatten, wieder gebracht, weil sie Gewissensbisse bekam. Nein, ich sage es noch einmal: Wenn es hier Schuldige gibt, dann sind wir es. Wir alle, die wir hier sitzen und uns nicht um sie gekümmert haben!« Der Alte hatte sich in immer größeren Zorn hineingesprochen, sein Gesicht glühte, der runde Bart bebte, seine Hände hoben und senkten sich, aber es hatte auf die Männer gewirkt.

»Bravo!«, rief Curcin als Erster und nickte ihm zu. »Bravo!«, sagte auch Doktor Skalec und vergaß einen Augenblick an seinem Zucker zu lutschen.

Der greise Priester stand sogar auf, kam auf den alten Gorian zu und legte ihm die Hand auf die Schulter. »Ich danke Ihnen, Vater Gorian«, sagte er. »Ich werde Ihnen das nie vergessen. Sie haben mir ganz aus dem Herzen gesprochen.«

Nun hoben aber auch die anderen ihre Stimmen, erst leise, dann lauter und schließlich drohend.

»So«, sagte der Förster grob, »Spitzbuben sind bei uns plötzlich arme Waisenkinder, Verbrecher ehrliche Menschen und ehrliche Menschen Spitzbuben. Es wäre zum Lachen, wenn es nicht zum Weinen wäre.«

»Ich möchte nur wissen, was diese Spitzbuben Ihnen, Herr Förster, gestohlen haben?«, fragte Gorian.

»Die ganze Stadt weiß es. Ein Rehkitz, zwei Füchse, zwei Dutzend Vögel, zwei Eichhörnchen. Genügt Euch das?«

»Soviel ich weiß, hat man sie nicht ihnen, sondern Ihrem Buben gestohlen, und auch nicht gestohlen, sondern einfach freigelassen, und wenn Sie Ihren Buben fragen, wird er Ihnen auch sagen, warum.«

»Weil sie einem rotzigen Bauernjungen ein paar Pfirsiche nahmen.«

»Ja«, knurrte der alte Gorian böse, »deswegen haben sie die Tiere eines rotzigen Försterssohnes laufen lassen.«

Der Förster sprang auf, sein Gesicht lief beinahe blau an, so wütend war er.

»Wollt Ihr mich beleidigen.«

Der alte Gorian blieb ruhig. Er wandte sich an die Übrigen.

»Habe ich Herrn Smoljan beleidigt?«

Curcin und Pletnic lächelten, die anderen machten verlegene Gesichter.

Der Förster kam einen Schritt auf den alten Gorian zu. »Ihr nehmt das zurück.«

»Was?«

»Den rotzigen Förstersbuben.«

»Nur wenn Ihr ›den rotzigen Bauernbuben‹ zurücknehmt. Hier auf Erden sind noch immer alle Buben gleich.«

»Ich pfeife auf Eure Belehrung!« Der schöne Smoljan platzte beinahe vor Wut.

»Dann stopft Euch die Ohren zu. Mir genügt es, wenn sie die anderen Herren hören.«

»Alter!« Der Förster stand unmittelbar vor Vater Gorian, seine Hände bebten und er hob sie hoch.

Der Alte erhob sich gleichfalls, und so neben Smoljan, die breiten Schultern, die schweren Arme, das volle, kräftige Gesicht, sahen sie ungefähr ebenbürtig aus.

»Herr Förster«, sagte der alte Gorian, »ich bin weder einer Eurer Holzknechte noch ein Wilderer noch ein Holzdieb, sondern ein freier Bewohner von Senj. Mir imponiert Ihr nicht mit Euerm Geschrei. Ich lasse mich nicht dadurch einschüchtern, und wenn ich Euch einen guten Rat geben kann, setzt Euch lieber wieder, sonst«, er hob seine Hand, »setze ich Euch auf Euren Stuhl.«

»Ich mache, was ich will!«, schrie der Förster. »Und lasse mir von keinem Spitzbubenvater Vorschriften machen.«

»Das wollte ich auch nicht.« Der alte Gorian lächelte. »Ich habe Euch das nur als guten Rat gegeben.«

»Ich pfeife darauf«, wollte der Förster wieder sagen, da rief Doktor Ivekovic: »Ruhe!« Er erhob sich gleich darauf und trennte die beiden Streitenden. »Wir sind hier doch nicht in einem Wirtshaus«, fügte er hinzu.

»Das meine ich auch.« Der alte Gorian setzte sich und auch der Förster wurde an seinen Platz zurückgebracht.

»Was habt Ihr zu der Sache zu sagen?«, wandte sich nun der Bürgermeister an Brozovic.

Der kleine Kaufmann spitzte sein fuchsiges Gesicht und richtete seinen Blick auf den alten Gorian.

»Ein Spitzbube bleibt bei mir ein Spitzbube«, erklärte er, »ob er nun aus Freude oder aus Hunger stiehlt. Nach meiner Meinung gehört er ins Gefängnis.«

»Ist das Euer Ernst, Brozovic?«, mischte sich der alte Gorian wieder ein.

»Mein voller Ernst.«

»Nun«, antwortete der Alte ruhig, »dann würde ich an Eurer Stelle zuerst Euren Sohn hineinstecken.«

»Meinen Sohn! Soll ich Euch verklagen?« Der spitze Kopf wurde noch spitzer.

»Ich weiß nur, dass er hinter Euern Kisten ein ganzes Diebeslager hat. Ich weiß auch, dass er für eine Briefmarke eine Schachtel Ölsardinen, gegen zwei Marken einen Block Schokolade und gegen drei Euern halben Laden tauscht, und wenn Ihr es nicht glaubt, müsst Ihr die Kisten nur auseinander schieben und dahinter sehen.«

»Ich? Mein Sohn?«, stammelte Brozovic und sprang auf. »Ich will gleich einmal nachsehen; aber wenn es nicht stimmt, Gorian, dann sollt Ihr mich kennen lernen. Dann bringe ich Euch vors Gericht, dann …« Er war schon bei der Tür und wollte hinaus.

»Halt!« Doktor Ivekovic hielt ihn auf. »Ihr müsst schon noch warten, bis wir hier fertig sind«, und er drückte den zappligen Brozovic wieder in seinen Sessel.

Nun war der dicke Marculin an der Reihe.

»Was denkt Ihr über die Sache?«, fragte der Bürgermeister.

Marculin faltete seine schwammigen Hände über dem Bauch.

»Was meine Gäste denken.«

»Und was denken Eure Gäste?«

»Jeder das seine.«

Der Bürgermeister lachte kurz auf. Ihr könnt aber doch nicht wie alle denken?«

»Es kommt schon etwas Gemeinsames dabei heraus.«

»Und das wäre?«

»Dasselbe, was der alte Gorian gesagt hat. Wir sind wahrscheinlich alle genauso schuld, wenn nicht noch schuldiger an der Sache als die kleine Bande.«

»Dabei haben Sie Euren Sohn ins Wasser geworfen!«, schrie der Müller.

»Oh.« Marculin hob seine Hand und winkte ab. »Er pfeift schon wieder.«

»Ihr wollt es so hingehen lassen, dass ein paar Straßenjungen Euren Sohn beinahe ertränkt haben?«, fragte der Förster.

»Er wird schon wissen, warum.« Marculin war nicht aus der Ruhe zu bringen. »Es kann ihm auch gar nichts schaden, wenn er merkt, dass die Kinder der reichen Leute mit den Kindern der armen Leute nicht alles tun können, was sie wollen. Schließlich studiert er davon, dass mir die armen Leute ihr Geld bringen.«

»Das ist Euer letztes Wort in der Sache, Marculin?«, fragte Doktor Ivekovic ernst.

»Für heute wenigstens, Herr Bürgermeister. Für heute«, und er wischte sich den Schweiß vom Gesicht.

»Nun, und was sagen Sie, Karaman?«

Der große Bauer legte seine schweren Hände wieder auf den Tisch. »Ich sage das, was ich vom ersten Tage an gesagt habe. Branko Babitsch ist ein Spitzbube. Die rote Zora noch ein größerer und die anderen drei sind nicht viel besser. Deswegen gehören sie hinter Schloss und Riegel und wegen der Sache mit meinem Hund möchte ich sie am liebsten eigenhändig dahinter stecken.«

Der alte Gorian blinzelte den reichen Karaman an. »Sprecht nicht so leichtfertig von Spitzbuben, Bauer. Es gehen viele Geschichten in der Stadt um, dass sie immer nur die Kleinen hängen und die Großen laufen lassen.«

»Wollt Ihr mich beleidigen?« Karamans Fäuste ballten sich zusammen.

»Ich? Nein. Aber es gibt noch ein anderes Sprichwort. »Wem das Hemd passt, der zieht es sich an.«

»Ihr solltet bei Euren Sprichwörtern lieber daran denken, dass wer Übles verbreitet, selber von Übel ist.«

»Ich habe noch nichts verbreitet, Bauer, und ich wünsche Euch nichts weiter, als dass Euer Gewissen so rein ist wie das meine. Was meint Ihr übrigens wegen des Hundes?«

»Die Tagediebe müssen mir das Tier ersetzen.«

»Weil es Euch davongelaufen ist?«

»Weil sie mir den Hund weggelockt haben.«

»Ich glaube, er ist mehr freiwillig gegangen und das kann ich Euch versichern, wenn ich beim reichen Karaman wäre, würde ich auch davonlaufen.«

»Wollt Ihr mir auch sagen, warum?«

»Weil man von Euch erzählt: Beim reichen Karaman leben die Kälber fetter als die Knechte.«

»Haha!« Karaman lachte laut und seine schweren Fäuste legten sich wieder auseinander. »Sagt man das? Dann wird es stimmen. Ich halte die Kälber eben zum Mästen und die Knechte zum Arbeiten und ich habe noch nie gehört, dass ein fetter Knecht besser die Sense schwingt als ein magerer.«

Der Bürgermeister war schon bei Curcin.

Der dicke Bäcker blies sich auf wie ein Frosch, bevor er antwortete. »Ich bin«, sagte er dann, »wie der alte Gorian dafür, die Kinder laufen zu lassen. Ich kenne sie schon viel länger als Sie alle und weiß, dass es wirklich keine Spitzbuben sind.«

»Ihr kennt sie? Woher? Seit wann?« Alle fragten durcheinander. Curcin lächelte verlegen. »Ich habe ihnen jeden Morgen meine alten Semmeln auf die Seite gestellt und sie haben sie sich geholt.«

»Die Kuchen auch?«, fragte Brozovic spitz.

»Die Kuchen auch, wenn es welche gab und wenn sie meine Frau nicht dir zugesteckt hat.«

»Ich habe sie immer bezahlt.«

»Ich weiß es.« Curcin lachte trocken. »Mit Schnaps. Ich bin aber der Meinung, es sei nötiger, Kinder zu füttern als Schweine.«

»Ho, ho!«, krähte der Glatzköpfige laut. »Ein guter Schweinebraten ist nicht zu verachten.«

»Ich verachte ihn auch nicht. Mir schmeckt er aber besser, wenn ich gewiss bin, dass nicht neben ihm ein halbes Dutzend Kinder deswegen verhungern.«

»Da habt Ihr allerdings Recht«, gab der Glatzköpfige zu.

Pletnic rutschte eine Weile verlegen auf seinem Stuhl hin und her, bevor er etwas sagte. Doktor Ivekovic war einer seiner Stammgäste. Auch der Förster und der Müller kamen oft zu ihm.

»Ich weiß nur«, stotterte er dann, »dass dieser Branko Babitsch, solange seine Mutter lebte, ein braver Bub war; was später aus ihm geworden ist, weiß ich nicht.«

»Ich würde gar nicht so viel darüber nachdenken, Pletnic«, fuhr ihn der alte Gorian an, »denn wenn Ihr ihn nicht gleich nach dem Tod seiner Mutter auf die Straße gesetzt hättet, säßen wir wahrscheinlich nicht hier zu Gericht über ihn.«

»Ich«, stammelte Pletnic erschrocken. »Wer sagt das?«

»Es spricht sich manches herum in der Stadt, mein Lieber. Vor allem solche Sachen.«

»Will Hochwürden noch seine Meinung sagen?«, unterbrach Doktor Ivekovic den Disput.

»Natürlich. Natürlich.« Hochwürden Lasinovic erhob sich. »Ich meine wie unser Freund, Vater Gorian, wenn es hier Schuldige gibt, so sind wir es. Ich schlage deshalb vor, dass, wenn wir hier fertig zu Gericht gesessen haben – nicht über die Buben, sondern über uns –, wir noch eine Viertelstunde darüber sprechen wollen, wie wir unsere Schuld wieder gutmachen können.«

»Und ich! Und ich!«, schrie da der dicke Müller. »Haben Sie, Hochwürden, haben Sie alle vergessen, dass mir diese Lausejungen meinen Fischteich geöffnet haben und dass mir meine Schleien, Hechte und Karpfen verloren gegangen sind?«

Alle schrien wieder durcheinander. »Natürlich«, sagte Karaman.

»Ist das auch unsere Schuld?«, zischte Brozovic.

»Man sollte sie mit Ruten dafür peitschen, das Gezücht!«, krächzte der Förster zum Bürgermeister.

»Ja«, antwortete der und wandte sich wieder direkt an den alten Gorian. »Ich bin gespannt, Alter, wie Ihr das entschuldigt?«

»Das ist wirklich eine schlimme Sache«, meinte der alte Gorian, »aber«, er bog seinen Kopf zum dicken Müller, »Ihr wisst genauso gut wie ich, dass die Kinder nicht Eure Fische auslassen, sondern Euern Buben fangen wollten, und wenn sie geahnt hätten, wie viel Dukaten dabei ins Meer schwimmen würden, hätten sie Eure Schleuse bestimmt nicht aufgemacht.«

»Wer ersetzt mir aber den Schaden? Es sind beinahe dreitausend Dinar, die ins Meer geschwommen sind.«

»Zweitausendfünfhundert habt Ihr gestern im Hotel ›Zagreb‹ gesagt«, berichtigte Vater Gorian, »und diese zweitausendfünfhundert, dafür bürge ich mit meinem Kopf, werden Euch die Kinder bis auf den letzten Dinar zurückzahlen.«

»Die Kinder!« Der dicke Müller blähte sich auf.

»Wohl am Sankt Nimmerleinstag oder acht Tage später.«

Alle lachten. Der alte Gorian blieb ernst. »Nein, noch morgen, Müller.«

»Morgen?« Der Müller horchte auf und bekam Glotzaugen. Der alte Gorian nickte.

»Wo nehmen die Kinder das Geld her?«, fragten Brozovic und Karaman lauernd.

»Nirgends. Sie haben es.«

»Wohl gestohlen!«, krähte Karaman.

»Nein, Bauer. Sie haben es verdient.«

»Wollt Ihr uns nicht auch sagen, wo?«, schaltete sich der Bürgermeister wieder ein.

Der alte Gorian nahm eine Prise. »Bei mir.«

»Bei Euch!«, schrien alle auf.

»Ja«, lächelte der alte Gorian. »Als die ersten Fischschwärme kamen, waren die meisten Fischer von der Gesellschaft schon fest verpflichtet, und da ich niemanden anderen wusste, habe ich nach den Kindern geschickt und sie sind gekommen.«

»Ha!«, lachten Brozovic und der dicke Müller, »und sie haben wirklich gearbeitet?«

Der alte Gorian wurde ärgerlich.

»Ihr seid immer noch der falschen Meinung, dass es diesen Kindern Spaß macht zu stehlen, um ihren Hunger zu stillen. Sie sind mit Freude gekommen, als ich sie um ihre Hilfe bat, und mit genauso viel Freude haben sie gearbeitet. Fragt nur den alten Orlovic«, fuhr er fort, als er die erstaunten, ungläubigen Gesichter der

Männer sah, »früh waren sie die Ersten, abends waren sie die Letzten und wir hätten bestimmt nicht die Hälfte der Fische gefangen, wenn uns die Kinder nicht bei Tag und Nacht geholfen hätten.«

»Ich möchte aber doch noch wissen, wie sie dabei zweitausendfünfhundert Dinar verdient haben«, fragte Karaman und schob seinen aufgedunsenen Kopf wieder vor.

»Wie sie das gemacht haben? Ganz einfach. Sie waren ja nicht bei Euch, sondern bei einem ehrlichen Fischer im Dienst. Wisst Ihr, wie es bei einem ehrlichen Fischer an der Adria seit ewigen Zeiten zugeht? Erst zieht der Fischer, wenn ihm das Netz gehört, seinen Netzanteil ab, dann wird alles zwischen ihm und seinen Helfern geteilt. Zwei Kinder zählen wie ein Erwachsener und nun könnt Ihr ja Direktor Kukulic fragen«, er zeigte auf den Glatzköpfigen, »was er uns bezahlt hat. Rechnet dazu, was wir noch nebenbei verkauft haben, und ihr kommt ungefähr auf das Doppelte von dem, was die Kinder an Danicic zahlen müssen.«

»Seid Ihr damit einverstanden?«, wandte sich Doktor Skalec, der der Nächste war, an den Müller.

»Natürlich«, beeilte sich der Müller zu antworten.

»Dann haben wir's ja.« Doktor Skalec rieb sich strahlend die Hände. »Lassen wir die Kinder also laufen und, was die Sache mit dem Hund betrifft«, er drehte sich zu Doktor Ivekovic, »die Stadt hat ihren Spaß gehabt und sie wird ihn wieder vergessen.«

»Dass sie über mich gelacht und gesungen haben, nennt Ihr einen Spaß!«, rief der Bürgermeister empört.

»Über mich haben sie auch gelacht und gesungen.«

»Und was habt Ihr dazu gesagt?«

Doktor Skalec lutschte eifrig an seinem Kandis. »Erst war ich genauso wütend wie Sie und habe geschimpft und getobt, dann habe ich mitgelacht.«

»Ich glaube auch«, sagte Direktor Frages, der bisher geschwiegen hatte, »es ist das Beste, wir lachen mit und lassen die Spitzbuben laufen.«

Da erhob sich der Bürgermeister. »Ich bin entschieden dagegen. Zudem müssen wir noch abstimmen und selbst wenn die Abstimmung negativ ausfällt, so wird mit der Bande noch heute Schluss gemacht. Die Uskoken hören auf in unserer Stadt und unserem Land zu spuken, und wenn ich sie eigenhändig ins Loch sperren muss.«

»Ja, stimmen wir ab«, riefen der Müller, Karaman und der Förster.

Doktor Ivekovic klopfte mit seinem Hammer auf den Tisch.

»Wer ist dafür, dass wir der Bande den Prozess machen?«

Karaman, Smoljan, der Müller, der Apotheker, Brozovic und der Glatzköpfige hoben die Hand.

»Wer ist dagegen?« Der Pfarrer, Curcin, Doktor Skalec, Marculin, Pletnic und Direktor Frages waren dagegen.

»Sechs gegen sechs.« Doktor Ivekovic schimpfte ärgerlich auf.

»Und Ihre Stimme!«, rief da Karaman.

»Ja«, sagte Doktor Ivekovic erfreut, »sie fehlt ja noch.« Da fasste ihn jemand an der Schulter. Er drehte sich um. Es war Zlata, die hinter ihm stand.

Das große Mädchen war schon einige Male in der Tür erschienen. Nun hatte sie sich ein Herz gefasst und war näher gekommen.

»Was willst du?«, fragte Doktor Ivekovic.

»Ich muss dich einen Augenblick sprechen, Vater«, flüsterte sie.

»Ich habe jetzt keine Zeit.«

»Du musst Zeit haben!«, flüsterte sie dringlicher.

Sie sahen sich einen Augenblick an.

»Gut«, brummte er, dann wandte er sich an die Männer. »Einen Moment, bitte.«

Er war kaum in sein Arbeitszimmer getreten, da legte ihn Zlata beide Arme um den Hals. »Ich muss dich um etwas bitten.« Doktor Ivekovic war noch immer ärgerlich. »Du, Zlata, und gerade jetzt?«

»Gerade jetzt. Ich habe alles gehört. Du willst die Kinder einsperren lassen. Bitte, tu es nicht.«

»Natürlich lasse ich sie einsperren. Meinst du, ich vergesse so schnell, dass die Stadt über mich gelacht hat?«

»Es ist da noch eine Geschichte, Vater, die viel schlimmer ist als die Hundegeschichte.«

Doktor Ivekovic hob den Kopf. »Was für eine?«

»Die mit den Gespenstern.«

Doktor Ivekovic fasste sich am Bart. »Waren sie das vielleicht auch?«

Das Mädchen nickte. »Sie haben Kürbisse ausgehöhlt und ihre Hemden darüber gesteckt, und wenn die Stadt das erfährt, lacht sie noch mehr.«

»Woher weißt du das?«

»Branko hat es mir erzählt.«

»Weiß es sonst noch jemand?«

»Nein. Er hat mir versprochen, dass sie es niemandem verraten. Aber wenn ihr sie festnehmt und einsperrt, werden sie es sicher weitererzählen.«

Doktor Ivekovic ging einen Augenblick unschlüssig hin und her. »Meinetwegen«, knurrte er. »Ich will mich der Stimme enthalten. Aber ich habe vorhin schon gesagt, mit den Uskoken ist es vorbei, und dabei bleibe ich.« Er ging in den Saal zurück.

Im Saal hatten sich inzwischen der Pfarrer, Curcin, Direktor Frages und der alte Gorian zusammengesetzt.

»Eines Ihrer Patenkinder hat also seinen Vater bei uns verloren?«, sagte Direktor Frages zum alten Gorian.

Der alte Gorian nickte: »Der kleine Nicola.«

»Hätte er vielleicht Lust Fischer zu werden?«

»Er ist schon einer«, meinte der Alte.

»Schön. Sagt ihm, er soll sich morgen in unserem Büro melden. Die ›Minerva‹ fährt zum Fang in die Gewässer von Korfu und der Kapitän kann einen guten Schiffsjungen gebrauchen.«

»Ich wüsste einen Platz auf dem Land«, meinte Hochwürden. »Ein Bauer Polacék war gestern bei mir. Er hat keine Kinder und braucht notwendig einen Burschen bei der Arbeit. Der Bursche könnte immer bei ihm bleiben.«

»Polacék, habt Ihr gesagt, Hochwürden? Von der Höhe?«

»Ja, er wohnt hinter den Vratnicer Bergen.«

»Den kennen die Kinder sogar. Da geht sicher gern eines von ihnen hin.«

»Ich nehme einen zum Brotaustragen, der später bei mir das Bäckerhandwerk erlernen kann«, meinte Curcin. »Dem Gesellen und mir wächst die Arbeit sowieso über den Kopf.«

»Das wären schon drei.«

Hochwürden schmunzelte und rieb sich vergnügt die Hände. »Passt auf, bis Doktor Ivekovic zurück ist, haben wir alle fünf untergebracht.«

»Sie sind es«, sagte der alte Gorian, »denn zwei von ihnen wollte ich haben.«

Da kam Doktor Ivekovic.

Er setzte sich wieder an seinen Platz, schien nachzudenken und sah still vor sich hin.

»Wir haben die Kinder bereits untergebracht«, sagte Hochwürden feierlich.

Karaman drehte sich unwillig um. »Aber wir warten ja noch auf Doktor Ivekovics Stimme.«

»Ich werde mich der Stimme enthalten«, sagte da der große Mann seltsam tonlos.

»Die Abstimmung bleibt also sechs zu sechs, aber«, er wandte sich an den Pfarrer und den alten Gorian, »ich betone nochmals, was Sie auch tun, merken Sie sich das, mit der Bande der Uskoken ist es ab heute vorbei, auch mit ihrem Versteck im Turm und mit ihren Streichen. Sagen Sie mir bis zum Abend, wo Sie die Kinder unterbringen können, und wenn ich daraus die Gewissheit erhalte, dass es mit der Bande der Uskoken wirklich zu Ende ist, werde ich gleichfalls für sie stimmen.«

Er erhob sich und damit war die Sitzung aufgehoben. Auch die anderen erhoben sich. Karaman und Direktor Frages gingen dem Bürgermeister nach, der Rest der Männer strebte dem Ausgang zu.

»Was machen wir nun?«, fragte der alte Gorian den Pfarrer.

»Was wir besprochen haben. Sie teilen den Kindern mit, dass wir sie bei freundlichen Menschen unterbringen, und ihr könnt versichert sein, Doktor Ivekovic ist einverstanden.«

»Woher wissen Sie das?«

Der Pfarrer lächelte. »Ich kenne Doktor Ivekovic seit vierzig Jahren und ich sehe es seinem Gesicht an, dass er bereits auf unserer Seite ist.«

Der alte Gorian blieb misstrauisch, aber er ging doch etwas beruhigter die Treppe hinunter. Vor dem Tor wurde er noch einmal aufgehalten. Das junge Mädchen, das mit dem Bürgermeister gesprochen hatte, stand vor ihm.

»Ihr seid Vater Gorian?«, fragte sie.

»Der bin ich«, nickte der Alte.

»Ich bin Zlata«, sagte sie.

»Zlata Ivekovic. Ich wollte Ihnen schnell noch etwas mitteilen. Sagen Sie Branko, dass ich ihm nicht mehr böse bin. Sagen Sie ihm auch, ich bereue es bereits, dass ich ihn verraten habe. Sagen Sie ihm außerdem, dass ich meinem Vater eben die Geschichte von den Gespenstern erzählt habe und dass ich ihn nur um eines bitte, er und die ganze Bande sollen das wie ein ewiges Geheimnis für sich behalten. Das wird sie weiterhin vor dem Zorn meines Vaters schützen.«

Der alte Gorian schmunzelte. »Deswegen war er plötzlich so milde?«

Zlata nickte. »Deswegen. Er fürchtet nichts mehr, als dass auch dies noch bekannt wird, und wenn es bekannt wird, ist es für immer mit der Bande aus.«

»Ich werde es ihnen sagen«, versicherte der alte Gorian, »oder besser, ich werde es ihnen nicht sagen, denn ich glaube, die Kinder haben die Geschichte schon vergessen.«

»Macht das, wie Ihr wollt, Vater Gorian, und grüßt den Knaben noch. Ich werde ihn wohl nie mehr sehen.«

»Wollt Ihr fort?«

»Ich gehe nach Italien. Ich will Sängerin werden.«

»Viel Glück.« Vater Gorian gab ihr die Hand.

Zlata drückte sie und einen Augenblick später war sie verschwunden.

Die Uskoken sind tot. Es leben die Uskoken!

Es war ein schöner, stiller Abend, als der alte Gorian wieder nach seiner Bucht zurückwanderte.

Die Bora war gegen vier aufgekommen, aber sie flaute gegen sechs wieder ab. Jetzt lag die Sonne über dem Meer und dem Land. Von den Inseln wehte ein salziger, herber Wind und von den Bergen duftete es warm und würzig herab. Es roch nach Salbei und Thymian, nach Rosmarin und Lavendel.

Vater Gorian ging langsam. Nun hatte er alles hinter sich bis auf das Schwerste. Er musste noch den Kindern erzählen, was man im Rathaus über sie beschlossen hatte.

Die Bande saß um den Steintisch unter dem Feigenbaum. Allen Warnungen zum Trotz hatten sie es nicht mehr in der dumpfen Höhle ausgehalten. Der Hunger war dazugekommen und die Sorge um den Alten. So lange war er noch nie in der Stadt geblieben. Da trat er durch das Gartentor.

Die Kinder stürmten ihm entgegen.

Zora fiel ihm um den Hals. »Wir dachten schon, sie hätten Euch anstatt uns eingesperrt.«

»Beinahe hätten sie das auch, Mädchen. Beinahe.« Er strich Zora über das rote, feurige Haar. »Aber dann hatten sie ein Einsehen und ließen mich wieder frei.«

»Was hat man beschlossen?«, fragte Branko.

»Das erzähle ich euch später. Vorläufig bin ich hungrig und wir wollen essen.«

Die Kinder hatten bereits vorgesorgt. Eine dicke Mehlsuppe kochte auf dem Herd. Pavle schleppte den Kessel heraus. Duro brachte Teller und Löffel, Branko noch Brot und Käse, Nicola eine große Flasche Wein.

Der Alte schmunzelte. »Das lasse ich mir gefallen. So gut habe ich es noch nie gehabt.«

Zora teilte die Suppe aus. Jeder bekam einen großen Teller und dann löffelten sie sie. Sie blickten dabei immer auf den Alten. Vater Gorian sah in seiner Festtagstracht so feierlich aus. Er erschien ihnen auch sonst feierlicher und ernster und allen war beklommen zumute.

Der Alte spürte es. »Esst!«, munterte er sie auf. »Zu dem, was ich euch zu erzählen habe, ist es besser, ihr habt einen vollen Magen.« Die Kinder steckten die Löffel in ihre Suppe, aber es schmeckte ihnen doch nicht besser.

Endlich war der Alte fertig, strich sich über den Bart und sah auf. Die Kinder räumten ab, derweil setzte sich der Alte auf die kleine Mauer am Wasser.

Hier hatten sie schon oft gesessen, wenn Vater Gorian ihnen oder sie dem Alten etwas erzählten, und sie setzten sich neben ihn und ließen die Beine ins Wasser baumeln. Vater Gorian begann: »Es war eine böse Geschichte. Der Bürgermeister hatte mich euretwegen ins Rathaus vor den ganzen Magistrat geladen. Er wollte euch persönlich fangen und einsperren, Karaman euch verprügeln, der Förster euch für eure Schandtaten das Fell über die Ohren ziehen, der Müller euch durch seine Mühlsteine mahlen und Brozovic euch öffentlich auspeitschen lassen.«

»Und Ihr?«, fragte Nicola spitzbübisch.

Der Alte blieb ernst. »Ich habe zwei Stunden gesprochen, länger als jemals in meinem Leben, und Hochwürden Lasinovic hat mir versichert, er hätte nicht besser sprechen können.«

Zora sah ihn an. »Hat es etwas genützt, Vater Gorian?«

Der Alte nickte. »Aus dem Gefängnis habe ich euch herausgeredet, auch verprügelt oder gemahlen werdet ihr nicht, aber mit der Burg Nehajgrad ist es vorbei, auch mit der Höhle unten am Wasser«, er sah sie alle miteinander an, »und auch mit den Uskoken.«

»Nie!«, rief Zora und sprang auf.

»Setz dich, Mädchen.« Der Alte zog sie wieder auf den Stein. »Ihr habt wirklich viel verbrochen, und wenn wir alles zusammenzählen, gehört ihr tatsächlich ins Gefängnis. Aber ihr habt das meiste ja nicht aus Bosheit getan und das will man euch anrechnen.«

»Wir wollen uns überhaupt nichts anrechnen lassen«, knurrte Zora böse, »wir wollen Uskoken bleiben.«

»Wenn ihr Uskoken bleiben wollt«, meinte der Alte ernst, »so nimmt man zuerst mich fest, dann besetzt man den Turm, holt euch aus eurer Höhle und ihr kommt gleichfalls ins Gefängnis.«

»Wir können fliehen«, meinte Pavle.

»In die Felsenlöcher, in die die Uskoken schon oft geflohen sind«, sagte Nicola.

»Das könnt ihr«, nickte der Alte. »Damit rettet ihr euch aber nicht. Morgen gehen die Gendarmen hinauf und vertreiben euch auch dort, dann könnt ihr noch weiter fliehen, aber der Arm der Polizei ist lang und wovon wollt ihr leben?«

»Wovon wir bis jetzt gelebt haben«, antwortete Zora trotzig.

»Ich weiß, von Curcin und vom Diebstahl. Aber Curcin darf euch nichts mehr geben und von jetzt an passen nicht nur die Gendarmen und die Gymnasiasten, sondern die halbe Stadt auf euch auf.«

»Wir haben aber noch unser Geld«, blinzelte Nicola und klapperte damit.

»Ein gut Teil davon müsst ihr leider dem Müller geben.«

»Nie!«, sagte Duro. »Nie!«

»Ich habe dafür gebürgt, sonst wärt ihr doch ins Gefängnis gekommen.«

»Was sollen wir dann aber machen?«, meinte Branko kläglich.

»Ihr müsst euer Brot auf ehrliche Weise verdienen.«

»Auf ehrliche Weise«, bockte Pavle, »das haben wir immer.«

Der Alte lächelte. »Das glauben die anderen aber nicht.«

»Ich will nie etwas anderes als ein Uskoke sein«, sagte Zora schroff.

Der alte Gorian zog sie wieder heran und legte den Arm um sie. »Ich glaube es dir, Mädchen. Die Zeit der Uskoken ist aber vorbei. Sieh, auch bei den alten Uskoken war sie einmal vorüber. Als Venedig und die Türkei Frieden gemacht und sich die großen Wegelagerer geeinigt hatten, dass es besser sei, die Kleinen als sich untereinander zu bekriegen, da mussten die Uskoken ihre Burg verlassen, die Mauern von Senj schleifen, ihre Schiffe versenken und ihre Seeräuberei aufgeben und Handwerker oder Bauern werden. Seht, jetzt ist es wieder so. Die Zeit, wo ihr in eurem Turm leben konntet, wo ihr wegnahmt, wo Überfluss herrschte, wo ihr eure Streiche machen konntet, wo ihr Strolche, Vagabunden, Spitzbuben und Uskoken wart, ist zu Ende. Der Bürgermeister will es, der Magistrat will es, der Pfarrer will es, alle wollen es und der alte Gorian will es auch.«

»Vor einigen Tagen habt Ihr noch gesagt, man soll für seine Freiheit bis zum Tod kämpfen!«, antwortete das Mädchen noch schroffer.

Vater Gorian nickte. »Das habe ich gesagt und ich habe dafür gekämpft, aber nur so lange, wie der Kampf von Nutzen war. Ihr wisst selber, ich habe später meinen Frieden mit der Gesellschaft geschlossen und klein beigegeben.«

»Oder die Gesellschaft«, wandte Branko ein.

»Sagen wir, wir haben uns geeinigt und jeder hat einen Teil seiner Rechte verkauft. Etwas anderes sollt ihr auch nicht machen. Nach den Gesetzen gehört ihr ins Gefängnis, und glaubt mir, ihr seid heute ganz nahe daran vorbeigegangen. Sechs im Magistrat waren dafür und sechs dagegen. Nach den Abmachungen mit dem Bürgermeister kommt ihr aber nur nicht hinein, wenn ihr euch bis heute Abend verpflichtet eure Bande aufzulösen, um brave Kinder und später einmal gute Bürger der Stadt zu werden.«

»Das eben wollen wir nicht«, riefen jetzt auch Nicola, Pavle, Duro und Branko.

»Sagt das nicht so laut«, warnte sie der Alte. Er wandte sich an Nicola.

»Was machst du lieber: Willst du dich weiter vor jedem Menschen verstecken, nachts in einer Höhle, einer Hecke oder in euerm Turm wohnen, von Abfällen, Diebstählen und von altbackenen Semmeln des dicken Curcin leben oder fährst du lieber auf einem Schiff auf dem Meer, lässt dir den Wind um beide Ohren wehen, setzt Segel auf, wirfst Netze ins Meer und wirst ein braver, tapferer Fischer?«

»Oh«, Nicola wurde rot vor Begeisterung, »ein Fischer bin ich genauso gern wie ein Uskoke.«

»Siehst du. Der Direktor Frages, der junge Mann in dem weißen Anzug, möchte, dass du so schnell wie möglich zu ihm kommst, bei ihm anheuerst und mit der ›Minerva‹ nach Korfu fährst. Sie brauchen noch einen jungen, tüchtigen Burschen, um dort Makrelen zu fangen.«

Nicola klatschte vor Freude in die Hände. »Mit dem weißen Mann auf der ›Minerva‹, dem großen Segelschiff, nach Korfu? Natürlich, natürlich fahre ich mit!«

»Dich«, der alte Gorian drehte sich zu Duro, »will Polacék haben. Weißt du, der Bauer, bei dem ihr vor einigen Tagen wart. Er hat vorgestern bei dem Pfarrer nach euch gefragt. Er möchte gern einen Buben aus der Stadt in sein Haus aufnehmen, weil er selber keine Kinder hat, aber eine Hilfe braucht, und einer von euch namens Duro hätte sich am besten bewährt. Morgen oder übermorgen kommt er wieder und du kannst mitgehen.«

Duro sah den alten Gorian freudig an. »Ja, Bauer werden ist mein Traum und zum alten Polacék und seinen Kühen und Schweinen gehe ich gern. Er war so gut zu uns und vor allem seine Frau. Ich glaube, ich werde es da auch weiter gut haben.«

»Den Pavle«, in Vater Gorians Gesicht kam ein leichtes Lächeln, »möchte Curcin haben. Es hat nur eine Schwierigkeit. Curcin sagt: ›Ich brauche einen großen, starken Kerl, der einen Mehlsack auf die Schulter nehmen und einen Brotteig richtig durchkneten kann, und der Pavle ist sicher zu schwach dazu.‹«

»Was!« Pavle brauste auf. »Ich hebe einen Mehlsack mit einer Hand, und wenn Curcin glaubt, ich kann seinen Teig nicht kneten, dann täuscht er sich.« Er streifte seine Ärmel hoch. »Ich bin so stark, dass ich das sicher bald besser kann als er selber.«

»Ich habe ihm schon von deinen Kräften erzählt«, beruhigte ihn Vater Gorian »aber er wollte es mir nicht glauben. Du gehst am besten einmal zu ihm und zeigst ihm, wie stark du bist.«

»Einmal«, brauste Pavle wieder auf, »heute soll er es noch sehen und erfahren, dass er in ganz Senj keinen kräftigeren und stärkeren Burschen findet als mich.«

Der Alte sah nun Branko und Zora an.

Branko hatte das ganze Gespräch zuerst mit Erstaunen und später mit einem leichten Lächeln verfolgt, während Zora, je eifriger der Alte sprach und je freudiger die Buben auf seine Vorschläge eingingen, immer trotziger und verschlossener wurde.

»Nun?«, fragte Branko. »Was habt Ihr mit uns vor?«

»Ja«, sagte Zora zornig, »an wen wollt Ihr uns verkaufen?«

Vater Gorian sah auf einmal recht alt und müde aus. »An niemanden. Ich wollte euch im Gegenteil bitten, ob ihr nicht beide bei mir bleiben wollt. Ich bin siebenundsiebzig Jahre alt und habe außer meiner Ziege niemanden auf der Welt und ich könnte schon zwei solche Helfer wie euch im Haus und beim Fischfang gebrauchen.«

»Gern, Vater Gorian, gern.« Branko hatte nicht einmal im Traum an so eine Lösung gedacht. Er sprang auf und warf beide Arme um den Hals des Alten.

Der sah weiter auf Zora. »Du auch?«

Zoras Zorn war verschwunden. Sie lächelte. »Ich wüsste nicht, wo ich lieber bliebe.«

Die Kinder waren nun einige Minuten ganz ausgelassen. Ja, was da mit ihnen geschehen sollte, hatten sie nie zu hoffen gewagt. Im Gegenteil, die halbe Nacht waren Gendarmen, Gefängnisse, das Arbeitshaus durch ihre Träume gespenstert und nun blieben sie nicht nur frei, sondern sie konnten alles tun, was sie sich schon seit Jahr und Tag gewünscht hatten. Nicola sah sich schon als Matrose. Pavle wollte der beste Bäcker, aber daneben der stärkste Mann von Senj werden. Duro wollte ein paar Ziegen, Karnickel und vor allen Dingen ein Fohlen halten. Branko träumte von seiner Geige und Zora wollte dem Alten kochen und fischen helfen.

»Ich weiß nur nicht«, sagte da auf einmal Nicola und in seinem Gesicht erschien wieder ein spitzbübisches Lächeln, »warum Vater Gorian von uns verlangt, dass wir keine Uskoken mehr sein dürfen. Ich kann doch ein guter Matrose und zugleich ein guter Uskoke sein.«

»Ja«, meinte auch Duro, »und ich kann ein guter Bauer werden und doch ein guter Uskoke bleiben.«

Pavle brummte. »Curcin wird es sicher auch gleich sein, ob ich seinen Teig als Pavle oder als Uskoke knete.«

»Ich glaube auch«, lachte Branko, »es ist einerlei, ob der neue Branko oder der alte das Geigen lernt.«

Zora jauchzte: »Natürlich, Nicola hat Recht und Gorians Haus wird unsere Uskokenburg, und wenn Nicola von seiner ersten Reise kommt, feiern wir ein großes Fest.«

»Ich bringe jedem etwas mit«, sagte Nicola bestimmt.

»Ich kann sicher auch jede Woche einmal mit meinem Bauer nach Senj kommen und euch besuchen«, meinte Duro.

»Und ich bringe euch sowieso jede Woche zwei- oder dreimal das Brot«, nickte Pavle.

Zora sah den alten Gorian an.

»Sagt, wie ist das?«

Der alte Gorian kratzte sich, strich sich über das Gesicht und schmunzelte: »Ihr Racker. Natürlich können gute Handwerker, Bauern und Fischer auch gute Uskoken sein. Natürlich könnt ihr aus meinem alten Haus und meinem Stall eine neue Burg Nehajgrad machen, es ist ja nun schon seit beinahe drei Wochen eine Uskokenburg. Ihr könnt euch gern und gut auch weiter Uskoken nennen. Die alten Uskoken haben sich sicher noch viele, viele Jahre, nachdem sie schon längst über das ganze Land zogen und Jäger, Fischer, Bauern, Stadtschreiber, Handwerker oder Taugenichtse geworden waren, Uskoken genannt, vielleicht noch ihre Kinder und Kindeskinder, und dann hat man ihre alten Erzählungen gesammelt, hat Lieder von ihnen gesungen, bis sie in euch wieder auferstanden sind. Aber«, er dämpfte seine Stimme, »wir wollen das für uns behalten. Es soll unser Geheimnis bleiben, dass trotz des bürgermeisterlichen und magistratlichen Verbotes die Uskoken nicht gestorben sind, sondern weiterleben. Niemand darf es wissen, außer mir und euch kein Mensch.« »Auch Zlata nicht«, sagte Zora und blickte Branko an.

»Nein, auch Zlata nicht«, sagte der alte Gorian, »aber sag nicht zu viel Böses über das Mädchen.«

»Sie hat Branko verraten!«, begehrte Zora auf.

Vater Gorian sah sie an. »Ich weiß es, aber wenn ihr heute nicht ins Gefängnis kommt und in Freiheit bleibt, so habt ihr das Zlata zu verdanken.«

»Wieso?«, fragten Zora und Branko zur gleichen Zeit.

»Vom Magistrat waren sechs für eure Freilassung und sechs dagegen. Der Bürgermeister hatte die letzte und wichtigste Stimme, da hat ihn Zlata gebeten nicht gegen euch zu stimmen.«

Die Kinder blickten sich an.

»Sie lässt dir übrigens sagen«, fuhr der Alte zu Branko fort, »sie bereue, was sie gestern im ersten Zorn getan habe. Du möchtest ihr nicht böse sein. Du sollst dir weiter Mühe geben ein guter Geiger zu werden wie dein Vater und sie lässt dir noch Lebewohl wünschen.«

»Geht sie fort?«, fragte Branko mehr erstaunt als erschrocken.

»Nach Italien. Sie will Sängerin werden.«

Zora, der schon wieder eine zornige Falte auf der Stirn saß, atmete auf. Branko aber nahm seine Mundharmonika aus der Tasche. Erst blies er ein paar leise, wehmütige Töne hinein, als nähme er von Zlata Abschied, dann wurden die Töne laut und hell und zuletzt spielte er das Uskokenlied. Die Kinder fielen jauchzend ein:

»Oh, das Meer ist so schön.
Oh, das Meer ist so blau.
Uskoken, seid immer bereit.
Wenn ein Windstoß sich regt,
wenn die Ebbe vergeht
und ein Aar hoch über uns schreit.
Dann zu Schiff, dann zu Schiff
und die Segel gerafft
und wir stoßen voll Freude von Land.
Kommt ein Türke daher,
schickt Venezia ein Schiff,
wir nehmen das Schwert in die Hand.«

Es war inzwischen dunkel geworden. Auch das Meer wurde dunkel und schwarz, nur ein paar kleine, weiße Schaumkronen leuchteten noch über dem Wasser. Einen Augenblick später stieg groß und rund der Mond über der Burg Nehajgrad auf.

»Seht«, sagte der Alte, »der kommt auch immer wieder.«

»Wie wir«, meinte Branko.

»Ja«, rief Zora. »Die Uskoken sind tot. Es leben die Uskoken!«

Materialien

I Mädchenpower

1 Das Trainingslager für mehr Selbstbewusstsein – in fünf goldenen Regeln

Die amerikanische Sprachwissenschaftlerin Deborah Tannen hat in ihrem Bestseller „Du kannst mich einfach nicht verstehen" darüber geschrieben, wie unterschiedlich Männer und Frauen mit Sprache umgehen und wie unterschiedlich sie sich im Gespräch verhalten. Typisch für weibliches Redeverhalten ist zum Beispiel, dass Frauen auch im Gespräch viel weniger energisch auftreten als Männer. Männer fallen anderen ins Wort, um es selbst zu ergreifen, Frauen dagegen lassen andere ausreden, hören zu. Deborah Tannen beschreibt eine Untersuchung über das Redeverhalten von Männern und Frauen in gemischten Gruppen. Das Ergebnis: Die Redebeiträge der Frauen waren drei bis zehn Sekunden lang, die der Männer elf bis siebzehn Sekunden. Die längsten Wortbeiträge der Frauen waren kürzer als die kürzesten der Männer. Männer reagieren sich auch viel mehr durch Sprache ab, indem sie fluchen und schimpfen. Frauen hüten sich oft zu schimpfen, aus Angst, dann als „zickig" oder „unweiblich" abgestempelt zu werden. Männer äußern Ansprüche, Frauen Vorschläge – und das fängt oft schon in der Kindheit an. Ein Junge sagt: „Ich will ins Schwimmbad gehen", ein Mädchen fragt: „Wollen wir ins Schwimmbad gehen?"

Mädchen halten viel zu oft den Mund. Sie sagen nichts, wenn sie sich über etwas ärgern – um des lieben Friedens willen. Sie sagen nichts, wenn sie sich etwas wünschen – weil sie glauben, keinen Anspruch darauf zu haben. Sie lassen sich in Diskussionen unterbuttern – weil sie denken, vielleicht hat der andere ja doch Recht. Deshalb gilt ab sofort als Regel Nummer eins: *Mach den Mund auf!* Sag deine Meinung. Freundlich, aber bestimmt.

Mädchen haben leider die fatale Angewohnheit, sich viel zu sehr nach der Meinung anderer Menschen zu richten. Man nennt diese

lästige Eigenschaft „Harmoniesucht". Menschen, die harmonie-
süchtig sind, können Streit nicht ertragen und möchten von allen
gemocht werden. Sie sind oft zu schnell bereit, eigene Interessen
zu opfern, nur um die Harmonie zu erhalten. Mit diesem Verhalten
tragen Mädchen dazu bei, dass andere (meistens Männer) ihre In- 5
teressen durchsetzen.

„Ich versuche immer, mich mit allen gut zu verstehen." Dieser Satz
der 17-jährigen Anna ist typisch für viele Mädchen. Sie möchten
nicht, dass andere schlecht über sie reden, sie möchten keinen
Streit. Also sind sie zu allen nett, haben für alle Verständnis. Man- 10
che gewöhnen sich so sehr daran, immer den Erwartungen anderer zu entsprechen, dass sie sich irgendwann selbst verlieren. Sie
können gar nicht mehr sagen, was sie wirklich wollen. Zugunsten
der Harmonie verzichten sie auf ihre Unabhängigkeit und Selbstbe-
stimmung. Sie versuchen erst gar nicht, eigene Interessen durchzu- 15
setzen, aus Angst, sich dadurch unbeliebt zu machen. Regel Nummer zwei für mehr Selbstbewusstsein und Durchsetzungsvermö-
gen heißt deshalb: *Du musst nicht von jedem gemocht werden.*
Wenn du etwas erreichen willst, dann setz dich dafür ein, ohne zu
viel darüber nachzudenken, was andere davon halten könnten. 20

„Warum nette Mädchen niemals glücklich werden können" – so
heißt ein Song der Berliner Mädchenband „Lassie Singers". Viele
Mädchen haben ein großes Problem: Sie sind einfach zu nett. Ja, du
hast richtig gelesen. Klar, eigentlich ist es eine feine Sache, wenn
man immer nett, freundlich und hilfsbereit ist. Diese wunderbaren 25
Eigenschaften kommen aber noch viel besser zur Geltung, wenn
man ab und zu auch mal nicht nett ist. Wenn man zum Beispiel
einen Gefallen, um den man gebeten wird, einfach abschlägt. Frei
nach Regel Nummer drei: *Sag doch einfach mal NEIN!* Und zwar
am besten dann, wenn du eh das dumme Gefühl hast, ausgenutzt 30
zu werden. Also zum Beispiel, wenn deine Banknachbarin dich mit
schöner Regelmäßigkeit fragt, ob sie bei Klausuren bei dir abschrei-
ben kann. Oder wenn du schon wieder für deine ältere Schwester

den Babysitter spielen sollst, obwohl du eigentlich ins Kino gehen wolltest. Das sind wunderbare Gelegenheiten, das Nein-sagen zu üben. Wichtig ist: Wenn du einmal Nein gesagt hast, solltest du auch dabei bleiben. Sonst könntest du unglaubwürdig wirken. Also überlege dir vorher, welche Geschütze deine Banknachbarin, Schwester etc. wohl auffahren wird, um dich umzustimmen. Wappne dich gegen vorwurfsvolle Blicke, Tränen, großes Gezeter, beleidigtes Schweigen und andere Erpressungsversuche. Du wirst sehen: So ein Nein kann eine herrlich erfrischende Wirkung haben. Nein-sagen-Können ist ein Zeichen von Selbstbewusstsein.

Wir wollen dir an dieser Stelle nicht einreden, dass du über magische Kräfte verfügst. Nicht ganz, jedenfalls. Es ist nämlich so: Wenn du etwas unbedingt willst und du glaubst ganz fest daran, dass du es auch bekommen wirst, und du bist bereit (fast) alles dafür zu tun – dann sind deine Chancen ziemlich gut, dass es tatsächlich klappt. Das Einzige, was dann noch dazwischenkommen kann, ist nämlich höhere Gewalt. Ein Beispiel: Carla und Susanne haben beide für eine Mathe-Schulaufgabe gleich viel gelernt. Carla ist stolz, dass sie so gut vorbereitet ist, und sicher, dass sie mindestens eine 2+ schreiben wird. Susanne dagegen glaubt, dass sie immer noch nicht genug getan hat, und ist sehr nervös vor der Schulaufgabe. Als es so weit ist, löst Carla ruhig und gelassen alle Aufgaben, während Susanne wahnsinnige Schwierigkeiten hat, sich zu konzentrieren. Sie fängt jede Aufgabe an und gibt wieder auf, weil sie sicher ist, die Lösung nicht zu finden. Was passiert? Carla schreibt eine 1, Susanne eine 4. Die Engländer nennen dieses Phänomen eine „self-fulfilling prophecy", eine Prophezeiung, die sich selbst erfüllt. Das bedeutet: Indem du fest an einen bestimmten Ausgang glaubst, tust du unbewusst alles, um diesen Ausgang auch herbeizuführen. Wenn man dieses Phänomen erst einmal kennt, kann man es für sich nutzen. Womit wir bei Regel Nummer vier wären: *Glaub ganz fest an dich!* Je mehr du von deinen eigenen Fähigkeiten überzeugt bist, desto besser kannst du auch andere davon überzeugen.

Mädchen werden leider immer noch häufig zu passivem Verhalten erzogen. Gerade besonders wohlmeinende Eltern wollen ihre Töchter vor negativen Erfahrungen bewahren und behüten sie zu sehr. Den Mädchen wird so die Möglichkeit genommen, selbst zu lernen, wie man mit Schwierigkeiten fertig werden kann. Sie werden später in schwierigen Situationen hilflos und passiv dastehen und warten, dass etwas passiert. Wer es zu Hause nicht gelernt hat, der muss es sich später mühsam selbst aneignen: *Nimm dein Leben selbst in die Hand*, heißt Regel Nummer fünf. Erwarte nicht, dass Dinge, die du dir wünschst, von selbst passieren. Besser ist, du tust etwas dafür. Ein Beispiel: Du möchtest gerne einen bestimmten Jungen kennen lernen. Er wohnt bei dir um die Ecke, aber leider habt ihr keine gemeinsamen Bekannten, die ein Treffen einfädeln könnten. Nun gibt es zwei Möglichkeiten: Entweder du wartest geduldig, bis der Junge dich anspricht. Das kann allerdings tausend Jahre dauern. Oder du sprichst ihn an. Das kannst du schon morgen tun. Und du kannst dabei nur gewinnen. Denn entweder wird es nett, dann ist sowieso alles gut. Oder es geht daneben, aber dann kannst du dir den Typ wenigstens aus dem Kopf schlagen und dich anderen zuwenden, die dich eher verdient haben.

2 Eine Gebrauchsanweisung?

Diese Seite ist weder für noch gegen Jungen.
Sie ist aber gegen die Verbindung: Richtige Kerle müssen immer im Mittelpunkt stehen.

Warum Mädchen froh sind, Mädchen zu sein:
➤ Als Mädchen kann man sich besser äußern, wenn man Probleme hat.
➤ Mädchen gehen sich nicht wegen jeder Kleinigkeit gleich an die Kehle, sondern wehren sich mit Worten.

Wann Mädchen nicht gefällt, Mädchen zu sein:
➤ Wenn Mädchen im Gegensatz zu Jungen als schwach dargestellt werden.
➤ Wenn Mädchen sich der Gesellschaft gegenüber anders verhalten oder anziehen, bezeichnet man sie als Schlampen.

Was tue ich bei einem Sprücheklopfer, der meine Laune verdirbt?
Einige Jungen wollen ihre Stärke auch dadurch beweisen, dass sie häufig anzügliche oder beleidigende Sprüche machen. Dann kann frau zwar mit Worten „zurückschlagen", aber nicht jede ist so schlagfertig. Man kann auch:
– mit kleinen Gesten antworten (der Angreifer läuft damit eher in das Leere)
– das Thema wechseln
– Kurz-Kommentare: „Soso, sag bloß, und was ist mit dir?"
– die Aussage aufschreiben (wer weiß schon, was du damit machst)

Dein Motto muss sichtbar lauten:
Meine Stimmung mache ich nicht abhängig von den Launen anderer.

http://www.people.freenet.de (13.10.2003)

II Jugendbanden

1 „Ich nix Verbrecher"

Rumänische Jungen und Mädchen werden von skrupellosen Kriminellen zum Stehlen in deutsche Großstädte geprügelt. Mehr als 50 solcher „Klaukinder" sind derzeit in Hamburg unterwegs. Jetzt sollen sie in ihre Heimat abgeschoben werden.

VON BRUNO SCHREP

Manchmal gibt Edi seinen Kumpels eine kleine Vorstellung. Er läuft im Kreis und tritt mit dem rechten Fuß ständig in die Luft. „So trat mich mein Vater, wenn er betrunken war", ruft er dazu. „Wie einen Fußball." Alle lachen, Edi lacht am lautesten. Es ist kein fröhliches Lachen.

Elf Jahre ist Edi alt, vielleicht auch zwölf. So genau weiß er das nicht. „New York 82" steht auf seinem ärmellosen Shirt, in seinem rechten Ohr klemmt ein kleiner Ring. Seine Augen wandern unstet und misstrauisch hin und her. Er schwitzt.

Der Junge mit den strähnigen blonden Haaren muss sich wie unter Zwang ständig bewegen: Treppen hoch- und runterrennen, sich auf dem Boden wälzen, zappeln. Still zu sitzen ist für ihn eine Qual, die er höchstens ein paar Minuten aushält, zitternd.

Edi stammt aus Rumänien, aus dem Elendsquartier einer Stadt namens Foczani. Seit mehr als einem Jahr treibt er sich in Hamburg herum. Mal wie ein Köter auf den Straßen von St. Pauli, mal versteckt in irgendeiner Hinterhauswohnung, mal in einem Heim.

Die Erwachsenen, mit denen er in seinem Leben zu tun hatte, haben ihm nichts Nützliches beigebracht. Nicht, wie man sich wäscht, nicht, wie man sich die Zähne putzt, nicht, wie man richtig liest oder schreibt. Gelernt hat Edi nur eines: zu klauen.

Als er sieben Jahre alt war, hat ihn sein Vater gezwungen, für ihn Schnaps zu stehlen. Wenn Edi sich erwischen ließ, hagelte es Hiebe und Tritte, gab es kein Essen. Der Kleine übte immer wieder, sich zu tarnen, blitzschnell zuzugreifen, unauffällig zu verschwinden. So lange, bis er es konnte.

Prompt verkaufte der Vater seinen Sohn für 300 Euro an Kriminelle, an Mitglieder einer Diebesbande. Die brachten ihn mit dem Auto nach Hamburg, ganz legal. Seit in Europa die Grenzen offen sind, seit es keine Visapflicht mehr gibt, können Kinder wie Edi in Begleitung Erwachsener ohne Probleme als Touristen einreisen, wenn sie einen gültigen Pass haben.

Kaum über der Grenze, nahmen die Männer Edi den Pass ab. Er war ihnen völlig ausgeliefert: sprach kein Wort Deutsch, die riesige Stadt irritierte ihn, er kannte niemanden, dem er sich anvertrauen konnte. Brav lernte er weitere Klautricks, die ihm die Erwachsenen beibrachten.

Über sie bekam er auch Kontakt zu Gleichaltrigen. Rumänische Kinder wie er, die aus einem einzigen Grund eingeschleppt worden sind: um für ihre Auftraggeber zu stehlen.

„Klaukinder" nennt die Polizei Minderjährige wie Edi. Mehr als 50 solcher Jungen und Mädchen aus Rumänien leben seit Anfang des Jahres allein im Großraum Hamburg, ohne Eltern, vernachlässigt, ausgebeutet. Ähnliches ist zuvor aus Köln und Berlin gemeldet worden. Und wie dort sind auch in Hamburg heftige Diskussionen entbrannt, wie auf die Herausforderung reagiert werden soll.

Alle rausschmeißen, ruck, zuck, fordern beklaute Geschäftsleute und die Polizei. Jeden Einzelfall prüfen, notfalls Aufenthaltsgenehmigungen erteilen, fordern Jugendschützer. Die Kinder kriegen davon nichts mit.

Die Mädchen, spezialisiert auf Taschendiebstahl, sind in der Minderheit. Die Jungs, getrimmt zu Ladendieben, stecken mitten in der Pubertät. Manche sind unter 14, andere aber auch 15, 16 oder 17. Vor der Polizei machen sich die Älteren grundsätzlich jünger. Sie wissen, dass Kinder unter 14 in Deutschland nicht bestraft werden können.

Elend sind fast alle gewöhnt. Viele haben schon in der Heimat auf der Straße vegetiert, sind aus Heimen geflohen oder stammen aus zerbrochenen Familien.

Hierher verschlagen hat sie das enorme Gefälle innerhalb Europas, die Kluft zwischen armen und reichen Ländern. [...]

Die Auftraggeber, im Sprachgebrauch der Kinder „Patrone", reagieren auf vermeintliches Versagen häufig mit Gewalt. Wenn die Jugendlichen abends ins Heim zurückkehren, entdecken die Betreuer nicht selten Spuren schwerer Misshandlungen. Auf Fragen antworten sie jedoch nur ausweichend.

Auszupacken getraut haben sich bislang nur ein 13-jähriges und ein 14-jähriges Mädchen. Die jungen Ladendiebinnen schilderten gegenüber Beamten des Hamburger Landeskriminalamts, wie sie gequält wurden.

Die 13-Jährige: „Wenn ich nicht mindestens 70 Schachteln Zigaretten täglich besorgte, schlugen sie mir mit einem Rohrstock auf die Handinnenflächen und die Fußsohlen, kündigten an, mich in ein Bordell zu stecken." Die 14-Jährige: „Weil mich die Polizei erwischt hatte, schlug mir einer mit der Faust in den Magen und in die Leber. Derselbe Typ drohte mir, wenn ich weglaufen würde, würde er mich überall finden, auch in Rumänien. Er würde mich dann benutzen und anschließend töten." [...]

Wie schwer es ist auszusteigen, dem Kreislauf von Stehlen, Hehlen und Gewalt zu entkommen, zeigte das Beispiel von Ionut. Der 16-Jährige wirkte auf die Betreuer der Berner Jugendunterkunft wie ein alter Mann: verbittert, ausgebrannt, ohne Illusionen.

Aufgewachsen in einem der berüchtigten rumänischen Waisenhäuser und später auf der Straße, schloss er sich noch in Rumänien einer Bande an, folgte den Männern in der Hoffnung auf eine bessere Zukunft nach Hamburg.

Dass er hier über ein Jahr lang zum Klauen geschickt wurde, fand er nicht schlimm. Aber dass ihn einer der Anführer offenbar sexuell missbraucht hat, konnte er nicht verwinden. Wenn er nur daran dachte, und das geschah oft, schnitt er sich im Heim vor Scham mit einem Messer in beide Arme, immer wieder.

Um nicht auch noch in den Knast zu kommen, sagte er sich von der Bande los, schwänzte alle Verabredungen. Hintergrund: Ein Jugendrichter hatte ihn wegen Diebstahls zu einer Bewährungsstrafe verurteilt, schon bei der nächsten Straftat drohte Haft.

Prompt versuchten Bandenmitglieder, den Abtrünnigen mit Gewalt zurückzuholen. Sie lauerten ihm in der U-Bahn auf, schlugen ihm mit einer Eisenstange auf die Knie. Sie drohten, ihn umzubringen. Erst seit er nur noch in Begleitung von Betreuern die Jugendunterkunft verließ, wurde er nicht mehr verfolgt.

Ionut wollte ganz neu anfangen, begann sogar die Schule zu besuchen. Er träumte von der Chance, in Hamburg einen Beruf zu erlernen, irgendwann einmal legales Geld zu verdienen – ein kurzer Traum.

Ionut wurde kürzlich mitten in der Nacht aus der Jugendunterkunft geholt und in ein Flugzeug nach Bukarest gesetzt. Zwei Mitarbeiter des Ausländeramts begleiteten ihn zu seiner neuen Bleibe: einem Jugendheim, das mit deutschem Geld finanziert wird.

Zurück in die Heimat sollen auch die anderen Klaukinder. Sobald sichergestellt ist, dass auch sie dort in Heimen aufgenommen werden, sollen sie nach Plänen Hamburger Behörden nach Rumänien abgeschoben werden. Je schneller, desto besser.

Vermutlich werde er dort bald wieder auf der Straße leben wie früher, ahnte Ionut, der 16-Jährige mit dem verbitterten Gesicht, vor seiner unfreiwilligen Abreise. „Ein Leben ist das nicht."

Der Spiegel 41/2003

2   Zwischen Gewalt und der Sehnsucht nach Gerechtigkeit

Seit Mitte der 80er Jahre breiten sich gut organisierte und oft
gewalttätige Jugendbanden in Mittelamerika stark aus. In El
Salvador beginnt diese Entwicklung erst nach 1992, dafür aber
in umso gewalttätigeren Formen.
Sind die maras – so werden die Jugendbanden in El Salvador genannt – ein Kind des Friedensschlusses von 1992?

Von Thomas Krämer und
Manfred Liebel

Ende der 90er Jahre gehörten den maras in El Salvador 20.000 bis
30.000 Jugendliche an. Dominiert werden die maras von ausge-
wiesenen Salvadoreos aus den USA-illegale Auswandererinnen
oder Kriegsflüchtlinge aus El Salvador, die sich in den Ghettos
von Los Angeles zu Latino-Jugendbanden zusammenschlossen
und dort das Heft fest in der Hand hatten. Fast zeitgleich mit
dem Friedensvertrag wurden in den USA 1992 die Migrationsge-
setze verschärft und in den folgenden Jahren Tausende von Jugendlichen, die sich in Gangs organisiert hatten oder auf andere
Weise mit den Gesetzen in Konflikt geraten waren, nach El Salvador abgeschoben.

„Die aus den USA abgeschobenen Bandenmitglieder haben hier
ganz schnell ihre Vorstellung von Straßenbande durchgesetzt,
der Art ihres Auftretens, ihrer Kleidung, ihren Symbolen, vor
allem aber in der Dynamik der gewalttätigen Auseinandersetzungen zwischen verschiedenen Gangs", stellt der Soziologe Mi-
guel Cruz von der Jesuitenuniversität UCA in San Salvador fest.

Abgeschobene aus den USA geben Ton an
Die maras, in denen Jugendliche aus den USA den Ton ange-
ben, zeichnen sich dadurch aus, dass sie besonders groß und
straff organisiert sind und mit Schusswaffen agieren. Die beiden bekanntesten unter ihnen sind die Mara Salvatrucha (MS)

und die Mara Dieciocho (M18). Ihre aktivsten Mitglieder gehörten zuvor gleichnamigen Gangs in Los Angeles an, in denen sich ausschließlich Latino-Jugendliche, die so genannten chicanos, zusammengeschlossen hatten. In El Salvador umfassen sie jeweils einige tausend Mitglieder, und ihr Handlungsfeld ist nicht mehr auf einzelne Stadtviertel, die barrios, begrenzt. Sie unterhalten Verbindungen zu teils gleichnamigen maras in Honduras und Guatemala, in denen sich ebenfalls Jugendliche zusammengefunden haben, die aus den USA abgeschoben worden waren.

Junge, ehemalige Kämpfer und Soldaten

Doch in den neuen maras nach 1992 fanden sich nicht nur Zwangsrückkehrerinnen und Jugendliche aus den Stadtteilen zusammen, sondern auch viele demobilisierte ehemalige Guerrillakämpfer und Soldaten, die sich in ihren Hoffnungen auf ein besseres Leben und soziale Anerkennung enttäuscht sahen. Cheno, ein 24-jähriger marero kommentiert: „Als der Krieg zu Ende war, gab es für uns keine kostenlosen Schulen, keine Werkstätten, keine Möglichkeit, weiterzukommen. Dann kam die Kultur der Gringos, die wir kopiert haben."

Bei der Suche nach den Ursachen für den großen Zulauf der maras stoßen Untersuchungen immer wieder auf die verbreitete Perspektivlosigkeit. Für die Jugendlichen scheint es selbst unter gewalttätigen Bedingungen und unter großen Gefahren besser zu sein, angenommen und wertgeschätzt zu werden, als ein Nichts zu sein.

„Mit Gewalt entstand Respekt. Vorher respektierte mich keiner, weil ich arm war. Aber ich verschaffte mir Respekt, und es ist sehr wichtig, Respekt zu erlangen," begründet ein marero seine Mitgliedschaft.

Physische Gewalt bis hin zu bewaffneten Auseinandersetzungen spielen in den maras heute eine zentrale Rolle. Aber obwohl viele mareros gesetzwidrige Handlungen begehen und sich nicht um

Gesetze scheren, griffe es zu kurz, sie nur als Teil einer kriminellen Subkultur zu verorten. Sie sind eher zu verstehen als eine Variante der Überlebenskultur der Armen und Ausgegrenzten und ein Reflex der in den Gesellschaften Lateinamerikas allseits praktizierten und sich weiter ausbreitenden Gewalt. Die Gewalt der maras ist nicht einfach eine Folge der Armut, sondern geht eher auf die wachsende soziale Ungleichheit zurück, die vielen Menschen das Gefühl vermittelt, ungerecht und menschenunwürdig behandelt zu werden, und deshalb Wut und Verzweiflung erzeugt.

Alltägliche Gewalt
Gewalt und Ungerechtigkeit erleben die Jugendlichen Tag für Tag, auf der Straße, in der Schule, bei der Arbeitssuche, im Umgang mit den staatlichen Autoritäten. Die Arbeitssuche kommt für sie einem Spießrutenlauf gleich und wenn sie ausnahmsweise mal eine bezahlte Arbeit finden, werden sie wie eine Zitrone ausgepresst und müssen sich mit einem Hungerlohn begnügen, der nicht annähernd für die Befriedigung ihrer Lebensbedürfnisse ausreicht. Allein aufgrund von Tätowierungen und ungewöhnlicher Kleidung oder auch nur aufgrund ihres Wohnortes werden sie von staatlichen Autoritäten und selbst ernannten Saubermännern ("Todesschwadronen" und anderen paramilitärischen Gruppen) als potentielle oder tatsächliche Kriminelle betrachtet, schikaniert, bedroht und häufig sogar umgebracht. Bei geringsten Anlässen werden sie von der Polizei eingesperrt und misshandelt. Mädchen nicht selten auch vergewaltigt.

Wenn die Jugendlichen sich in einer mara zusammenschließen, sind sie meist davon überzeugt, dass sie in einer ungerechten Welt leben und dass ihnen Unrecht widerfahren ist. Sie verstehen ihre mara und das, was sie treibt, als eine Art Rache an dieser Welt, die sie verletzt. Aber sie sind nicht politisch radikal in dem Sinne, dass sie die als feindselig und ungerecht empfundene Gesellschaft ändern wollen. Sie verteidigen in erster Linie sich selbst und wollen sich den Teil des Kuchens sichern, der ihnen zusteht – und sei es mit Gewalt.

Unter anderen politisch-gesellschaftlichen Umständen hätten viele Jugendliche, die sich in maras zusammenfinden, vermutlich andere weniger destruktive und gewalttätige Ausdrucksformen gefunden. Oder sie hätten sich sozialen Bewegungen angeschlossen, die auf eine Veränderung der Lebensumstände zielen. Aber gegenwärtig ist nicht die Zeit für soziale Bewegungen, und politische Alternativen existieren kaum.

http://www.ci-romero.de (13.10.2003)

III Kurt Held und seine Figuren

1 Der Autor

Kurt Held wurde am 4. November 1897 in Jena geboren. Er hat als Schiffer und Bergmann gearbeitet sowie als Redakteur, Wanderbuchhändler und Verleger. Kurt Held ist sein Pseudonym, unter seinem richtigen Namen Kurt Kläber veröffentlichte er zwischen 1918 und 1933 zahlreiche Werke. Als linksorientierter Schriftsteller musste er 1933 aus Deutschland fliehen. Er ging zusammen mit seiner Frau Lisa Tetzner in die Schweiz, wo er am 9. Dezember 1959 starb. „Die rote Zora" entstand 1941.

2 Die Entstehungsgeschichte

Kurt Kläber hatte mehrere Reisen nach Jugoslawien unternommen, unter anderem, um gemeinsam mit seiner Frau Honorare für jugoslawische Lizenzausgaben ihrer Bücher „abzuholen."
[…]
Die Reise nach Jugoslawien führte das Ehepaar auch nach Senj an der kroatischen Küste. Dabei erregte eine Kinderbande unter Führung eines rothaarigen Mädchens die Aufmerksamkeit Kläbers: Der Kontakt zu den verwaisten Kindern soll so intensiv geworden sein, dass Kläber sie am liebsten aufgenommen hätte – was ihm wegen der eigenen Lebensumstände unmöglich war. In seinem Kopf jedoch nahm er Zora und ihren Freund Branko mit in die Schweiz und machte sie zu den Helden seines nächsten Buchs: „Die rote Zora und ihre Bande."
Das Buch wurde in wenigen Monaten geschrieben. Lisa Tetzner hatte es zwei Monate zuvor ihrem Verleger angekündigt:

„Sehr geehrter Herr Sauerländer,
ich lege noch einen zweiten, mehr privaten Brief bei, da ich noch über eine andere Angelegenheit mit Ihnen sprechen möchte. Mein Mann hat ein sehr reizvolles und gut gelungenes Jugendbuch fertig, an dem ich so völlig unbeteiligt bin, dass ich es keinesfalls unter meinem Namen nehmen kann und will. Es ist wiederum sehr umfangreich, circa 500 Manuskriptseiten. Der Spielplatz ist die Adria, Jugoslawien, Kroatien. Zeitdauer drei Wochen. Erster Mittelpunkt: eine Bande elternloser, verwahrloster, verstrolchter Kinder. Zweiter Mittelpunkt: ein Mädchen. Titel, wahrscheinlich: ‚Die Rote Zora und ihre Bande'. Vorerst heißt es ‚Die Uskoken'. Das sind ehemalige Seeräuber der Republik Zengg, des jetzigen Senj, zur Zeit Venezias, die diese Kinder wieder zum Leben erwecken wollen. Im Mittelpunkt steht der Thunfischfang, das Leben der Fischer, die Kinder beunruhigen mit ihren lustigen, zum Teil kühnen Streichen drei Wochen lang die kleine Provinz. Ein wenig taucht das Robin-Hood-Motiv darin auf. Sie erklären sich solidarisch mit den Armen und nehmen den Reichen weg, um

den Armen zu geben. Bis sie im Verlauf der Handlung, und durch das
Eingreifen verständiger Erwachsener, die Begriffe von Gut und Böse,
Diebstahl, Besitz und Eigentum kennen lernen, unmerklich in einen
Arbeitsprozess eingegliedert werden, darin sich beglückt fühlen und
die Uskoken nur noch in ihrem Tapferkeits- und Ritterlichkeitsprin- 5
zip weiterleben dürfen. Das Ganze ist sehr, sehr farbig, lebendig, gar
nicht ,gruselig' oder ,brutal'. Ich habe es soeben mit größtem Vergnü-
gen gelesen und verspreche mir einen großen Erfolg – auch früher
oder später filmisch – davon. Mein Mann vertritt ja die These: zurück
zu den erlebnisreichen langen episch breiten Jugendbüchern, weg 10
von der leichten, fixen Kästner-Art. Also Stil Mark Twain, Dickens, Le-
derstrumpf und so weiter. Es ist ein Buch für Zwölf- bis Sechzehnjähri-
ge und weiter hinauf. In circa vierzehn Tagen ist es verlagsfertig.
Für uns liegt nun sehr viel dran, dass es möglichst bald auch ökono-
misch verwertbar wird. Zumal mein Mann bereits sein neues Jugend- 15
buch ,Wer will unter die Soldaten' skizziert. Außerdem möchten wir
auch versuchen, dem Buch früher oder später wieder den Absatz nach
Deutschland zu eröffnen. Ich bin auch aus diesem Grund für einen
,neuen', und gänzlich neutralen Namen ..."

So also wurde das Pseudonym Kurt Held geboren, das auf den 20
Namen schweizerischer Vorfahren Tetzners zurückgehen soll.

3 Der Räuberroman

Der Räuberroman ist ein Romantypus, in dessen Zentrum die Figur des Räubers steht. Im Gegensatz zu den Verbrechern des Kriminal- oder des Detektivromans ist der Räuber ein zwar außerhalb der geltenden Gesetze stehender Außenseiter, aber er tritt vornehm- lich als Befreier und Beschützer der Armen, Unterdrückten und Rechtlosen auf. Seine Untaten begeht er zumeist nur gegen die Reichen und die Unterdrücker. Der Räuberroman erzählt auf an- schauliche, unterhaltsame und oft spannende Weise von Protest, Freiheitsstreben und Aufbegehren.

Viele berühmte Schriftsteller und Dichter haben in ihren Werken Räuberfiguren zum Gegenstand ihrer Darstellung gewählt – ange- fangen bei Schillers „Die Räuber" (1781) über die Robin-Hood-Ge- schichten Walter Scotts (1819) und Heinrich von Kleists „Michael Kohlhaas" (1810) bis zu Carl Zuckmayers „Schinderhannes" (1927). Auch in vielen anderen Kunstwerken, so etwa in Märchen oder in Filmen, begegnen wir immer wieder Räubern, so dass Kurt Held beim Schreiben der „roten Zora" davon ausgehen konnte, dass seine jungen Leserinnen und Leser sich das Räuberleben der Us- koken-Bande gut würden vorstellen können. Mit der roten Zora hat Held innerhalb des großen Bereichs der Räuberliteratur etwas ganz Besonderes geschaffen: keinen Helden, sondern eine Hel- din.

IV In Szene setzen ...

1 Die Fernsehserie. 13 Folgen à 30 Minuten

Die rote Zora und ihre Bande YV/D/CH 1978,
Deutsche Erstausstrahlung: 01. 01. 1980
Lidija Kovacevic als Zora

Branko	Nedeljko Vukasovic
Duro	Boris Ninkow
Nicola	Andjelko Kos
Pavle	Esad Krcic
Gorian	Felbar Dragomir

1. Branko kommt ins Gefängnis

Branko, ein Junge aus der kleinen jugoslawischen Stadt Senj, weiß
nach dem Tode seiner Mutter nicht wohin. Niemand will ihn haben.
Und niemand weiß, wo sich sein Vater, der als Musikant durch die
Lande zieht, gerade aufhält. Die Nachbarn sammeln Geld für den 5
Sarg der Mutter. Nach dem armseligen Begräbnis schicken sie
Branko zu seiner Großmutter, die außerhalb der Stadt in einer
Hütte haust und sich kümmerlich von ihren Hexenkünsten ernährt.
Auch die Großmutter will nicht für Branko sorgen. Sie schickt ihn
fort und prophezeit ihm, dass er auch das Stehlen lernen wird, die 10
Hungrigen stehlen alle. Mit knurrendem Magen steht Branko wie-
der auf der Straße, fest entschlossen, sich sein Frühstück auf ehrliche Weise zu beschaffen. Er geht auf den Marktplatz und streift
zwischen den vollen Ständen umher. Die Versuchung, etwas zu
klauen, wächst ... 15

2. Die Mutprobe

Branko, vom reichen Bauern Karaman als Dieb beschuldigt, sitzt
im Gefängnis. Die Polizisten Begovic und Dordevic glauben dem
Jungen zwar, dass er nicht gestohlen hat, doch sie haben zu viel
Angst vor dem reichen Karaman. Dieser hat in der Stadt Senj gro- 20
ßen Einfluss und ist ein Freund des Bürgermeisters. Deshalb wollen sie Branko nicht freilassen. Ganz verzweifelt sitzt Branko in seiner Zelle. Seine Lage ist hoffnungslos. Kein Mensch wird sich für
ihn einsetzen, glaubt er. Seine Angst wächst. Doch plötzlich hört er
ein Geräusch am vergitterten Fenster. Die rote Zora ...! 25

3. Die Burg der Uskoken

Branko hat sich bei einer Mutprobe die Hand verletzt, aber dafür
gehört er jetzt der Bande der roten Zora an und steht nicht mehr
mutterseelenallein auf der Welt. Zu fünft hausen sie in der verlas-
senen Burg, die vor Jahrhunderten von den Uskoken erbaut wor- 30
den ist. Die Uskoken waren ein Volk von Seefahrern und Rittern
und für ihre Tapferkeit berühmt. Sie beherrschten einst die adria-
tische Küste. Die rote Zora und ihre Bande wollen wie die Uskoken

leben. Sie werden sich von niemandem unterkriegen lassen und in Freiheit leben ...

4. Der Fischer Gorian

Wie kann Branko den anderen in der Bande begreiflich machen, dass er dem reichen Bauern Karaman zwei Hühner stehlen muss, damit er dem armen Fischer Gorian ein gestohlenes Huhn zurückgeben kann? Auch der alte Fischer versteht zunächst nicht, warum die Kinder nachts in seinen Hühnerstall eindringen. Eine Tracht Prügel für Branko ist der Anfang einer guten Freundschaft mit Gorian. Der Fischer ist der erste Erwachsene, der begreift, warum die Bande sich herumtreibt und alles klaut, was essbar ist. Branko und die rote Zora verbringen mit Gorian eine Nacht auf dem Meer und helfen ihm beim Fischfang. Als Lohn für die Arbeit gibt der Fischer ihnen einen ganzen Sack voll frischer Fische mit ...

5. Der Kampf mit den Gymnasiasten

Stjepan aus dem Nachbardorf braucht Hilfe: Die Gymnasiasten haben ihm einen Esel geklaut und einen Korb mit Aprikosen, die auf dem Markt verkauft werden sollten. Zora und ihre Bande setzen sich selbstverständlich für Stjepan ein und in Sekundenschnelle entwickelt sich eine wilde Schlägerei. Doch als der Bürgermeister die rote Zora und ihre Freunde verhaften lassen will, sind diese mal wieder schneller als der dicke Gendarm Begovic. Empört über die Ungerechtigkeiten, die ihnen und dem armen Stjepan widerfahren sind, planen die Kinder Rache an jedem einzelnen Gegner. Dabei begehen sie eine große Dummheit ...

6. Flucht in die Berge

Gefangen im eigenen Versteck! Die Polizei weiß, dass die rote Zora und ihre Bande in der alten Uskoken-Burg leben. Nur den geheimen Eingang haben die Gendarmen noch nicht entdeckt. Draußen halten die Gendarmen Wache, drinnen beratschlagen die Kinder, was sie tun sollen. Es gibt nur zwei Möglichkeiten für sie: Flucht oder Verhaftung. Da fällt ihnen ein toller Trick ein, wie sie die

Wachtposten vergraulen können. Es gelingt den Kindern im Morgengrauen zu fliehen. Zunächst einmal wollen sie zu Stjepan, dem Jungen aus dem Nachbarort. Auf dem Weg dorthin fallen sie hungrig in eine Kirschplantage ein. Der Bauer Cirin, der sie von seinen Bäumen herunterholen will, wird erst fuchsteufelswild und dann ganz ängstlich, weil die Kinder ihm eine seltsame Überraschung bereiten ... 5

7. Die Hexe Kata
Der Luchs hat Pavle übel zugerichtet. Es ist ein großes Glück, dass die Bande Unterschlupf beim Bauern Polacék und dessen Frau 10 Mila findet. Während Pavle sich langsam erholt, helfen die anderen den Bauersleuten bei der Feldarbeit. Als Pavle wieder laufen kann, möchten Zora und die Bande so schnell wie möglich zurück nach Senj. Obwohl sie wissen, dass noch immer nach ihnen gesucht wird, wollen sie es riskieren. Sie haben großes Heimweh 15 nach ihrer alten Burg und dem Meer. Aber Pavle schafft den weiten Weg noch nicht. Branko hat einen guten Einfall. Kein Mensch käme auf die Idee, die Bande in Großmutters Stall zu suchen. Dort können sie sich über Nacht verstecken und ausruhen ...

8. Der große Fang
20
Die Bande ist wieder in Senj. Doch wo sollen die Kinder hin? Bei Tag können sie sich nirgendwo blicken lassen, sonst werden sie verhaftet. Der einzige Mensch, der weiterhin zu ihnen hält, ist der Fischer Gorian. Er weiß, wie Pavles krankes Bein behandelt werden muss, und er braucht auch Helfer beim großen Thunfischfang. Die Kinder 25 legen mit ihm Netze aus. Und nun vergehen fünf, sechs Tage mit quälendem Warten. Der Thunfischschwarm bleibt aus. Nur die Fischereigesellschaft hatte schon Fangglück. Sie bietet Gorian und den anderen Fischern einen hohen Preis für den Fangplatz in der Bucht. Verkaufen?
30

9. Brankos erste Liebe

Die Uskoken-Burg wird nicht mehr bewacht. Die Gendarmen sind abgerückt. Die Zora und ihre Bande richten sich wieder in ihrem Versteck ein. Da taucht unverhoffter Besuch für Branko auf: die schöne Zlata, Tochter des Bürgermeisters. Sie mag Branko und er mag sie. Zlata schenkt Branko eine Mundharmonika, daraufhin schenkt er ihr eine wunderschöne Muschel. Der roten Zora und auch den anderen gefällt Brankos Freundschaft mit dem „feinen Fräulein" gar nicht. Denn Branko begibt sich in allerlei Gefahren, um die schöne Zlata wiederzusehen. Und plötzlich hat er auch Geheimnisse vor den anderen …

10. Unverhoffter Reichtum

Die Bande heckt wieder einmal einen Racheplan aus. Weil Gorian keine amtliche Genehmigung bekommt, seine Fische auf dem Markt zu verkaufen, schmuggeln sie einem reichen Fischhändler, der mit der Fischereigesellschaft unter einer Decke steckt, einen Karren voller stinkender, alter Fische an seinen Marktstand. Die Käufer beschweren sich über die verdorbenen Fische. Es kommt zu einem Skandal und einer wilden Schlacht, bei der die Fische nur so fliegen. Der reiche Bauer Karaman kriegt spitz, dass hinter diesem Streich mal wieder die Bande der roten Zora steckt. Er hetzt seinen Hund Leo und die Gendarmen hinter den Kindern her. Doch die rote Zora weiß, wie man mit Leo umgehen muss …

11. Der Kampf mit dem Kraken

Zora und ihre Freunde haben zum ersten Mal in ihrem Leben keine Sorgen. So viel Geld hat noch keins der Kinder je gehabt. Sie träumen von den Dingen, die sie sich jetzt kaufen können. Da ertönt vom Meer ein gellender Hilfeschrei. Duro schlägt im Wasser wild um sich, dann verschwindet er in der Tiefe. Die Jungen nehmen ein Boot, Zora springt ins Wasser. Schnell muss es gehen. Voller Entsetzen stellt die Bande fest, dass Duro von einem Kraken, einem Riesentintenfisch, umklammert und hinabgezogen wird. Ein Kampf auf Leben und Tod beginnt …

12. Eine Stadt steht Kopf

Der ganze Ort Senj ist auf den Beinen. Die Musikkapelle spielt, die Bürger sind in festlicher Stimmung. Heute wird dem Bürgermeister öffentlich der größte Thunfisch, der je an der Küste gefangen wurde, überreicht. Zora und ihre Bande können sich vor Lachen kaum halten, wenn sie sich die verdutzten Gesichter der Festgesellschaft ausmalen. Wer wird wohl zuerst merken, dass der Riesenthunfisch längst wieder im Meer schwimmt. Auf allen Gesichtern spiegelt sich Erwartung, während der Fischer Gorian eine Rede hält. Dann wird der Fischbottich geöffnet, alle, die in der Nähe stehen, schweigen entsetzt ...

13. Es leben die Uskoken

Zora befreit sich aus dem Gefängnis und es gelingt ihr, Branko im letzten Augenblick vor der Verhaftung zu retten. Wieder einmal sind sie gemeinsam auf der Flucht. Sie finden ein Versteck beim Hoteldiener Ringelnatz. Dort können sie nicht lange bleiben. Der Bürgermeister lässt die Bande überall suchen. Diesmal will er sie erwischen. Branko kann Zora beweisen, dass er die Bande nach dem Vorfall mit dem Hund Leo nicht verraten hat. Versöhnt machen sich die beiden auf den Weg zu Gorian, dem Fischer, der in unverwüstlicher Freundschaft zu ihnen hält.

http://www.fernsehserien.de (13.10.2003)

2 Das Theaterstück. Die Schlussszene

Zora, Branko, Duro, Nicola, Pavle und Gorian essen einen Tinten-fisch.

[handschriftlich: energisch ernig]

Zora: Niemals. Wir wollen Uskoken bleiben. *[handschriftlich: aufgebracht]*

5 **Gorian:** Wenn ihr Uskoken bleiben wollt, so nimmt man zuerst
[handschriftlich: belehrend] mich fest, dann besetzt man euren Turm, und ihr kommt
auch ins Gefängnis. *[handschriftlich: Dass es ruhig gesprochen wird.]*

Pavle: Wir können ja fliehen. *[handschriftlich: stolz]*

Nicola: In die Felsenlöcher. *[handschriftlich: zustimmend]*

10 **Gorian:** Das könnt ihr, aber der Arm der Polizei ist lang, und
wovon wollt ihr leben? *[handschriftlich: ungläubig]*

Zora: Wovon wir bis jetzt gelebt haben. *[handschriftlich: trotzig]*

Nicola: Aber wir haben doch noch unser Geld. *[handschriftlich: zornig]*

Gorian: Einen guten Teil davon müsst ihr leider ~~Karaman~~ geben *[handschriftlich: Dem Müller]*

15 wegen der Sache mit dem Fischteich und – *[handschriftlich: erklärend]*

Duro: Nie! Nie! *[handschriftlich: plötzlich ins Wort fallend]*

Gorian: Ich habe dafür gebürgt, sonst wärt ihr doch ins Gefängnis
gekommen. *[handschriftlich: beleidigt]*

Branko: Was sollen wir dann machen? *[handschriftlich: ratlos]*

20 **Gorian:** Euer Brot auf ehrliche Weise verdienen. *[handschriftlich: ruhig]*

Nicola: Auf ehrliche Weise, das haben wir immer. *[handschriftlich: ratlos]*

Gorian: Das glauben die anderen aber nicht *[handschriftlich: erklärend]* *[handschriftlich links: Wir ich]*

Zora: Ich will nie etwas anderes als ein Uskoke sein. *[handschriftlich: zornig]*

Gorian: Ich glaube dir. Die Zeit der Uskoken ist aber vorbei. Auch

25 bei den alten Uskoken war sie einmal vorüber. Die Zeit, wo *[handschriftlich links: ich]*
ihr in eurem Turm leben konntet, wo ihr wegnahmt, wo
Überfluss herrschte, wo ihr eure Streiche machen konntet,
wo ihr Strolche, Vagabunden, Spitzbuben und Uskoken
wart, ist zu Ende. Der Bürgermeister will es, der Magistrat

30 will es, alle wollen es, und der alte Gorian will es auch. *[handschriftlich: ruhig]*

Zora: Vor einigen Tagen hast du aber gesagt, man soll für seine
Freiheit bis zum Tod kämpfen! *[handschriftlich: trotzig]*

Gorian: Das hab ich gesagt, und ich habe dafür gekämpft, aber
nur solange der Kampf von Nutzen war. Etwas anderes

sollt ihr auch nicht machen. Nach den Gesetzen gehört ihr ins Gefängnis. Nach den Abmachungen mit dem Bürgermeister kommt ihr aber nicht hinein, wenn ihr euch bis heute Abend verpflichtet, eure Bande aufzulösen. *auf brausend*

Alle: Das wollen wir nicht. *wütend* 5

Gorian: Sagt das nicht so laut *(zu Nicola)*. Was willst du lieber: dich weiter vor allen Menschen verstecken, nachts in einer Höhle, einer Hecke oder einem Turm wohnen, von Abfällen, Diebstählen und alten Semmeln leben, oder fährst du lieber auf einem Schiff auf dem Meer, lässt dir 10 den Wind um beide Ohren wehen, setzt Segel auf, wirfst Netze ins Meer, wirst ein Fischer? *zornig*

Nicola: Ein Fischer bin ich genauso gern wie ein Uskoke.

Gorian: Siehst du? Der Kapitän der „Minerva" möchte, dass du so schnell wie möglich bei ihm anheuerst und mit nach Korfu 15 fährst. Er braucht noch einen jungen, tüchtigen Burschen. *beruhigt*

Nicola: Mit der „Minerva" nach Korfu? Natürlich fahr ich mit. *überrascht*

Gorian: *(zu Duro)* Dich will Polacék haben. Weißt du, der Bauer. Er möchte gern einen Jungen aus der Stadt in sein Haus aufnehmen, weil er selber keine Kinder hat, aber Hilfe 20 braucht. Morgen kommt er wieder, und du kannst mitgehen, peng. *ernst*

Duro: Ja, Bauer werden ist mein Traum, und zum Polacék mit seinen Kühen und Schweinen gehe ich gern. Er war immer gut zu uns, peng. *freudig* 25

Gorian: Pavle? Pavle möchte Curcin haben. Es hat nur eine Schwierigkeit. Curcin sagt: „Ich brauche einen großen, starken Kerl, der einen Mehlsack auf die Schulter nehmen und einen Brotteig richtig durchkneten kann. Der Pavle ist sicher zu schwach dazu." *lächerlich* 30

Pavle: Was! Ich heb einen Mehlsack mit einer Hand, und wenn er glaubt, ich kann seinen Teig nicht kneten, dann täuscht er sich. *zornig*

Gorian: Ich habe ihm von deinen Kräften schon erzählt. Du gehst am besten einmal zu ihm und zeigst ihm, wie stark du bist. 35 *aufmunternd*

Pavle: *überzeugt* Einmal! Heute soll er es noch sehen und erfahren, dass er in ganz Senj keinen stärkeren Jungen findet als mich.

Branko: Was hast du mit uns vor? *unsicher*

Zora: An wen willst du uns verkaufen? *trotzig*

5 Gorian: An niemanden. Ich wollte euch im Gegenteil bitten, ob ihr nicht beide bei mir bleiben wollt. Ich bin siebenundsiebzig Jahre alt und habe außer meiner Ziege niemanden auf der Welt, und ich könnte solche Helfer wie euch im Haus und beim Fischfang gebrauchen. *müde*

10 Branko: Gern, Vater Gorian, gern. *freudig*

Gorian: *(zu Zora)* Du auch? *verzweifelt*

Zora: Cool! *freudig*

Nicola: Ich weiß nur nicht, warum du von uns verlangst, dass wir keine Uskoken mehr sein dürfen. Ich kann doch ein

15 guter Fischer und zugleich ein guter Uskoke sein. *fragend*

Duro: Ich kann ein guter Bauer werden und doch ein guter Uskoke bleiben. *zustimmend*

Pavle: Curcin wird es sicher egal sein, ob ich seinen Teig als Pavle oder als Uskoke knete. *zustimmend*

20 Branko: Ob nun der neue Branko oder der alte das Geigen lernt ..."

Zora: Natürlich, Nicola hat Recht, und Gorians Haus wird unsere Uskokenburg, und wenn Nicola von seiner ersten Reise kommt, feiern wir eine große Fete. *jauchze*

Nicola: Und ich bring jedem was mit! *freudig*

25 Zora: Wie ist das? *fragend*

Gorian: Natürlich können gute Handwerker, Bauern und Fischer auch gute Uskoken sein. Natürlich könnt ihr aus meinem alten Haus und meinem Stall eine Uskokenburg machen. Ihr könnt euch auch gern weiter Uskoken nennen. Aber, wir sollten das für uns behalten. Es

30 soll unser Geheimnis bleiben, dass trotz des Verbotes die Uskoken nicht gestorben sind, sondern weiterleben. Niemand darf es wissen, außer mir und euch kein Mensch. *schmunzelnd*

35 Zora: Auch Zlata nicht. *bestimmend*

Gorian: Nein, auch Zlata nicht, aber sag nichts Schlechtes über das Mädchen. *beruhigend*

Zora: Sie hat uns verraten! *aufbrausend*

Gorian: Ich weiß, aber wenn ihr heute nicht ins Gefängnis kommt, sondern in Freiheit bleibt, so habt ihr das Zlata zu verdanken. *beruhigend*

Branko und Zora: Wieso? *unglaublich*

Gorian: Vom Magistrat waren sechs für eure Freilassung und sechs dagegen. Der Bürgermeister hatte die letzte und entscheidende Stimme, da hat ihn Zlata gebeten, nicht gegen euch zu stimmen *(zu Branko)*. Sie lässt dir übrigens sagen, dass sie bereut, was sie gestern im Zorn gesagt hat. Du sollst ihr nicht böse sein. Du sollst dir weiter Mühe geben, ein guter Geiger zu werden wie dein Vater, und sie lässt dir noch Lebewohl sagen. *erklärend*

Branko: Geht sie weg? *überrascht*

Gorian: Nach Italien. Sie will Sängerin werden. *erklärend*

Branko spielt leise auf seiner Mundharmonika das Uskokenlied. Der Mond geht auf.

Gorian: Guckt mal. Der kommt auch immer wieder. *zufrieden*

Branko: Wie wir. *zustimmend*

Zora: Ja. Die Uskoken sind tot. Es leben die Uskoken! *glücklich*

Finale.

Inhalt

Zum Weiterlesen . . .

Robert Cormier: Der schwarze Kasten. Fischer Taschenbuch Verlag, Frankfurt 2000.
Susan E. Hinton: Jetzt und hier. Deutscher Taschenbuch Verlag, München 1982.
Susan E. Hinton: Die Outsider. Deutscher Taschenbuch Verlag, München 2001.
Kemal Kurt : Die Sonnentrinker. Altberliner Verlag, Berlin, München 2002.
Myron Levoy: Ein Schatten wie ein Leopard. Deutscher Taschenbuch Verlag, München 1992.
Joyce Carol Oates: Foxfire. btb Taschenbuch. München 1997.
Harald Tondem: Wehe, du sagst was! Rowohlt Taschenbuch Verlag, Reinbek bei Hamburg 2000.

. . . und zum Hören

Kurt Held: Die rote Zora und ihre Bande. Hörspiel. Patmos Verlag, Düsseldorf 1998. 75 min. (MC/CD)

Textquellenverzeichnis

S. 282: Das Trainingslager für mehr Selbstbewusstsein – in fünf goldenen Regeln. Aus: Patricia Bröhm: Maßlos schön. Von Traumfiguren, Körbchengrößen und anderen Schikanen. Ueberreuter Verlag, Wien 1998, S. 147–150.

S. 286: Eine Gebrauchsanweisung? In: http://www.people.freenet.de (13.10.2003)

S. 287: Bruno Schrep: „Ich nix Verbrecher". Aus: Der Spiegel 41/2003

S. 291: Thomas Krämer; Manfred Liebel: Zwischen Gewalt und der Sehnsucht nach Gerechtigkeit. In: http://www.ci-romero.de (13.10.2003)

S. 295: Der Autor. Aus: Programmheft des Schauspiel Staatstheater Stuttgart (Spielzeit 1997/98) zu Kurt Held: Die rote Zora und ihre Bande, S. 28.

S. 296: Die Entstehungsgeschichte. Aus: Susanne Koppe: Kurt Kläber – Kurt Held: Biographie der Widersprüche? Zum 100. Geburtstag des Autors der „Roten Zora". Sauerländer Verlag, Aarau, Frankfurt a. M., Salzburg 1997, S. 41–43.

S. 298: Der Räuberroman – verfasst von Klaus-Ulrich Pech.

S. 299: Die Fernsehserie. 13 Folgen à 30 min. Episodenguide zusammengestellt von Armin Grief. In: http://www.fernsehserien.de (13.10.2003)

S. 306: Das Theaterstück. Die Schlussszene. Aus: Die rote Zora und ihre Bande. Stück von Henning Bock und Jürgen Popig nach der Erzählung von Kurt Held. Für Uskoken ab 8 Jahren. Schauspiel Staatstheater Stuttgart 1997/98. Verlag für Kindertheater. Uwe Weitendorf GmbH, Hamburg, S. 59–62.

Bildquellenverzeichnis

S. 295: Lisa Tetzner-Kläber: Das war Kurt Held. Vierzig Jahre Leben mit ihm. Sauerländer Verlag, Aarau, Frankfurt a. M. 1961.

S. 299/300: Die Fernsehserie: Die rote Zora und ihre Bande (YU/D/CH 1978)